四方山幻影話56

●写真：堀江ケニー　●モデル：沙夜

◉記事↓141頁

闇の世界への
誘惑者としてのドール

愛らしさやエロスで
異界へといざなう

★森馨《Sleeping Beauty》

★衣《迦陵頻伽（かりょうびんが）》

★衣《荊生化1（ばらしょげ）》

★衣·森馨 人形2人展「めぐし うつくし」
2023年11月11日（土）〜21日（火）水曜休
11:00〜19:00（最終日〜17:00） 入場無料
場所／東京・京橋 スパンアートギャラリー
Tel.03-5524-3060 https://span-art.com/

かすかに息遣いが聞こえてきそうな、リアルな人形たち。日本においてなぜこうも創作人形が盛んになったのだろう。四谷シモンや天野可淡、吉田良らの先駆的な存在があって、多様な表現を志す多様な人形作家が次々に出てきている。

共通するのは、ヒトガタに対する思いの強さだろう。人と同じ姿をしているからこそ、作る側も観る側も強い思いを投影しやすい。そして、生きているようなリアルさを持ちながらじっとそこにとどまり続けるその姿は、人形は人には認知できない別の世界——あの世——の中で生きているかのような印象も抱かせる。

人形は、闇の向こう、あの世への案内人でもあるのだ。

ときに人形がエロスを漂わせるのは（性器の印をつける人形作家は多い）、闇の世界へ我々を誘惑しようとしているからではないか。そしてその誘惑を望むからこそ、我々は人形に惹きつけられる。

愛らしさやエロス、仄暗さを湛えた人形を制作し続ける衣と森馨の2人展が開催される。2人で計10体ほど。森は新作のビスクドールも展示予定。人形とともに、その背後にある闇の異界へといざなわれたい。（沙）

★森馨《薔薇沙姫》／写真：吉成行夫
※森馨 人形作品集「Ghost marriage〜冥婚〜」好評発売中

★山吉由利子

★秋山まほこ

★恋月姫

★陽月

アリスの世界で遊ぶ人形たち

★清水真理

ルイス・キャロルの『不思議の国のアリス』はいまだ人気だ。地下に落ちることを契機にして始まるこの物語は、個性豊かなキャラクターたちもさることながら、地下＝闇の側からこの世の常識を転覆させる想像力が今も人を惹き付けるのだろう。

その『アリス』の日本における受

★K LOKA

★前田ビバリー

★林由未

★ヒロタサトミ

★「ヒロタサトミ 記録と記憶 創作人形ができるまで」
2023年9月16日(土)〜11月19日(日) 月曜休 9:30〜17:00
観覧料/大人(高校生以上)700円、小中学生350円
場所/横浜人形の家 2階多目的室

★企画展「ALICE×DOLL—不思議の国のアリスと人形—」
2023年10月28日(土)〜2024年1月28日(日) 月曜及び年末年始休
9:30〜17:00
出品作家/秋山まほこ、井桁裕子、ウエノミホコ、片岡メリヤス、北岸由美、くるはらきみ、KLOKA、恋月姫、清水真理、中澤忠幸、林由未、陽月、前田ビバリー、増田セバスチャン、MOYAN、山吉由利子
観覧料/大人(高校生以上)1000円、小中学生500円
場所/横浜人形の家 3階企画展示室

▶横浜人形の家 Tel.045-671-9361 https://www.doll-museum.jp/
※上記観覧料には入館料(大人400円、小中学生200円)含む。未就学児は無料。

★井桁裕子

★ウエノミホコ

★中澤忠幸

★片岡メリヤス

★MOYAN

★北岸由美

★増田セバスチャン

★くるはらきみ

容とその歴史を紹介し、現代の人形作家16名による『アリス』モチーフの新旧作を一堂に集めた展覧会が横浜人形の家で開かれる。ビスク、石塑、紙、布などさまざまな素材を使用する多様な作家が競演。それぞれが独自の解釈で作り上げた『アリス』の世界を愉しみたい。

本誌寄稿者・市川純のギャラリートークやミニファッションショーなどイベントもあり。詳細はHPへ。

また11月19日までは、2階多目的室でヒロタサトミ展も開催中。人形とともにその制作過程を開示した稀有で貴重な展覧会だ。(沙)

御用邸をはじめ、著名人の自宅や別荘などが建ち並ぶ葉山。趣のある建築物が数多いところだ。

その葉山の国登録有形文化財である洋館「旧足立邸」を舞台に、実力ある人形作家の作品が集う展覧会が開催される。旧足立邸は、築90年、葉山を代表する和洋折衷の洋館（ふだんは未公開）。その建物だけでも一見

★人形：陽月、写真：吉田良（右頁下の写真も）
左頁の写真3点は、旧足立邸イメージ

歴史ある洋館で人形と非日常を

に値するが、その空間がアンティークな家具や小物で満たされ、そこに人形たちがくつろぐという、とても贅沢な展覧会だ（人形もアンティークも販売あり）。

西洋アンティークを取り扱うVelvet Knotは、2019年に都内のアンティークショップで人形展を開催。今回は4年ぶりの企画となる。贅沢な空間で過ごす贅沢な時間。人形とともにこのうえない非日常を味わいたい。（沙）

★Velvet Knot Doll Exhibition 2023
—非日常に満たされた日常—

2023年11月18日（土）〜12月4日（月）休館日11/21・22・28・30、12/1
12：00〜17：00（最終日は〜16：00）
入場料／1,000円（オンラインでの事前予約制）
出品作家／秋山まほこ、因間りか、小畑すみれ、木村龍、佐伯祐子、Sayuri、成、野口由里子、衣、陽月、真咲、丸美鈴、三浦悦子、山吉由利子、りのん、y
場所／神奈川・葉山 旧足立邸（住所詳細は予約後に追って案内あり）
予約・詳細は https://velvet-knot.square.site/

自分だけの舞台が始まる

大阪の天王寺からひと駅、Gallery cafeBar冥は、ゴシックの雰囲気漂うカフェ兼バー兼ギャラリーだ。

その場所で、人形作家であり、写真撮影やモデルとしても活動している遠山涼音が、3年ぶりの個展を開催する。幕が降りたサァカス。深夜照明が落ち、闇の中にただ一人残される。しかし、「幕が降りたあとは飾らなくていいの。夜が更けたら私だけに幕が上がるから」。

自身の思いを投影した等身大の球体関節人形や動物ドールなど、さまざまな者たちが闇の中から姿を現し、賑やかに迎えてくれるだろう。そして孤独者たちにエールを送ってくれるにちがいない。（沙）

★遠山涼音 個展
「幕降りたサァカス」
2023年12月10日(日)～24日(日)
月・火休
15:00～22:00(最終日～19:00)
場所／大阪市生野区・東部市場前
Gallery cafeBar冥
https://www.gallerycafebar-mei.com/

三浦悦子の世界〈30〉[Medical BOX]

退廃的かつ耽美的。

黒い眼帯や十字架や黒、青の口紅……
そう、いわゆる現代イタイと言われるファッション。
彼女、彼たちは心に刺青しゴスファッションしていると思うの。

心に決めた刺青を。

そんな心が痛んだとき治療してあげる。

★夏目羽七海

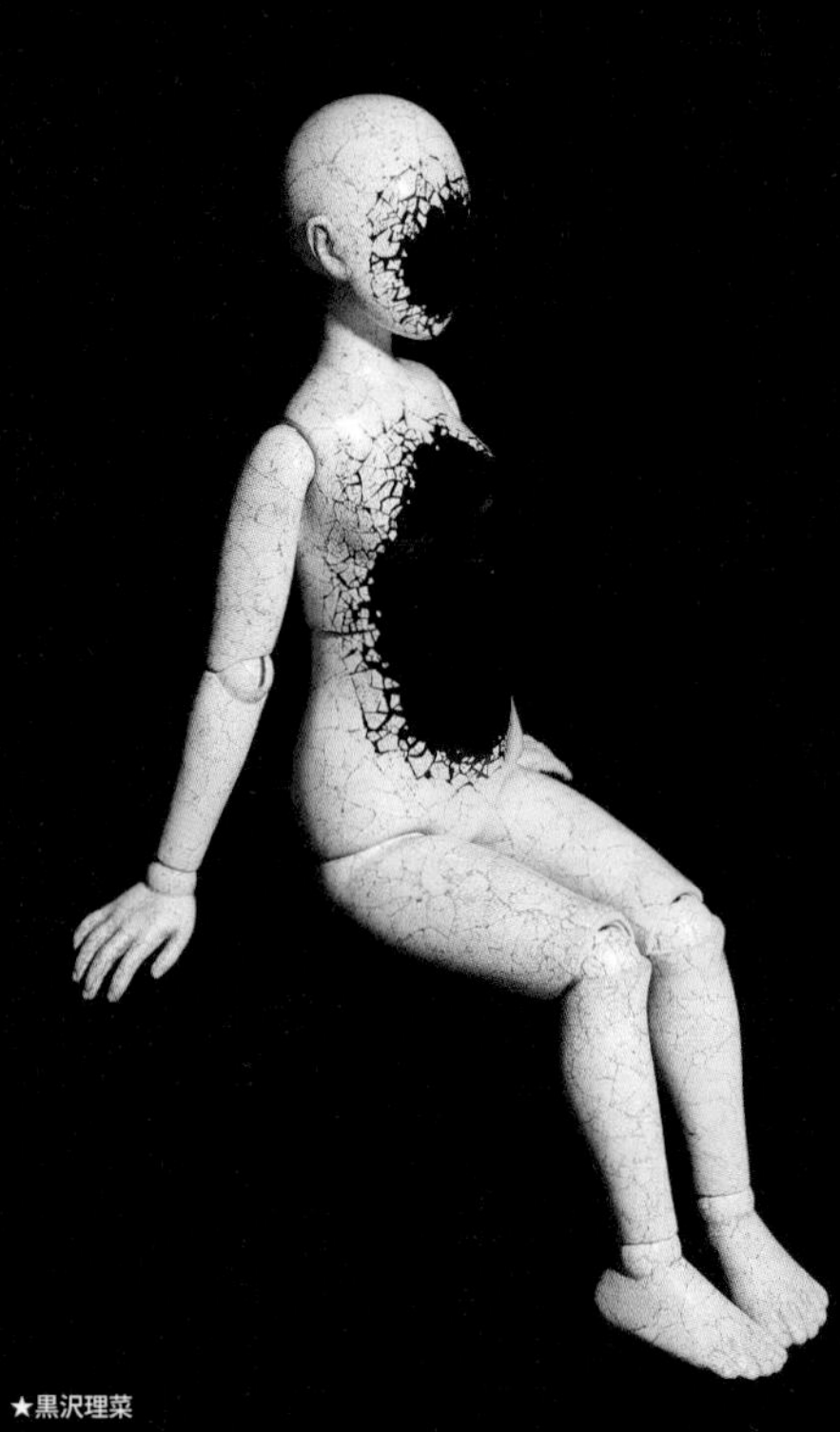

★黒沢理菜

★小川クロ

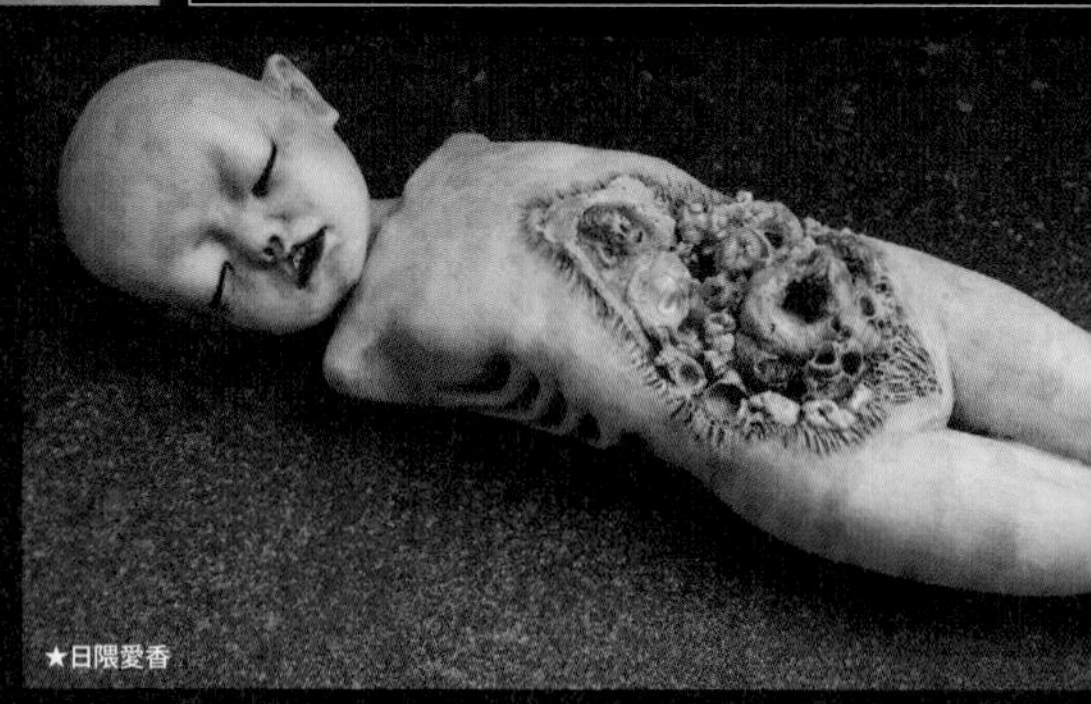

★日隈愛香

★八嶋十三

★朱宮垂狐

★haruhi

★鳥居椿

★TANAKA AZUSA

内に秘めたものの愛おしさ

内に秘めたものをどのように表出させるか。心の中という闇を手探りしつつ、そこから何をすくい上げ、形にするか。そうしたものを探究し続けている作家のグループ展が同時開催される。

ひとつは、少女性を探求する4人の画家（本頁右上と左側3点の図版）。もうひとつはヒトガタ表現を探求している8人の人形作家たち。美しさとイビツさが混ざりあったその世界は、おそらく、闇と向き合い、それを肯定することで生み出されたものであろう。その秘めたるものの愛おしさを味わいたい。（沙）

★Kaho

★「++4 episodes of sacred fragile fragments 少女たち ++」
「DOLLS—秘めたるものの形—」
2023年11月9日（木）～15日（水）会期中無休 13:00～19:00
入場料／500円
場所／京都・三条 ギャラリーGreen&Garden
京都市中京区三条猪熊町645-1 Tel.090-1156-0225
https://twitter.com/greenandgarden

★中井結
※画集「はじまりとおわりと、そのあいだ」のサイン本を販売
（このギャラリーの12月までのすべての展示で）

★周amane

修羅と鬼が殺し合う悪夢的ビジョン

地獄の鬼との戦いにより、家族など大切な者を奪われた過去をもつ修羅の一族。その怨みを晴らすため、人間の少女の姿を借りて鬼たちを血祭りにあげていく——。田村幸久が2021年頃から描き始めた〈Killing machine〉のシリーズは、血しぶきが飛び散り生首が転がるグロテスクな作品群だ。その衝撃的な光景を写実的に細密に描き出す。

しかしこの光景はただの幻想なのだろうか。暗鬱としたこの社会で、絶望や怒り、不満を蓄積させている者の心情を、これらの作品は代弁しているのではないか。純粋無垢な修羅＝少女の表情を見ると、そんなことを感じる。（沙）

★田村幸久 個展「Killing machine」B室
2023年11月10日（金）〜19日（日）会期中無休
入場料／オンラインチケット800円
当日券1000円（空きがある場合のみ販売）
※A室・B室の両方を観覧可能
場所／東京・銀座 ヴァニラ画廊
12:00〜19:00（土・日・祝は〜17:00）
Tel.03-5568-1233
http://www.vanilla-gallery.com/

★《Dancing In The Street》※今回のメインビジュアル、レンチキュラー印刷により見る角度で絵が変わる

★《GirlDye - Dream Dance》

★《素直にならない》

SRBGENk

◉記事→p.108

闇と光、それぞれの世界で好きに生きる

悪夢がもたらす安寧

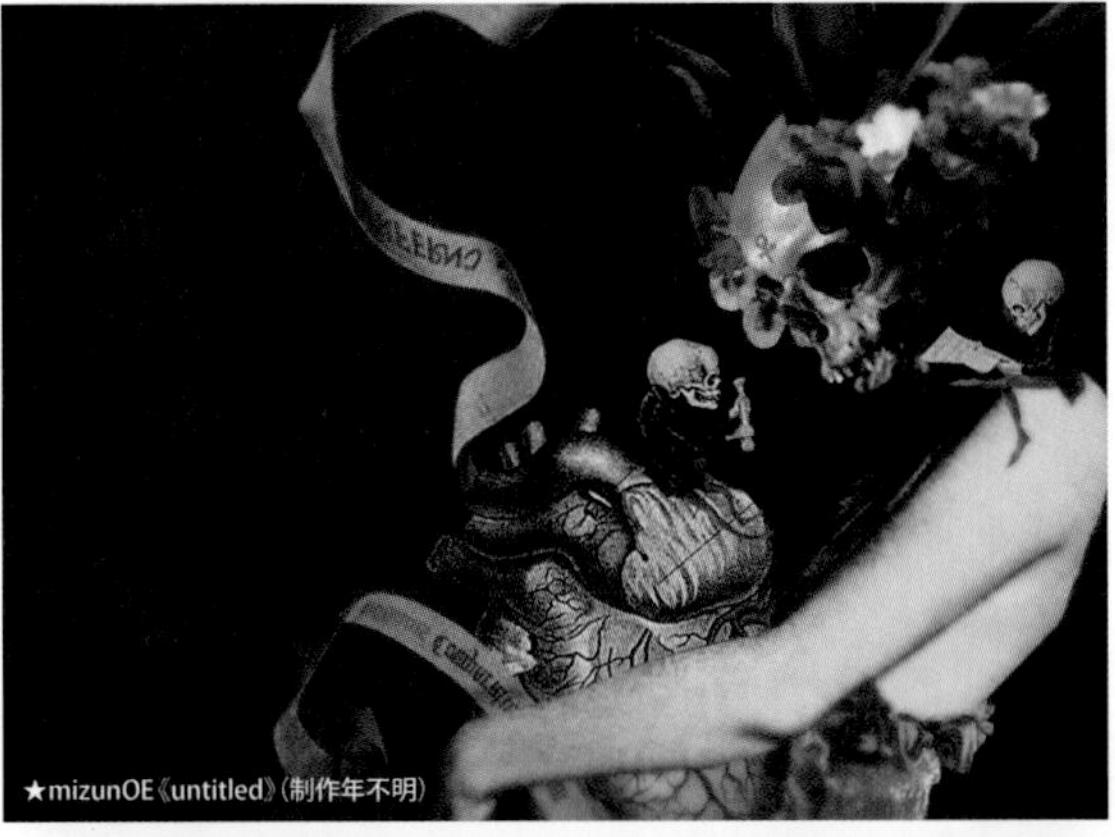
★mizunOE《untitled》(制作年不明)

★星レン《From L》(2023)

★川島まひろ《レテ》(2021)

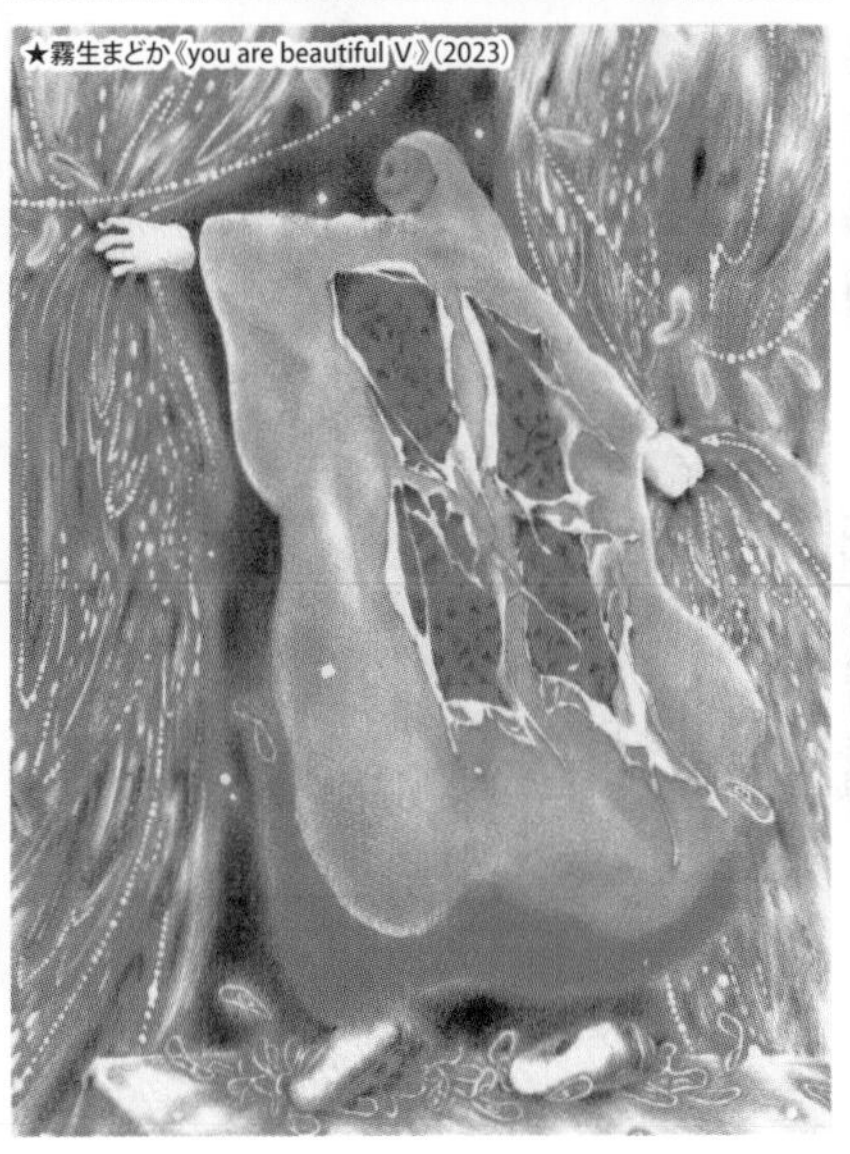
★霧生まどか《you are beautiful V》(2023)

mizunOEが巧みなデジタルコラージュによって生み出すのは、悪夢の世界だ。美しさと不気味さ、シニカルさが響き合い、見たことのない光景を紡ぎ出す。その世界に共鳴した作家たちによるトリビュート展が開催される。会場のgallery hydrangeaは、灰色の壁の薄暗い空間が特徴で、その空間で来場者を別世界へといざなう。悪夢を体感するにふさわしい場所だろう。

他に、臓物に理想と愛を投影する星レン、新たな生命の形象を象徴的に表現する川島まひろ、傷つくことを受け入れた孤独の物語を描く霧生まどかの個展も。いずれも、ある意味悪夢的とも言える世界。だがその幻想の向こうに、この世にはない安寧を感じる者も多かろう。悪夢は恐怖をもたらすとは限らないのだ。(沙)

★星レン 個展「From L」
2023年11月16日(木)～20日(月) 会期中無休

★mizunOE TRibute exhibition「BADREAM #2」
2023年12月1日(金)～10日(日) 火・水休

★川島まひろ 個展「OMNOPIA」
2023年12月14日(木)～18日(月) 会期中無休

★霧生まどか 個展「beautiful」
2023年12月21日(木)～25日(月) 会期中無休

いずれも、場所/東京・曳舟 gallery hydrangea
13:00～18:30(最終日は～17:00) 入場無料
Tel.03-3611-0336 https://gallery-hydrangea.shopinfo.jp/

★(右頁) mizunOE《untitled》(制作年不明)

死と戯れる少女たち

村田は今年9月、「髑髏」がテーマのグループ展に参加し、そのこともあって久々に髑髏をしっかり使った作品を制作したという。もともと村田の制作の背景には、写真集『宵待姫 十三夜』のあとがきで記されているように、死への恐怖の克服があった。タナトスをエロスで封じ込めようとしたのである。撮影スタジオ代わりに使っている屋根裏は、当時は死の気配を漂わせた異界そのものであったし、タナトスの象徴として髑髏がよく使用された。昨今は屋根裏に新たな天窓が付き、髑髏を使用

★村田兼一 写真展
「海馬の彼方」（仮）
2023年12月8日（金）〜24日（日）月・火休
13:00〜19:00 入場無料
場所／東京・神保町 神保町画廊
Tel.03-3295-1160 http://www.jinbochogarou.com/

しても以前ほどの陰鬱さは感じられなくなった。とはいえ屋根裏の異界性が失われたかというと、それは違うだろう。モデルは変わらず人形のように無表情に押し黙っている。髑髏と戯れるさまは、死の闇の世界と光の世界を行き来する魔術的な力を秘めているようにも見える。

恐怖にだけ染まったものとは違うあらたな死の光景をそこに感じることもできるだろう。村田の次なる境地をこの個展で目撃されたい。（沙）

電話
ちりんちりん、
ちりんちりりん、
ガチャ。
もしもし。
はぁい、私よ。
うしろの、ワタシ。
ていうか
もう普通に話さない？
二人きりで、四年間も
引き篭もっているのに
ソーシャルディスタンスも
クソもないでしょ。
ていうか、そもそも
電話の意味ないし。
普通に聞こえているし。
今更だけど。
そもそもこの電話
繋がってないからね。
こやまけんいち絵本館
no. 53
こやま
けんいち
2023

もしもし。
え？
なんか怒ってる？
ご機嫌ナナメかしら。
電話はね、
繋がってたら駄目なのよ。
だって、こんな近くじゃ
ハモるでしょ。
それに、外と繋がると
情報の波が目から耳から
入り込んで脳を侵すの。
時間と行動を束縛して、
伝染病より確実に
身体を侵すのよ。
だから私は全てを遮断して、
この引き篭もり生活で
私を取り戻すつもり。
大丈夫よ。
ペストのあの頃に比べたら
王族のような生活じゃない。
あと数年は満喫したいわ。
え、ただ普通に話そうよって話？
え？ このマスクと帽子取っちゃうの？

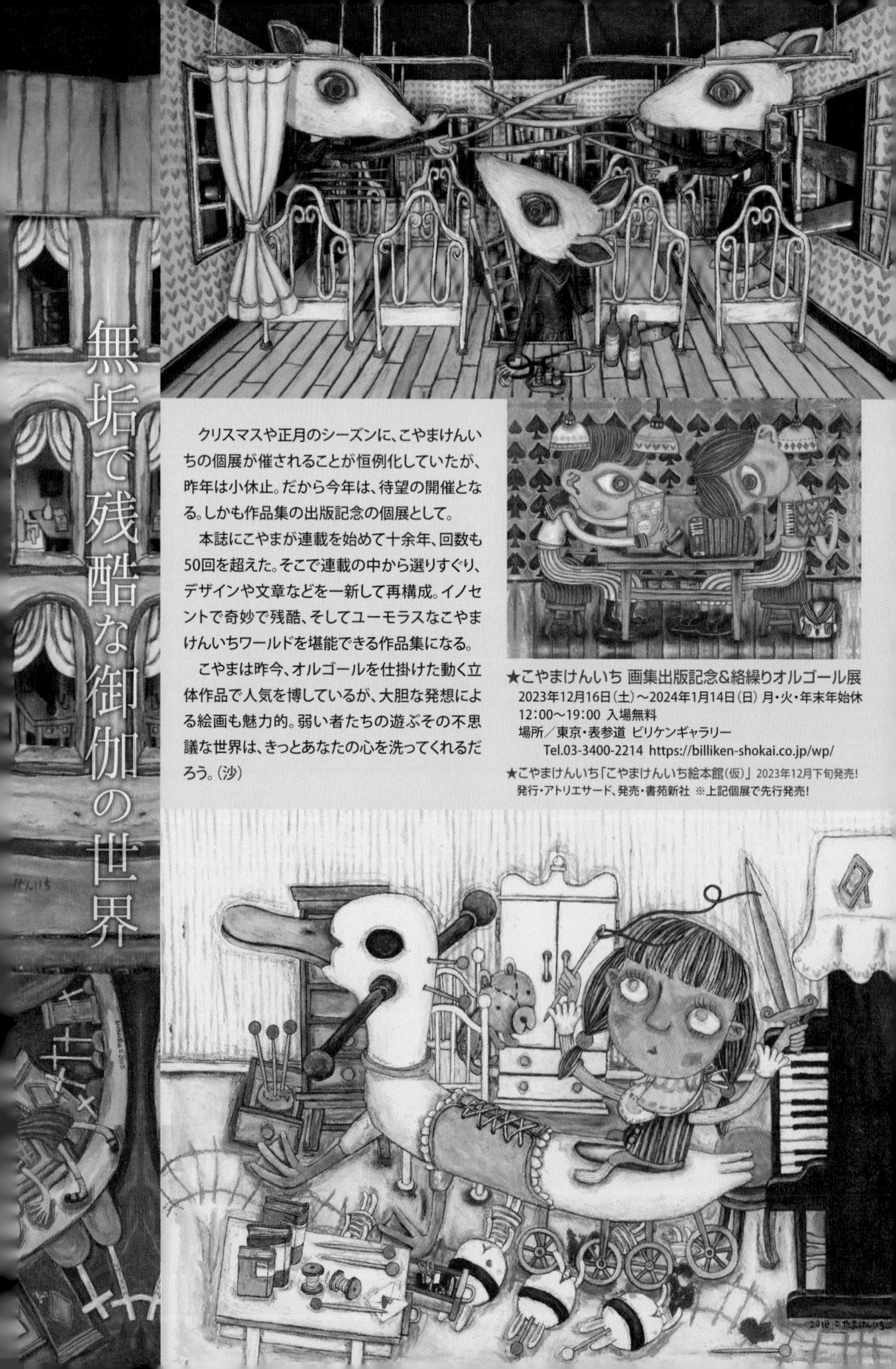

無垢で残酷な御伽の世界

クリスマスや正月のシーズンに、こやまけんいちの個展が催されることが恒例化していたが、昨年は小休止。だから今年は、待望の開催となる。しかも作品集の出版記念の個展として。

本誌にこやまが連載を始めて十余年、回数も50回を超えた。そこで連載の中から選りすぐり、デザインや文章などを一新して再構成。イノセントで奇妙で残酷、そしてユーモラスなこやまけんいちワールドを堪能できる作品集になる。

こやまは昨今、オルゴールを仕掛けた動く立体作品で人気を博しているが、大胆な発想による絵画も魅力的。弱い者たちの遊ぶその不思議な世界は、きっとあなたの心を洗ってくれるだろう。(沙)

★こやまけんいち 画集出版記念&絡繰りオルゴール展
2023年12月16日(土)～2024年1月14日(日) 月・火・年末年始休
12:00～19:00 入場無料
場所／東京・表参道 ビリケンギャラリー
Tel.03-3400-2214 https://billiken-shokai.co.jp/wp/

★こやまけんいち「こやまけんいち絵本館(仮)」2023年12月下旬発売!
発行・アトリエサード、発売・書苑新社 ※上記個展で先行発売!

エロス表現の探究者たち

★宮本香那
※画集「おままごとのつづき」のサイン本を販売
（このギャラリーの11〜12月のすべての展示で）

★多賀新

★星レン

★Mio_Hana（台湾）

★早乙女宏美

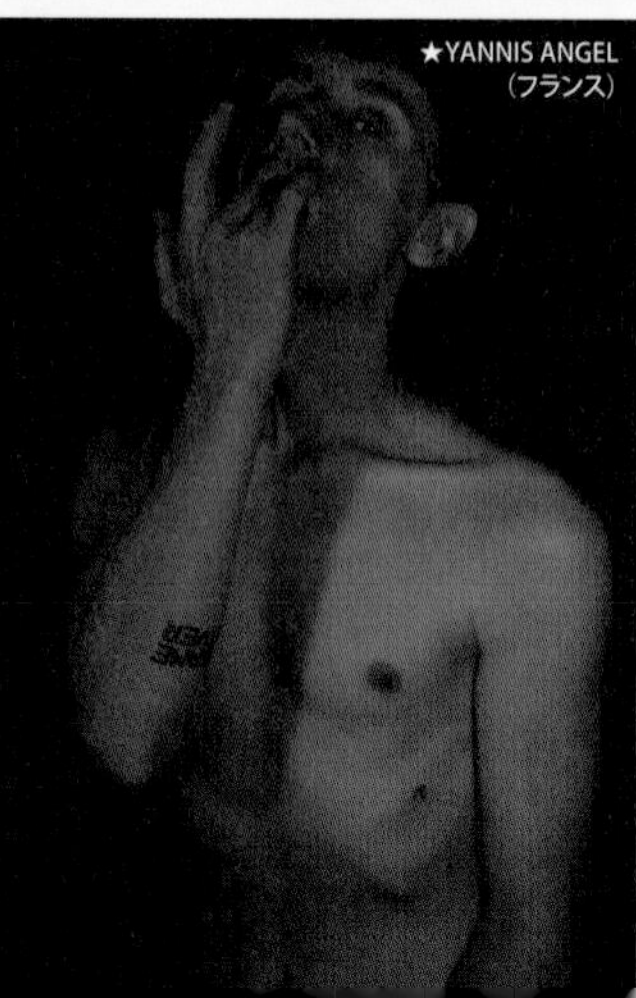
★YANNIS ANGEL（フランス）

★華山虎

★Féebrile（フランス）

★牧田恵実

★fukka

★MIRAI

エロス表現にはさまざまあれど、何にどのようなエロスを覚えるかは人それぞれ。世間の基準や良識に惑わされることなく、独自のエロスを追究している作家のグループ展が開かれる。参加作家は、日本のみならずフランスや台湾からも。その表現方法も、実に多様だ。それぞれが唯一無二のエロス表現、ぜひそのラディカルさを堪能されたい（図版掲載作家のほか、中井結が出品）。

会期中は、早乙女宏美による切腹イベントもあり。（沙）

★「EROS―美と快楽の闇を彷徨うものたち」

2023年11月23日（木）～29日（水） 会期中無休 13:00～19:00 入場料／500円

※11/25（土）19:00～早乙女宏美による切腹イベント「神楽月 切腹譚」
料金2500円

場所／京都・三条 ギャラリーGreen&Garden
京都市中京区三条猪熊町645-1 Tel.090-1156-0225
https://twitter.com/greenandgarden

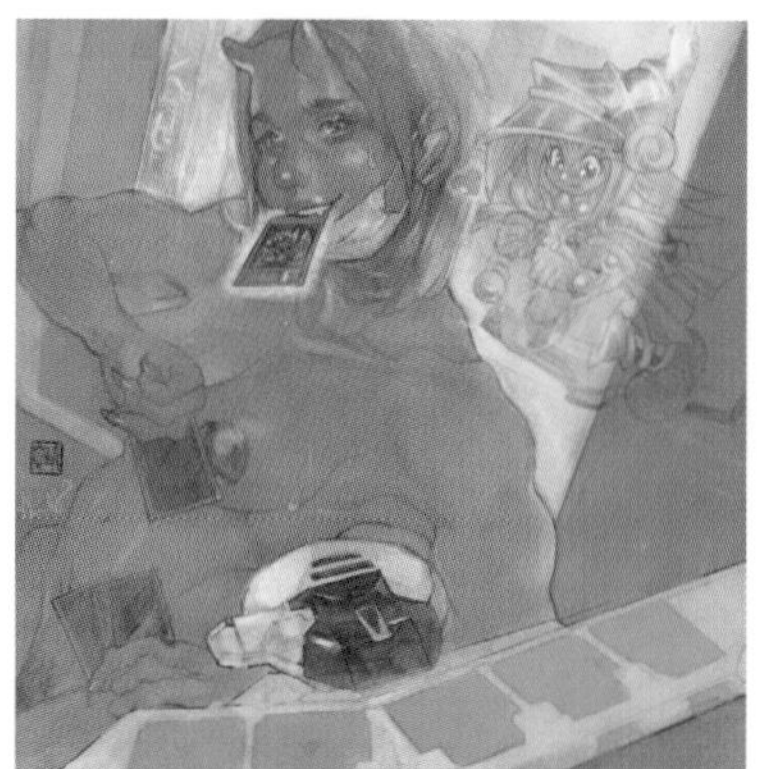

大胆不敵なエロスのパワー

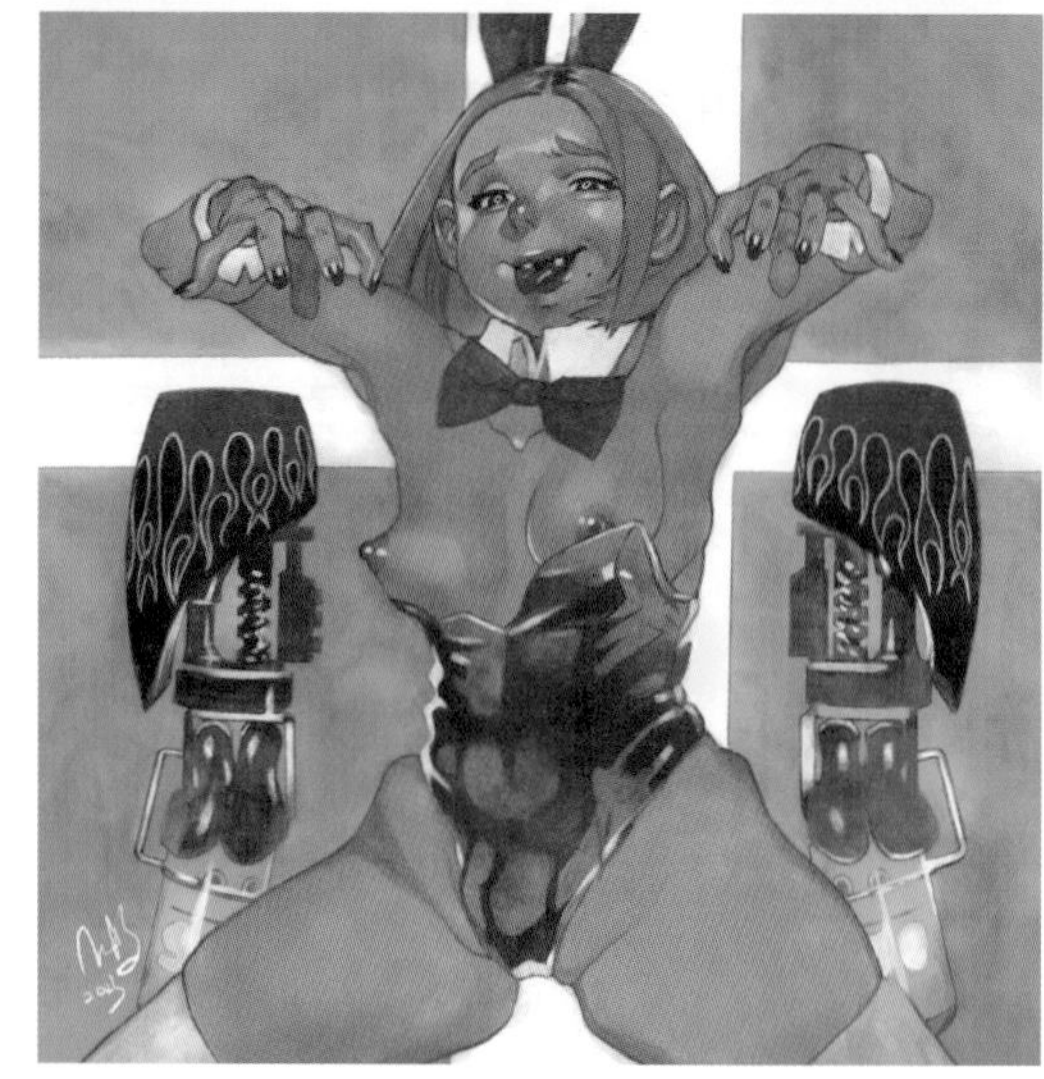

★Poppy purrs factory 個展
「A Better Self」
2024年1月12日(金)～21日(日)
会期中無休
13:00～19:00 入場無料
場所／東京・神保町 神保町画廊
Tel.03-3295-1160
http://www.jinbochogarou.com/

台北生まれのPoppy Purrs Factory。90年代アンダーグラウンドカルチャーやマンガ、アニメの影響を強く受けながら、鮮烈な色彩で、肉感的かつエロティックな人物像を描き出している。いまは日本在住で、日本で個展を開催し始めてまもなく4年目となる。

「A Better Self」とは、より良い自分という意味。大胆不敵で人の目を気にするようには見えないその人物像は、だれがなんと言おうと自己を肯定するエネルギーに満ちている。それが「より良い自分」になる秘訣なのかもしれない。そのエロスあふれるパワーを浴びよう。(沙)

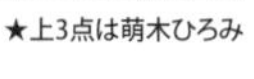

★上3点は萌木ひろみ

★（左）おおしろ晃（右）HARRY画狛

谷崎潤一郎の世界を耽美に描く

谷崎潤一郎に魅了され、その世界にインスパイアされた作品を制作し続けている萌木ひろみ。自らの内に秘めた情念や、心の傷跡を赤裸々に描き出しながら、谷崎の世界観と融合させ、より耽美的な表現を生み出している。11月に開く個展でも、耽美かつ頽廃的な世界が披露されるだろう。

また萌木は、12月には、おおしろ晃、HARRY画狛との3人展に参加。こちらもユニークな組み合わせの展覧会だ。（沙）

★おおしろ晃・萌木ひろみ・HARRY画狛
「日萌、張 光 HI・MOE・HARU・HIKARI」
2023年12月15日（金）～24日（日） 会期中無休
場所／大阪・千鳥橋 GALLERY 狛代
12：00～20：00 入場無料
Tel.06-7222-1257
https://www.artworkgeofront.com/gallery

★萌木ひろみ 個展「孤闘の楽園」
2023年11月17日（金）～25（土） 会期中無休
場所／大阪・淀屋橋 乙画廊
12：00～17：00 入場無料
Tel.06-6311-3322
http://oto-gallery.jpn.org/

★坂田桃歌

★鈴木美絵

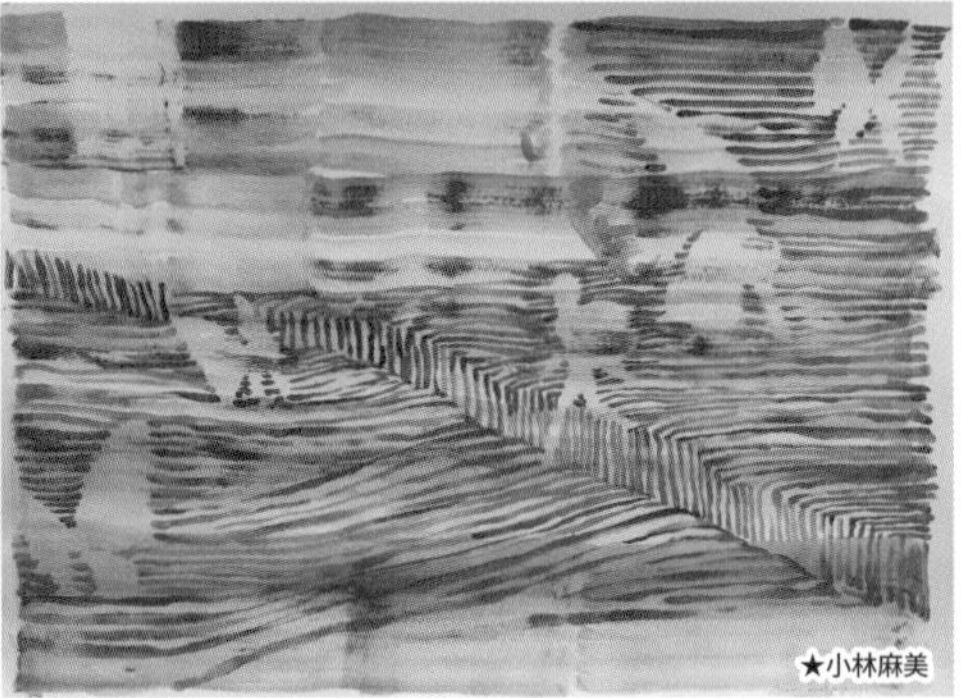
★小林麻美

★植田陽貴

★栗原あき

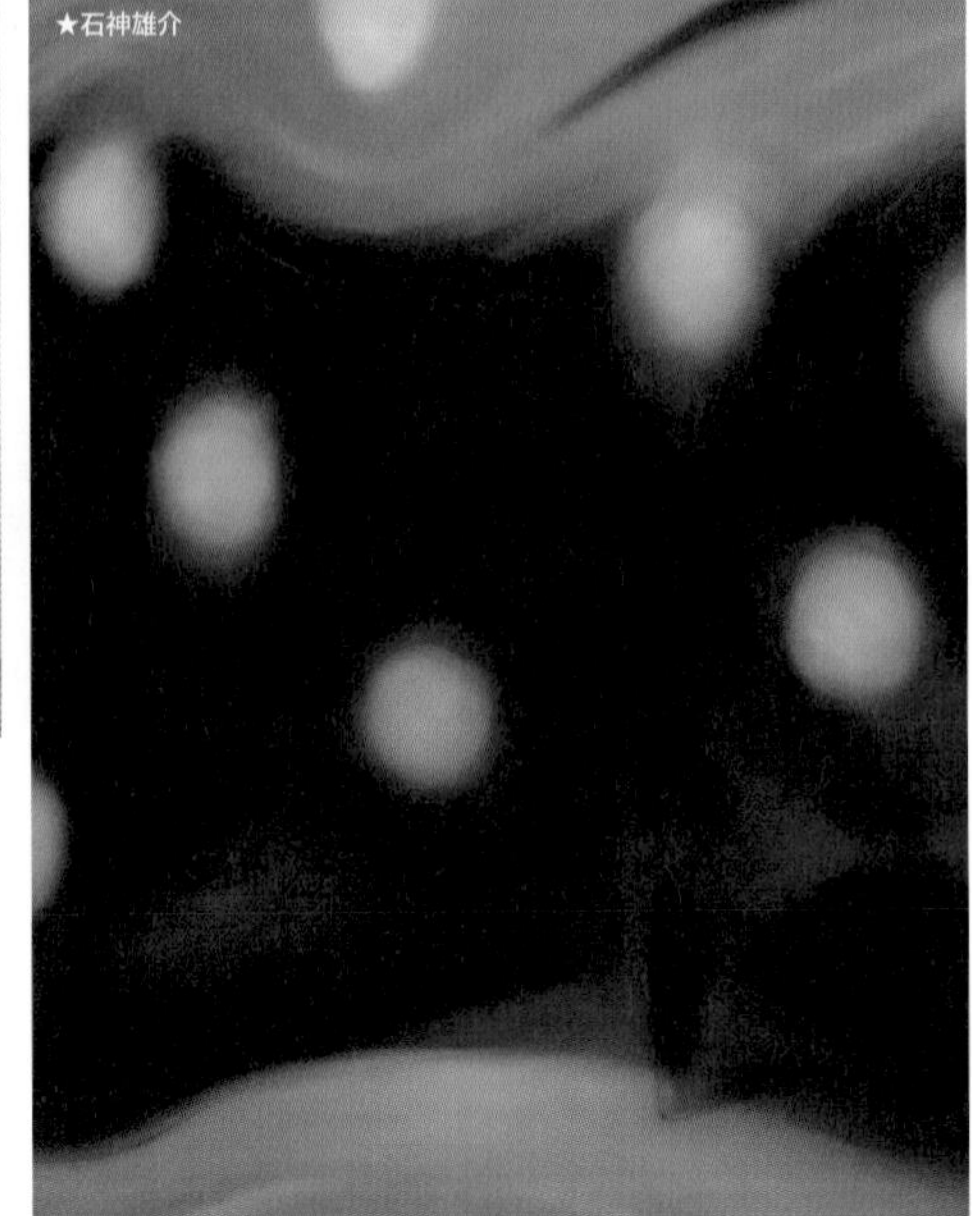
★石神雄介

自他の境界または文字の先鋭

なんともない光景のようで、マジカルな何かがその画面の中に漂う。それを観ていると、不可思議な感覚がふつふつと湧き上がってくる。Green&Gardenで12月に開かれるグループ展のひとつが、自他の境界の

★住谷隆

★中西揚一

※この下5人は、「文字の視想」展の出品作家

★生ごみは走召生、キゑ宗教

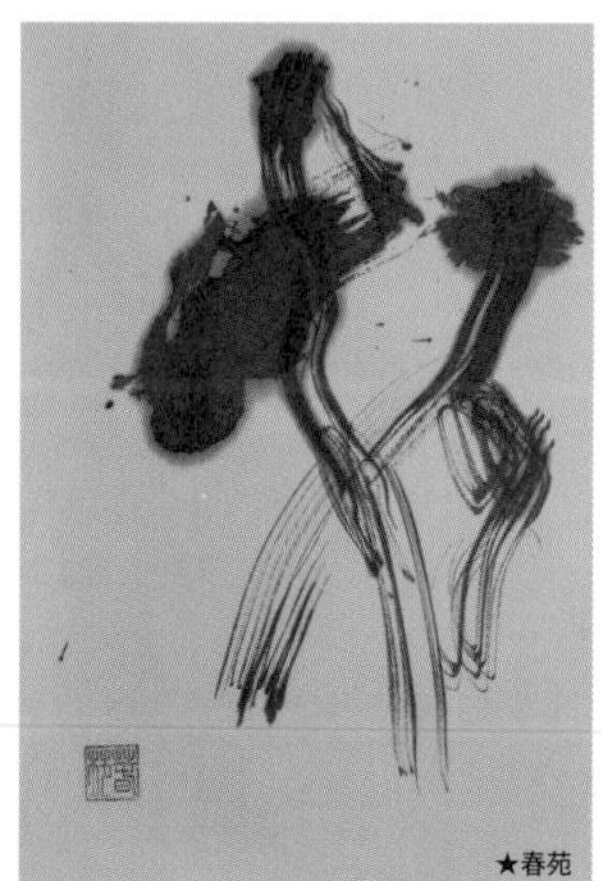
★春苑

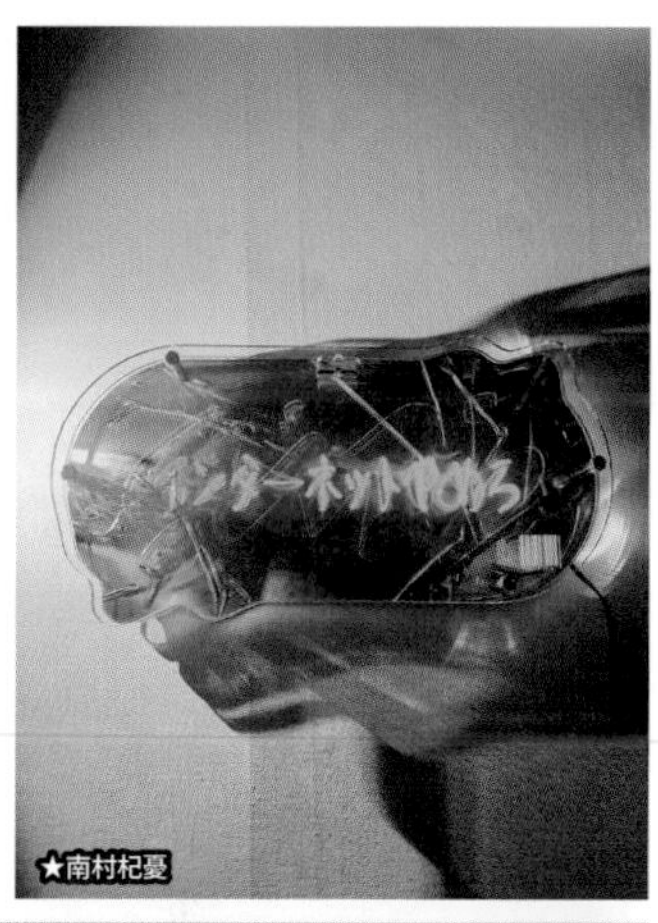

★南村杞憂

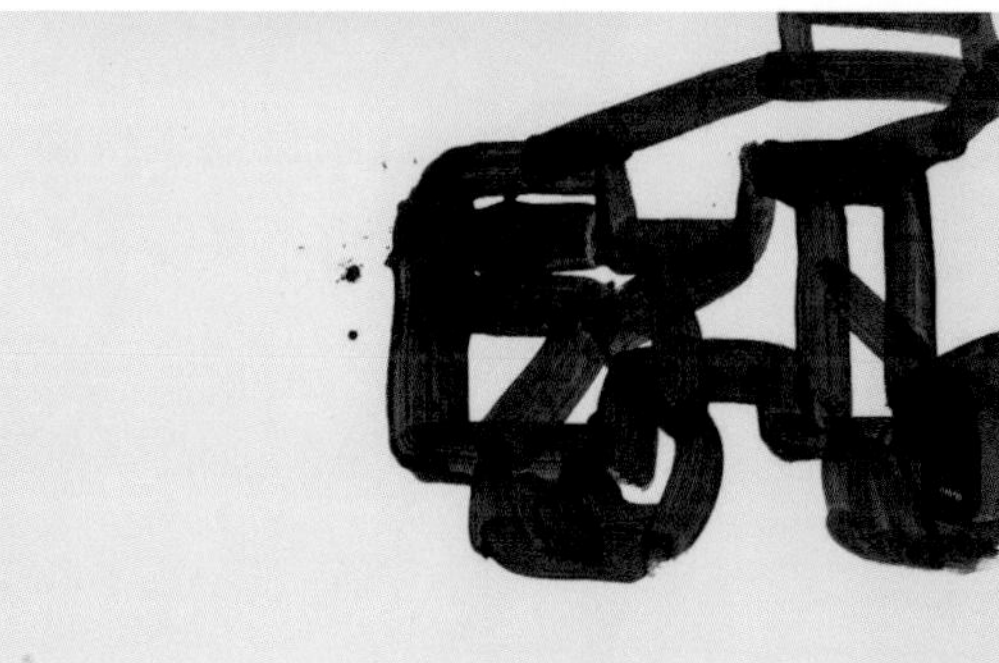
★山本尚志 ©Hisashi Yamamoto, Courtesy of Yumiko Chiba Associates

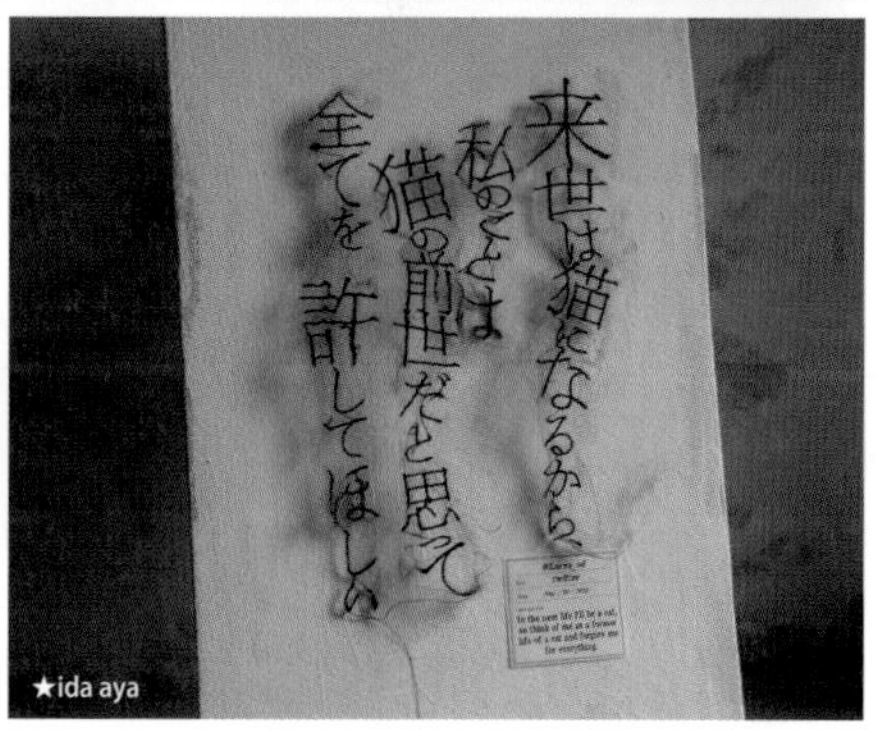

★ida aya

★「境界としての、ひと、情景」
「文字の視想」

2023年12月7日(木)～13日(水) 会期中無休
13:00～19:00 入場無料
場所／京都・三条 ギャラリーGreen&Garden
京都市中京区三条猪熊町645-1 Tel.090-1156-0225
https://twitter.com/greenandgarden

あいまいさや風景のなかに溶かされる自我を、情景として表現している作家たちの展示。単なる風景画のようでそうにあらず。

同時期にもうひとつ、視覚的な文字や言葉を通して存在について問いかける表現者たちの展示も。書で表現する者や、コヨリでツイートを活字化する者、全身に般若心経などのタトゥーを彫っている者など、結構先鋭的な表現者たちだ。（沙）

立体画家 はが いちよう の世界《第42回》

ピエールの荷馬車

あるとき急に写真（左下）の荷馬車を作りたくなり、車輪になりそうな輪を探した。ほどなく木製のブレスレットを発見。少し厚すぎたが削ればなんとかなるだろうと買って帰り、削った。するとちょうど良い轍（わだち）となり、スポークには細いヒノキの棒をボンドで止めて、見事な車輪が出来上がった。その後一週間で馬車全体が出来上がり、古い湯屋の手前に置いた。こうして作品「ピエールの荷馬車」が完成。1998年のことだった（縮尺12分の1）。

それから14年経った2012年、群馬で大規模な拙展が開かれることになり、本作を現場へ運び梱包を解くと、なんと車輪がバラバラに砕け散っているではないか。

「ガガガーン!!」である。

車輪に使ったブレスレットが生木だったため、年月で縮んでしまい、スポークを壊し車輪をバラバラにしてしまったのだ。このときは急遽別の作品に差し替えることで、ことなきを得たが、後日改めて縮まぬ木（ベニヤや合板など）を用いて荷馬車全体をつくり直した（写真）。

本作は「Gallery ICHIYOH」（東京都北区中里3の23の22）でご覧になれます。入場料100円。10時～18時。メール（ichiyoh@jcom.zaq.ne.jp）でご予約の上お出かけください。

芳賀一洋（はが・いちよう） https://ichiyoh-haga.com/
1948年、東京に生まれる。1996年より作家活動を開始し、以後渋谷パルコ、新宿伊勢丹、銀座伊東屋などでの作品展開催や、各種イベントに参加するなど展示活動多数。著作に写真集「ICHIYOH」（ラトルズ刊）などがある。

妖艶な少女の住まう緻密な幻想世界

根橋洋一は、妖艶な少女の住まう超現実的な光景を描き続けている。具体的な場所、状況はまったく判然としない。さまざまなものが画面を埋め尽くし、そこに少女が白い肌を晒している。緻密な筆致で描かれたその情景に見入っているうちに、観る者はやがてその幻想世界に取り込まれてしまう。

今回開く個展では、鉛筆画約13点を展示予定。黒い壁の空間で、ぜひその妖しいモノクロの世界を堪能したい。ヴィヴィットなカラー作品は、画集「秘蜜の少女図鑑」で味わえる。(沙)

★根橋洋一 個展「遠い記憶の内側」
2023年11月18日(土)〜12月3日(日) 月・火休
12:00〜19:00 入場無料
場所/東京・小伝馬町 みうらじろうギャラリー@5
Tel.03-6661-7687 https://jiromiuragallery.com/

★根橋洋一 画集「秘蜜の少女図鑑」
好評発売中!
A5判・ハードカバー・64頁
発行・アトリエサード、発売・書苑新社

★(上)《花の円舞曲》297×210mm
(左)《秘儀》227×158mm

ダークで頽廃的な世界に浸る

虚は、グラフィックデザイナーであり、3DCGや写真を使用してダークなコラージュ作品を制作しているアーティストだ。ヘヴィメタル、ハードコア等に影響を受け、暗い感情の発露をテーマとしているという。

その虚と、廃店長による2人展が、高円寺のOriental Forceで開かれる。ライブ/DJバーであり、ギャラリーカフェでもある場だ。廃店長は、カセットと音のミクストメディアを出品予定。ディープな世界にどっぷり浸かりたい。（沙）

★上3点は虚、右は廃店長の作品

★虚×廃店長「Heaviness & Madness」
2023年12月16日（土）～2024年1月14日（日） 無休
11：30～17：00（※ライブイベント等により変動あり。SNSを要確認）
場所／東京・高円寺
Oriental Force（Live / Dj Bar and Gallery Cafe）
X：@oriental_force

石川雷太、羅入が芸術祭に参加

鉄板や鉄パイプ、大量のガラスの破片、骨、血液、肉、放射性鉱物、武器、TVニュースの画像、ノイズ音など、さまざまなものをサンプリングしたインスタレーションで知られる美術家・石川雷太。アートによって宗教と同じく「根源」に還ることを目指す羅入。ふたりが十日町市湯山と足利市の芸術祭に参加する。パフォーマンスなどもあり。心を研ぎ澄まさせる超自然的でラディカルな表現を、ぜひ目撃されたい。(沙)

★羅入「ハイヌウェレ・レコード」2020

★石川雷太「True romance」2021
／「路地まちアートランブル2021」S邸の納屋（足利）

★石川雷太「昭和・平成・パルチザン」2021
／「路地まちアートランブル2021」S邸の納屋（足利）

★ギャラリー湯山2023・秋企画展 "FINAL"

2023年10月7日（土）～11月5日（日）の土・日・祝に開催
10:00～16:00
入場料／「大地の芸術祭」共通チケット、もしくはギャラリー湯山個別鑑賞料（一般300円、小中学生150円）
場所／ギャラリー湯山　新潟県十日町市松之山湯山446
詳細 https://www.echigo-tsumari.jp/event/10071105/
※10/7（土）13:30～ 混沌の首パフォーマンスなどオープニングイベントあり

★路地まちアートランブル2023

2023年10月28日（土）～11月5日（日）羅入会場は10/30、11/2休
10:00～16:00（石川雷太、羅入の会場は20:00まで）
チケット／当日800円／前売600円（高校生以下無料）
場所／足利中心市街地18会場
（石川雷太：tabi-tabi、羅入：プラザハマダ）
詳細は公式HPへ https://r.goope.jp/rojimachi-art/
※10/29（日）16:45～ プラザハマダにて混沌の首パフォーマンスあり
入場料／1500円

★混沌の首 儀式パフォーマンス/ギャラリー湯山 前山忠作品前にて

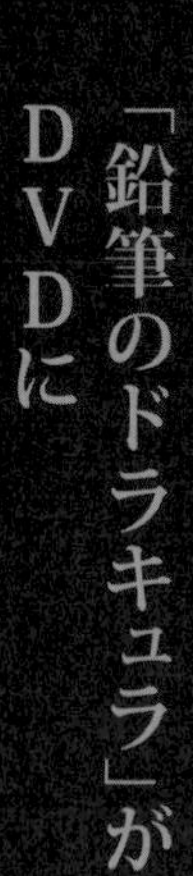

「鉛筆のドラキュラ」がDVDに

本誌No.94で紹介したストロベリーソングオーケストラの演劇公演『鉛筆のドラキュラ～テラヤマ迷宮譚』のDVDが発売された。寺山修司没後40年として企画された公演だ。言葉の魔術師・寺山修司の世界が散りばめられた、演劇と映像と生バンドが融合する迷宮世界。DVDではスクリーンに投影された映像が巧みに編集されるなど、舞台を観るのとはまた違った楽しみが味わえる。

またストロベリーソングオーケストラは、11月には中津Vi-codeで単毒公演、来年1月には味園ユニバースで豪華な面々とともに「怪帰大作戦」を繰り広げる。毒々しいパワーを全身で浴びよう。（沙）

★写真はいずれも、「鉛筆のドラキュラ～テラヤマ迷宮譚」より

★DVD
「鉛筆のドラキュラ～テラヤマ迷宮譚」
税込4500円＋送料700円
詳細・通販 https://15shop.official.ec/

形を変えていく思い出

内田百閒の同名小説をベースに、くじら企画の大竹野正典が、百閒作品の様々なエピソードをコラージュして構築した戯曲「サラサーテの盤」。作品そのものに明確な物語やテーマはなく、主人公ウチダの見た走馬灯と、登場人物たちの記憶が交差して物語は進行していく。今回の舞台は、形を変えていく記憶や思い出を「優しい悪夢」として演出。同じ記憶の中で、違う思い出を生きる人々が、どのように繋がっていくのか——それはあなたの心に何かを残すはず。(沙)

★阪本知プロデュース公演#4
「サラサーテの盤」
2023年12月9日(土)15時/19時
10日(日)13時/17時
料金／前売5000円、当日5500円
学生(18歳以下)2500円
場所／大阪・天王寺 一心寺シアター倶楽
Tel.06-6774-4002
https://isshinji.net/
問合せ hakoniwagekijou@gmail.com

★ストロベリーソングオーケストラ単毒公演
『鏡町ニテ帰命セヨ! 怪帰怨幻蒐-帰命変-レコ発』
2023年11月3日(金・祝)開場18:00、開演18:30
料金／前売5000円、当日5500円(D別途600円)
場所／大阪 中津Vi-code
チケット https://eplus.jp/sf/detail/3952740001-P0030001

★怪帰大作戦～帰ってきた日本暗黒化計画
2024年1月14日(日)開場14:00、開演15:00
料金／前売6500円、当日7000円(D別途600円)
出演／ストロベリーソングオーケストラ、大槻ケンヂと絶望苺楽團、鳥肌実、首振りDolls、ワンダー久道、匕首蝮
フード／カレー食堂マッハ
場所／大阪・なんば 味園ユニバース
チケット https://eplus.jp/sf/detail/3963900001-P0030001

自分を探す旅が、やがて歴史を動かす

スティーヴン・フリアーズ監督『ロスト・キング 500年越しの運命』

◉文＝岡和田晃

「馬だ！ 馬をよこせ。代わりにこの王国をくれてやる！」

シェイクスピアの史劇『リチャード三世』（一五九三年頃執筆）のクライマックスの名台詞。それを発した「王位簒奪者」ことヨーク家のリチャード三世は弑され、ヘンリー七世が王座に就き、テューダー朝を開くことになる。

数あるシェイクスピア劇のうち、リチャード三世は一、二を争う名悪役といってよいだろう。不自由な足を引きずりながら、曲がった背中と同じくらい性根は歪み、「悪党（ヴィラン）として自分を証し立てよう」と決意、あれこれ陰謀を企てる。幼い甥二人をロンドン塔に閉じ込めて、惨殺を命じる場面も著名だ……。

こうしたリチャード三世像は、どこまで史実に即しているのだろう？ このたび日本でも公開されたスティーヴン・フリアーズ監督『ロスト・キング 500年越しの運命』は、「簒奪者」の虚像と実像に迫ろうとした一人の女性の奮闘を描いた劇映画である。持病の筋痛性脳脊髄炎のため昇進を見送られたスコットランドに暮らす四五歳の女性フィリッパ・ラングレー（サリー・ホーキンス、『シェイプ・オブ・ウォーター』出演）は、子どもに付き合って観た舞台『リチャード三世』が引き金となって、その描かれ方がアンフェアではないかと疑念を抱く。実際、リチャード三世が一四八五年に没してからシェイクスピアが戯曲化するまで、百年以上の時間が経過していることに、フィリッパは気づいた。情熱に憑かれた彼女は、独学で歴史書を渉猟し、リチャード三世協会エジンバラ支部に入会。独立研究者として、勝者であるテューダー朝側のプロパガンダとは異なる実像を手繰り寄せていく。

リチャード三世の遺体はソア川に流された、といわれる。けれどもフィリッパは、彼がイングランドのレスターにあるグレイフライヤー教会に葬られたとの証言を、調査の末に見つけた。それが事実だと示すためには、考古学的な裏を取らねばならないし、発掘には市議会の許諾が要るうえ多額の資金も必要となる。「素人」だからと、随所でけんもほろろな扱いを受けてきたフィリッパだったが、虚仮の一念は岩をも通し……。

以降の展開は多言無用だろう。二〇一二年に、日本でも広く報じられたからだ。面白いのは、実話をベースにしながらも、「フィリッパにはリチャード三世の本来の姿が見えていた」というファンタジックな解釈を与えていること。「なぜあなたは私の前に?」「自分を探しているのね」と、彼女は幻像に語りかけるが、これに対するリチャード三世(ハリー・ロイド、『ゲーム・オブ・スローンズ』出演)の表情や所作が、実に魅力的なのだ。ある種の茶目っ気すら発揮する彼だが、演出には抑制が利いている。ドキュメンタリーとしての情報量で視聴者を圧倒することよりも、シュリーマンのトロイア発見もかくやというべき「アマチュア」の情熱にこそ、焦点が当てられているというわけだ。

画期的な発見によって、後世なされた戯画化の程度が見えたというのも大きい。例えば、リチャード三世は脊椎後湾症だと伝えられてきたが、見つかった遺骨より判明したのは、もっと程度の軽い脊椎側彎症だったのだ。

ハイライトは、リチャード三世の遺骨が社会福祉課の駐車場に埋められている——そう、彼女が直観する場面だろう。この映画は、そのような当人の実体験から、いわば逆引きする形で全体が構築されている。情熱の源泉は、しばしば客観的な説明がしづらい。とはいえ、軽んじられてしかるべきものでもない。「アマチュア」だからといって、いつもいつもトンデモな歴史観に溺れているわけではなく、ときに一致団結して権威に凝り固まった「プロ」をギャフンと言わせることもある。けれどもフィリッパは、歴史的な発見の成果を、ほぼ横取りされてしまうことになり……。評者(岡和田)も規模こそ小さいが似た経験があるので、他人事とは思えなかった。

しかし、そんな彼女は、リチャード三世が最期を迎えたボズワースの戦場で、ある言葉をかけられる。そして、権威に寄生する者らよりも、未来を担う世代に情熱をつなぐ道を選ぶのだ。脚色はあれども、芯の部分は揺るがない。既存のリチャード三世像を脱構築する視点は、それこそリチャード三世の名誉回復を求める〝リカーディアン〟的発想に基づく先駆作、ジョゼフィン・テイの『時の娘』(一九五一年)にも通じるだろう。

★『ロスト・キング 500年越しの運命』
全国公開中

陰翳逍遥《第52回》

志賀信夫

人形の多様性

▽「私たちは何者? ボーダレス・ドールズ」展／渋谷区立松濤美術館、23年7月1日～8月27日

　これまで多くの人形展が開催されてきた。特に印象的だったのは、二〇〇四年、東京都現代美術館で開催された「球体関節人形展～DOLLS of INNOCENCE」、そして同じ二〇〇四年、大阪歴史博物館と熊本市現代美術館で開催された、特別展「生人形と松本喜三郎」、また個人では、二〇〇〇年、小田急美術館の「四谷シモン―人形愛」展だ。それ以外にも個展やグループ展などは数多い。東京で定期的に開催される規模の大きいグループ展の代表は、四谷シモンが弟子たちと開くエコール・ド・シモン展、そして丸善で開催される「人・形展―Hito Gata」展だろう。

　だが、今回、渋谷区立松濤美術館で開催された「私たちは何者? ボーダレス・ドールズ」展は、これらの人形展とも異なるところが多々ある。それは、まず、人形を歴史的にとらえるという点。さらに、人形と彫刻、フィギュアという区別について問いかける点。さらに、人形についての社会的な研究をふまえた展覧会であるという点だ。

　人形にはさまざまな歴史と側面があることは、本誌にも多くの論考が掲載されてきたことでわかる。だがそれらを包括的にとらえる展覧会は、これまでなかったといえる。

　この展覧会は、まず人形代(ひとかたしろ)から入る。通常「形代」という表現が使われるが、ここではこの名称をつかっている。人形(ひとがた)と形代(かたしろ)を合わせた表現だろう。それは古い時代に、呪いや願いをかけたりした人形である。展示されていたのは平安時代(九世紀)、木でできた《人形代[男・女]》で、男女一組。「葛井福麻呂(ふじいふくまろ)」「檜前阿古(ひのいまあこ)」という名前が書かれ、両手は後ろで縛られているようだ。そして井戸から見つかった。当時、陰陽師が呪いをかけるときに、軒下や井戸に埋めたということから、二人の男女を呪ったものと推測される。そういわれなければ、人を象った木の棒、単なる人形に見えるのだが。また、別の人形代「斎宮邸」出土品(九世紀)は約六六〇センチの細長い身体だが、それが三つに分断されて埋められていたのも、呪った者の強い怨念を感じる。そういった「人形代」がいくつも展示されていて、目を引いた。

　さらに《オシラサマ》(江戸時代)や、青森などで木こりが使う《サンスケ》(昭和)、子どもの健康を祈願する《這子(ほうこ)》、《天児(あまがつ)》(ともに江戸時代)など、それぞれ形も用途も違うが、歴史を経てきたなかでフェティッシュな魅力と同時に、そこには、祈りなどの強い想いが蓄積されているように感じさせる。

　そのうちに雛祭りの内裏雛などが登場してくる。その一つとして展示されていた末吉石舟の作品《古今雛》と《三人官女》(ともに一八二七)が凄い。末吉は生き人形もつくっていたらしく、デフォルメされた顔が、ある種のリアルさを伴っている。末吉石舟(直吉)は、一七四八(寛延元)年、江戸に生まれて、二代原秋月に師事し、百歳を超えるまで生きたらしいが、詳しいことはわかっていない。

　師匠の原秋月の初代(不明～一七九〇)は関西出身の人形師で、江戸の日本橋十軒店で開業、上の池之端の雛問屋の大槌屋半兵衛の注文で古今雛を作り、それが広まった。石舟が師事した二代(不明～一八四四)は短命で、三代(一八二六～九九)は姉に育てられ娘の福を着せられていたため、「お嬢っこ」と呼ばれたらしい。それぞれ、関東各地に山車人形などが数多く残っている。石舟や舟月の古今雛の現存作品が少ないのは、江戸の大火や関東大震災、空襲などで焼けたかららしい。写真で見る限り、石舟の作品は舟月に似てはいるが、よりデフォルメ、抽象化が強く近代的、ちょっと宇宙人のようで独特の美がある。

　江戸後期から明治にかけて広まった生き人形は、見世物小屋に展示される等身大、もしくはそれに近い大きさで、顔や手は木をベースに丁寧につくられるが、移動展示のため、当初、胴体はなく衣装のみだった。それは文楽の人形に胴体がないのと少し似ている。だが、もちろん恒久的に展示されるものや、寺社仏閣に奉納されている観音などの像など、胴体もしっかりつくられているものが現存する。生き人形については、本誌No.79に詳しく書いた。

　その際、最も注目したのは松本喜三郎(一八二五～九一)、そして次が安本亀八である。亀八は初代(一八二六～一九〇〇)、さらに二代(一八五七～九九)が早世したため、三代(一八六八～一九四六)の作品が残る。喜三郎の作品のほうがより高貴な雰囲気で観音などに合うという印象がある。それは、初代亀八の作品では『相撲生人形』(一八九〇)などの男性像が多いこともあるだろう。だが今回、

★末吉石舟《三人官女》文政10（1827）年、東京国立博物館蔵
Image: TNM Image Archives

★《天児》江戸時代、さいたま市岩槻人形博物館蔵

★《人形代［男・女］》平安京跡出土、平安時代前期、京都市指定文化財、京都市蔵

★末吉石舟《古今雛》文政10（1827）年、東京国立博物館蔵
Image: TNM Image Archives

女性像《束髪立姿明治令嬢体（頭部のみ）》（一九〇七）、三代の《徳川時代花見上臈》（明治時代）を見て、改めて技術の高さ、美しさに驚いた。また喜三郎の女性像は、寺などに入っているため、今回は、《素戔嗚尊》（一八七五）が出展されていた。これは、山車人形のために本来よりも大きくつくられている。

吉村利三郎の父と二人の娘の《生人形 松江の処刑》（一九三一頃）も印象的だった。暴行され自決する長女の首をはねようとする父親の姿は、今夏に世間を騒がせた札幌の一家三人による中年男性首切り殺人事件を思わせた。これは、女装して女性を口説く六十代男が、引きこもりの美しい娘をナンパ、暴行し、その後もつきまとったために、娘がホテルで男を殺し、父親が協力して首を切って、家に持ち帰ったというものだった。娘が指紋を残さなかったことから、男の身元を知られないための首切りだったようだが、母親まで協力して逮捕され、父親が真面目な精神科の勤務医だったことから、世間に衝撃が走った。松江の人形一家は娘の自殺だが、暴行された娘のために父親が首切りに関わるという構図が似ている。リアルという点では、蝋人形だが、松崎覚の《フョードル・ドストエフスキー》（二〇二二）も凄い。

生き人形は、そうした実際の事件などを再現するジオラマ的な展示や、歌舞伎などの名場面とか、見せ物小屋の流れを汲み、秘宝館につながるようなところがある。

今回の展示でも、秘宝館の人形が展示されていた。それは、《有明夫人》（一九八三）。嬉野武雄観光秘宝館に置かれていた蝋人形であ

★吉村利三郎《生人形 松江の処刑》昭和6（1931）年頃、三津浜地区まちづくり協議会蔵

★安本亀八《束髪立姿明治令嬢体（頭部のみ）》明治40（1907）年、東京国立博物館蔵 Image: TNM Image Archives

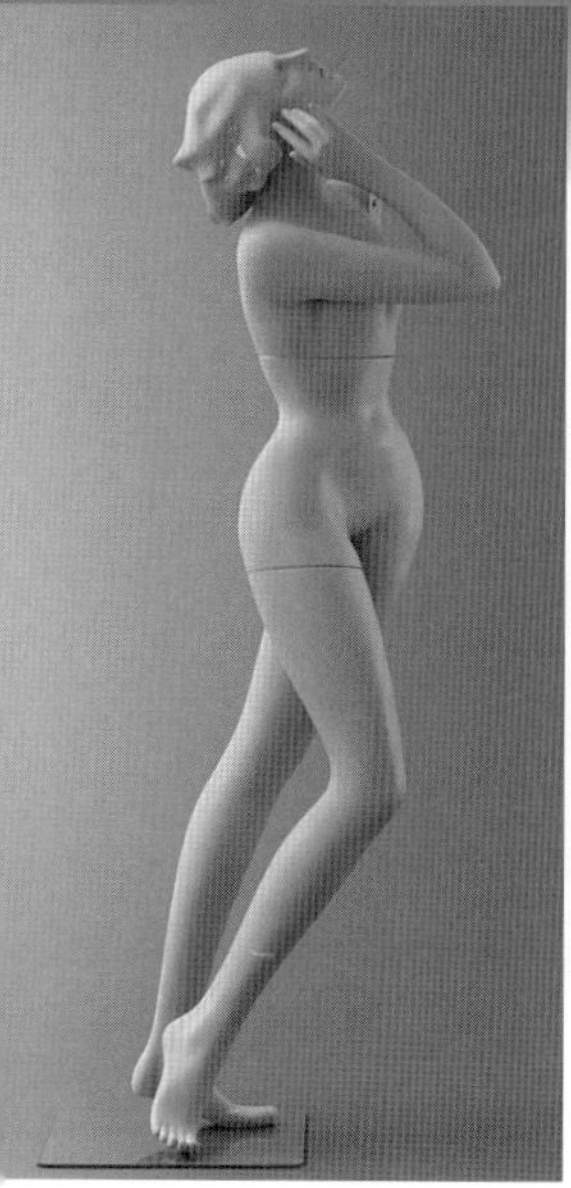

★（右）松崎覚《フョードル・ドストエフスキー》
令和4（2022）年、蝋プロ蔵
（左）向井良吉《SA-10》
昭和27（1952）年、株式会社七彩蔵

る。当時の展示はそばのおっぱいボタンを押すと、人形が回転して局部が見えそうになるのを、有明特産のムツゴロウが隠すというものだ。この会場では、一八歳禁止のコーナーとして、地下会場の上のバルコニー的空間、一階から入るところに展示されていた。そしてそこにはさらにラブドールが三体あった。古くは竹製の「竹夫人」などまでたどれ、南極一号で有名なダッチワイフの進化はシリコンの発達とともに著しく、写真だと人間と見紛うものまで登場しており、本誌では以前にラブドールと製造元のオリエント工業の取材記事が掲載された。筆者も、ラブドールについて考察し、さらに妊娠させた作品で注目された美術家、菅実花も本誌で取り上げた。

このように美術的視点からも注目されるラブドールだが、やはり本来の目的を含めると、十八歳禁止コーナーになるのもよくわかる。

人形にはさまざまな側面があるが、例えば日本の二度の大戦を含めた戦争では、戦意高揚のための人形もつくられた。また、慰問人形は戦地に赴く戦士のために家族や女性たちが作って贈った。

人形芸術作運動も起こっている。生き人形の家に生まれ、後に人間国宝になった平田郷陽（一九〇三〜八一）らの「白澤会」、野口光彦らの「五芸会」、さらに竹久夢二の「どんたく会」などの活動が盛んになる。平田郷陽の傑作、《児と女房》（一九三四）と《洛北の秋》（一九三七）が見られたのはうれしかった。山本鼎が唱えて、農民たちが「木片（こっぱ）人形」とつくった農民美術運動も生まれた。

前述のように著名画家たちも人形制作に打ち込んだ時期がある。竹久夢二、中原淳一の人形も展示された。

戦後、人形は前衛芸術とも関わる。向井良吉（一九一八〜二〇一〇）は、現代彫刻、鉄の彫刻などで知られるが、同時に人形制作会社、現在も続くマネキン大手の「七彩」を興した。向井のモダンなマネキン《SA-10》（一九五二）も展示されていた。生き人形師たちもマネキンと関わっているが、土方巽の使った模造男根を制作した土井典は、マネキン会社にいた。

また、バービー人形、リカちゃん人形などの愛玩人形も流行した。いまも多くの子どもたちが生活の中にさまざまな人形を持っている。だが、現代の若者を中心にフィギュアの文化もある。これは、マンガやアニメに端を発し、ゲームなどのキャラクターも含めて、フィギュアファンは世界的に広がっている。フィギュアはプラモデルとも関わり、子どもの頃の遊びや愛玩の延長が、バブル世代を中心に花開き、それが世界的なブームになったようだ。

そして、筆者が人形に注目した最初は球体関節人形である。澁澤龍彦が紹介したハンス・ベルメールの衝撃は大きかった。ベルメール自身、人形は数体しかつくっていないが、それらを解体し組み合わせて撮った写真で一世を風靡した。身体の解体とシュルレアリスム的な異物感、触覚的な作品が多くの人の目を奪った。

それに衝撃を受けた一人が四谷シモンである。子どもの頃から人形づくりを行い、川崎プッペなどを手本としていたが、ベルメールと出会ったことで、球体関節人形を作りだし、銀座・青木画廊などで発表、澁澤龍彦の紹介もあって、当時の先鋭的な美術家、文学者たちに知られるようになる。やがて、原宿に人形学校エコール・ド・シモンを開校し、多くの弟子を育てた。直接師事せずに独学の球体関節人形作家もいるが、そのいずれもが、直接間接に関わらず、四谷シモンとベルメールの影響を少なからず受けていることは間違いないだろう。

今回の展覧会はこれらが網羅的に展示されており、人形とは何かを改めて考えさせた。

デロリの画家

▽「甲斐荘楠音の全貌」／東京ステーションギャラリー、23年7月1日〜8月27日

眼に影が差す微笑み、という奇妙な表情が特徴的な日本画がある。つまり、暗い陰のある表情ながら微笑み、悲しみと笑いという相反する感情が表れるために、「あやしい」とか、「デロリ」（岸田劉生）といった表現で形容される絵画たちだ。この大正デカダンともいわれ、また「気持ち悪い」、「穢い」などと否定的に取り上げられることも少なくなかったこれらの日本画に、近年、光が当たっている。その代表が、甲斐荘楠音である。そして、同様に注目されるのが岡本神草だ。

岡本神草（一八九四〜一九三三）の展覧会は、二〇一七年、千葉市美術館などで開催され、二人を含めた「あやしい絵展」は、二〇二一年に東京国立近代美術館で開催されたが、この二〇二三年、甲斐荘の作品を網羅的に取り上げた「甲斐荘楠音の全貌—絵画、演劇、映画を越境する個性」展が東京ステーションギャラリーで開催された。また、甲斐荘楠音は、女装した写真を多数残しており、いまでいうトランスジェンダーだったと考えられる。そして、日本画から映画の世界に移って、長く活躍した。近年、その資料も解明されてきた。ここでは、彼とその絵画作品について、述べることにする。

★《大夫に扮した楠音》

甲斐荘楠音は、一八九四（明治二七）年、京都の楠木正成の末裔と称する裕福な家庭に生まれる。京都市立芸術大学の前身で竹内栖鳳らに学び、村上華岳に認められ、同窓の岡本神草、入江波光らと「密栗会」に参加。一九一八（大正七）年、国画創作協会の展覧会に出品した《横櫛》が、神草の《口紅》とともに注目される。この二作が、二人の「あやしい絵」の代表作といえるだろう。楠音はその後も、国画創作協会を中心に作品を出品するが、評価は安定せずに、一九二六（大正一五）年、彼の作品に否定的だった土田麦僊に《女と風船》の陳列を拒否され、「穢い絵」と言われてしまう。

他方、楠音は芝居、特に歌舞伎に惹かれて女形に注目し、自ら扮して写真を撮り、それを元に絵を描いてもいた。そして、一九三〇年代後半、映画監督溝口健二と知り合い、映画の時代風俗考証家として長く活躍する。その活動では、一九五三（昭和二八）年には、風俗考証を担当した溝口健二の『雨月物語』がヴェネツィア国際映画祭銀獅子賞受賞、そして楠音自身はアカデミー衣装デザイン賞にノミネートされた。こうして彼が関わった映画作品は東映、松竹、大映合わせて二三六本にのぼる。だが、一九五六年の溝口の死をきっかけに映画から離れ、絵画に戻る。そして、一九七六年、東京で個展の二年後、一九七八年、八十三歳の生涯を閉じる。

《横櫛》の秘密

さて、甲斐荘の代表作といえば、《横櫛》（一九一六頃）である。作家、岩井志麻子の小説『ぼっけえ、きょうてえ』の表紙に使われたことで、広く知られる。妖艶ともいえる表情と上の着物を肩掛けにし、脱力した立ち姿はどこかしどけなく、芸妓のような雰囲気を見せる。また、左右逆にして見て上半身に注目すると、その微笑みとともに、ダ・ヴィンチのモナリザも連想させる。実は、甲斐荘の《島原の女》（一九二〇）の表情とポーズは、ダ・ヴィンチ作品に似ていることが指摘されている。

また、《横櫛》には、一九一八年の作品もある。これは展覧会出展のためにもう一作つくったとされるものだが、濃い陰りを含んだ化粧はすっかりとられて、大人しい表情だ。さらに、背景や着物の模様の違いも指摘されている。一九一六年の前者は京都国立近代美術館蔵、一九一八年の後者は広島県立美術館蔵で、それ

★《島原の女》

★（右）《横櫛》（一九一六年頃）
（左上）《横櫛》（一九一八）
（左下）《横櫛》ブロマイド

ぞれ京近美本、広島県美本と称される。だが、その広島県美本も、残された印刷葉書によれば、さらに模様と地面、印章まで異なるものがある。それが、描き換えられて広島県美本となったのか、それともう一作あったのかが、気になるところだ。

《横櫛》は、楠音が、一九一五年、歌舞伎『処女翫浮名横櫛（むすめごのみうきなのよこぐし）』を東京で兄嫁の彦（ひこ）と見たことがきっかけである。この歌舞伎は、「いやさ、これ、お富、久しぶりだなぁ」で有名な『与話情浮名横櫛（よわなさけうきなのよこぐし）』（一八五三）を元に、ヒロインお富をメインに河北黙阿弥が一八六四年に書いたものだ。

絹問屋で実は盗賊、赤間源左衛門の妾・お富は、乱暴者にさらわれるが、かつての恋人・井筒与三郎に助けられ、辻堂で情を交わす。それを知った源左衛門は、お富をなぶり切りにし川に捨てさせる。思いを寄せていた安蔵（こうもり安）がお富を助け、茶屋を出して同棲。三年後、与三郎は全身七五カ所、傷だらけのお富と再会。与三郎の御家再興の太刀の買い戻しに二百両必要とききき、お富は安蔵とグルで女郎屋の主人になっていた源左衛門を強請り、二百両を手に入れる。それを持ち逃げする安蔵をお富は殺し、二百両を奪い返して与三郎に渡す。その後、お富と与三郎は兄妹であったことが明らかになるという物語だ。そして、全身七五ヵ所を切られたため「切られお富」の別名があり、お富は悪婆と言われる。

悪婆というと、年老いた悪女のように思えるが、歌舞伎の「悪婆」はそうではない。二〇〜三〇代などで男のために悪事に手を染めるいい女で、男勝り、烈婦に近く、女形が演じる個性的な役柄といえる。その典型として、「土手のお六」「鬼神のお松」などとともに「切られお富」がある。楠音は、四代澤村源之助が演じるお富を見て感銘を受けた。

この歌舞伎は、三代澤村田之助の当たり役でもある。田之助は女形の美で知られるが、十七歳の時に舞台で宙乗りから落下しその怪我で脱疽となり、二十二歳で左足膝上から切断、その後、両足、右手は手首から左手は小指以外の指を失う。それでも舞台に立ったことで知られる。

その際に、来日していた、後にローマ字に名を残す米国人宣教師で医師、ジェームズ・カーティス・ヘボン（一八一五〜一九一一）の執刀で切断し、当初、米国から義肢を取り寄せたが、その後、生き人形師の松本喜三郎が義肢をつくったことも有名だ。喜三郎の代表作、熊本・浄国寺の《谷汲観音像》（一八七一）のモデルが田之助という説を唱える人もいる。この観音像は元々生き人形として、浅草などでの興業「西国三十三ケ所霊験記」（一八七一〜七八）という見世物のトリで展示されていたもの。喜三郎は二体制作し、浅草寺に納めていた一体だという。そして観音は女性ではなく男女両性、女性性と男性性を兼ね備えており、そのポーズなどに女形の癖が読み取れるとされる。ちなみにヘボンは明治学院の初代総長で、本来の読み方はオードリーと同じヘップバーンでもある。

当時、二十一歳の楠音がこの歌舞伎を見て、衝撃を受けたことは想像に難くない。子どもの頃、女の子の服で育てられた楠音は、女形の美に憧れ、自らも女装して女形に扮した。そのため当然、女形で有名な田之助の四肢を失う凄惨な逸話も知っていたはずだ。また、江戸期の歌舞伎では、役者たちは陰間茶屋で体を

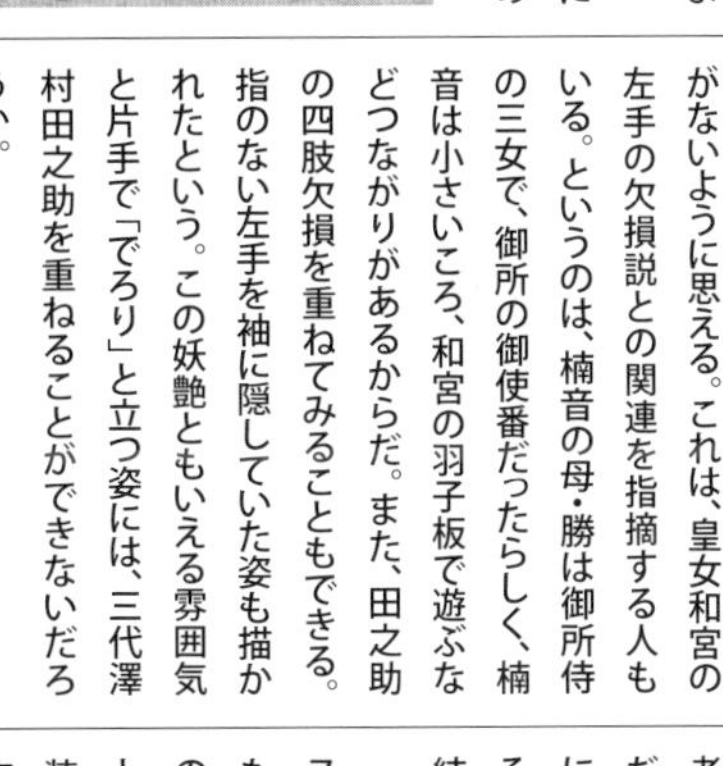

★（右）《青衣の女》（一九一九）
（左）《青衣の女》と同じポーズのトクの写真

売っていたとも言われる。同性愛傾向のある楠音が、田之助や女形に自らを重ねたことは、冒頭の大夫に扮した写真でよくわかる。

《横櫛》の京近美本では、顔の次に手に目がいく。その左手が奇妙である。袖の中にあるようだが、そこには中の着物の柄、火炎が描かれていて、あたかも左手がないように思える。これは、皇女和宮の左手の欠損説との関連を指摘する人もいる。というのは、楠音の母・勝は御所侍の三女で、御所の御使番だったらしく、楠音は小さいころ、和宮の羽子板で遊ぶなどつながりがあるからだ。また、田之助の四肢欠損を重ねてみることもできる。指のない左手を袖に隠していた姿も描かれたという。この妖艶ともいえる雰囲気と片手で「でろり」と立つ姿には、三代澤村田之助を重ねることができないだろうか。

義姉と婚約者

《横櫛》のモデルとされる楠音の義姉・彦、その夫、つまり楠音の兄、楠香はヨーロッパに留学して帰国後、東京に住み、ミツワ石鹸の前身から独立して高砂香料工業を興して実業界で成功した。この会社は、現在、日本最大の香料メーカーとして、国際的な大企業になっている。

楠音は、東京への上京時のみならず、兄嫁の京都への帰京時にもモデルにしていたのかもしれない。また、一緒に暮らすほど仲がよかった友人丸岡比呂史の妹・トクと親しくなり婚約しており、彼女もモデルにしている。特に《青衣の女》（一九一九）は、同じポーズのトクの写真がある。つまり、楠音は、義姉・彦と婚約者・トクをモデルにしていることになる。だが、彦は兄の妻であり、モデルにした年に亡くなってしまい、兄は翌年再婚する。そしてトクも、楠音を裏切って他の男と結婚してしまう。

楠音は他にもモデルを使い、芸妓やヌードのモデルもおり、母を描いたものもあるが、それらとともに大きい存在なのが、自分自身だろう。いくつかの作品と同じポーズをとった写真を含めて、女装した写真が多数残っている。そして、自作の絵画の前でポーズをとる写真も撮っている。これらからは、彼の女装趣味と強いナルシシズムが感じられるが、同時に彼がいかにその世界、演劇や歌舞伎的世界にのめり込んでいるかがわかるのだ。

彼の画家活動の中心は一九一〇年代半ばから十数年で、現存する作品は多くはない。「デロリ」といわれる妖しい絵だけでなく、《太夫と禿》（一九一二頃）や《秋心》（一九一七）などの一般に美しい作品にも魅力がある。だが、やはり個性に注目すると、その一つは「舞い」を描いた《舞ふ》（一九二〇）と《幻覚》（一九二〇頃）である。特に後者は、乱舞といってもいいような踊りに憑かれた女性の印象が強い。また、《青衣の女》（一九一九）などにも個性が感じられる。《横櫛》にもほのかなエロティシズムが感じられたが、とりわけエロティックなのは、《藤椅子にもたれる女》（一九三一頃）だ。椅子にもたれるように立つ女性の薄衣を通して見える肢体は、よく見ると匂い立つようなリアリティである。また、完璧な構図と構成ともいえる《春》（一九二九）は、横たわる女性の独特なポーズに至るまで、デッサンを繰り返したことがわかる。一種のデザイン性も感じられ、ミュシャやロセッティなどのイメージも喚起する。さらに大作の《歌妓》（一九二六）は八曲一双の屏風だが、女性はその右側ほぼ四分の一に描かれ、左側は空白である。左側のデッサンも残っている

★《藤椅子にもたれる女》（一九三一頃）

★《春》(一九二九)

が、敢えて入れなかった楠音のデザイン感覚がわかる。《春》には、欧州のマニエリスム絵画にも似た雰囲気がある。

楠音の同性愛は、《毛抜き》(一九一五頃)にも現れている。女形の姿を描いているのだが、自身の女装写真との共通性もある。楠音の女性に対する愛情は、一つには兄嫁・彦に対するものが考えられる。

★《毛抜き》(一九一五頃)

また、トクと婚約したのだが、他の男と結婚されたことも女性から離れた原因とされる。だがおそらく歌舞伎で女形を見ることと、自らそれを演じるという女装願望から来る点が、楠音をその方向に進ませたのだろう。そのため描かれる女性像が、時にはその自身を投影したものになっているといえるだろう。

畜生塚と楠音

今回の展覧会で最も驚き感動したのは、《畜生塚》(一九一五頃)である。八曲の屏風、左右五七六センチの大作に裸身の女性が二十一人。すべて違うポーズで描かれており、すぐに丸木夫妻の『原爆の図』(一九五〇~八二)を連想した。そしてよく見ると、その顔はすべて楠音自身ではないかと、彼の撮影したいくつもの女装写真を見比べて思った。もちろん裸身の身体は女性モデルのデッサンに基づくのだろうが、そのポーズは自らもその前で演じている写真もある。

「畜生塚」は、豊臣秀吉に子どもが生まれず、跡継ぎに甥の秀次を関白にしたが、その後子ども(秀頼)が生まれたため確執が生じ関白職を解き、秀次は出家した後、切腹を命じられる。半月後、秀次の首が晒された三条河原で、正室、側室、侍女と子どもたち三九名が、市中引き回しの後、処刑される。子どもは九歳から一歳までの五人が槍で刺し殺され、処刑が日常だった見物人も嘔吐したほど。遺体は大穴に放り込まれ、秀次の首の石櫃には「秀次悪逆」、立てられた塚には「畜生塚」と彫られた。その殺された女性たちを描いたのが、楠音の《畜生塚》なのだ。

そして「畜生塚」は、《横櫛》ともつながっている。というのは、歌舞伎『処女翫浮名横櫛』で、三百両をせしめたお富と安蔵が待ち合わせるのが、畜生塚なのだ。この歌舞伎の舞台は関東で京都ではないが、関東に畜生塚はないので、物語の中ではつなげられているのだろう。当然、舞台を見た楠音は、京都で有名な畜生塚を思ったはずだ。それが、楠音に、この舞台を見たすぐ後に、《畜生塚》を描かせるきっかけになったと考えていいだろう。

この絵は、基本的に無彩色で顔がしっかり描かれたものは二人、顔がまったく描かれていないか消されたものもある。《太夫と禿》の前に立つ楠音の写真から、最後に顔を描き込み、またしばしば顔を描き直していることが推測される。それは、当初、同時期に描かれた《虹のかけ橋(七妍)》(一九一五)をずっと後に、顔だけすべて描き変えた(一九七六)とされること、また《横櫛》の顔の描き変えからもわかる。女装写真もやはりその顔に徹底的にこだわっていたことが推測される。つまり、そこで追求されているのは、女性の肢体と顔の「美」なのだ。現在残る楠音の女性の顔には、大きく分けて三パターンほどだと思われる。瓜実の小さい顔、そして豊満な顔、そして線の鋭い男性的ともいえる顔だ。瓜実顔の《横櫛》は兄嫁・彦がモデルといわれる。そして婚約者・トクの残っている写真は線の鋭い横顔である。瓜実の写真は舞妓のものだが、楠音自身の写真にもそれを模したものがある。その点で、彼が理想としたのは瓜実だったことは想像できる。そのため、《虹のかけ橋》の顔が、六〇年たって一九七六年に、瓜実のほとんど同じ顔に描き変えられている。

楠音の映画の仕事は、歌舞伎などの知識に基づく時代考証、風俗考証、衣装考証だ。「旗本退屈男」シリーズの衣装は特に個性的でさまざまなバリエーションがあり、その仕事が高く評価されたことは、アカデミー賞のノミネートでもわかる。二三六本もの映画作品での活動は、映画史的にも重要といえるだろう。また

映画界にいるときに、一九四三年頃、水谷八重子、表千家、観世流、楽家などが集まる「山賊会」に参加したことも、後年、役立ってくる。そして、楠音は茶の湯をたしなみ、その役で映画にも出ている。さらに、一九五三年には民政歌舞伎にも女形として出演している。

だがやはり、絵画への想いが断ちがたかったことは、三十年近くたってからの復帰でもわかる。そして「山賊会」の友人らの支援を得て一九七六年、東京日本橋の三越で「甲斐壮楠音回顧展」を開催し、そのときに展示された《虹のかけ橋》は、京都国立近代美術館に収蔵された。これは、描きたい彼の理想とする姿だろう。絢爛たる舞妓たちの世界。彼自身もその中に混ざりたかったのではないか。

子どもの頃、女の子の姿で育てられ、青年期に歌舞伎で女形に憧れた楠音は、卓越した技術で絵を描きながらも、女装して写真を撮って葉書にして、その趣味を隠さなかった。「穢い絵」と先輩画家に否定されたのも、そういった点、あるいは同性愛の傾向などを含めて認められなかったのではないか。兄嫁に憧れたが死なれ、婚約も破棄されたことも一因かもしれない。これだけだと切ない人生だが、

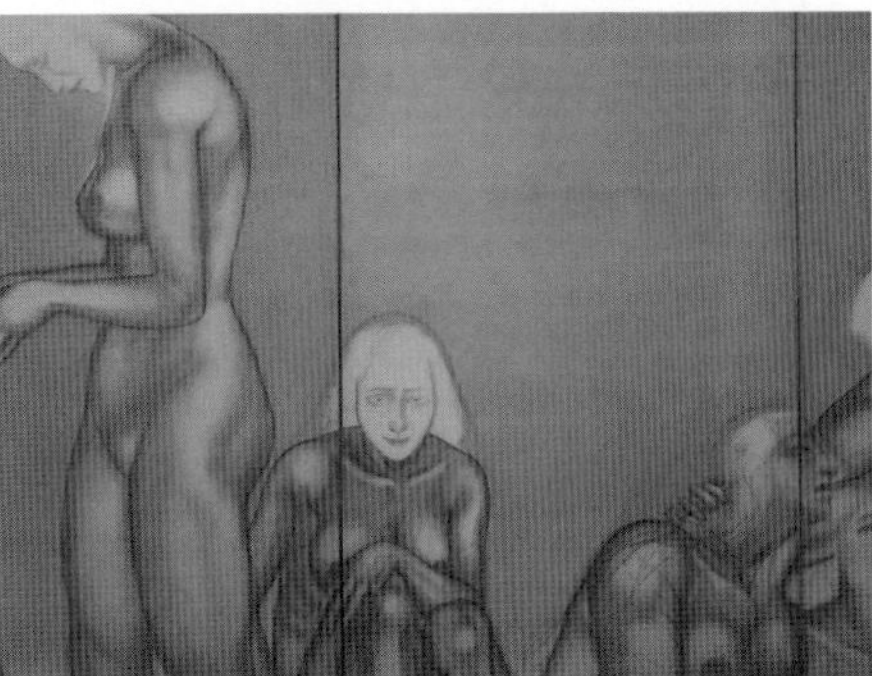

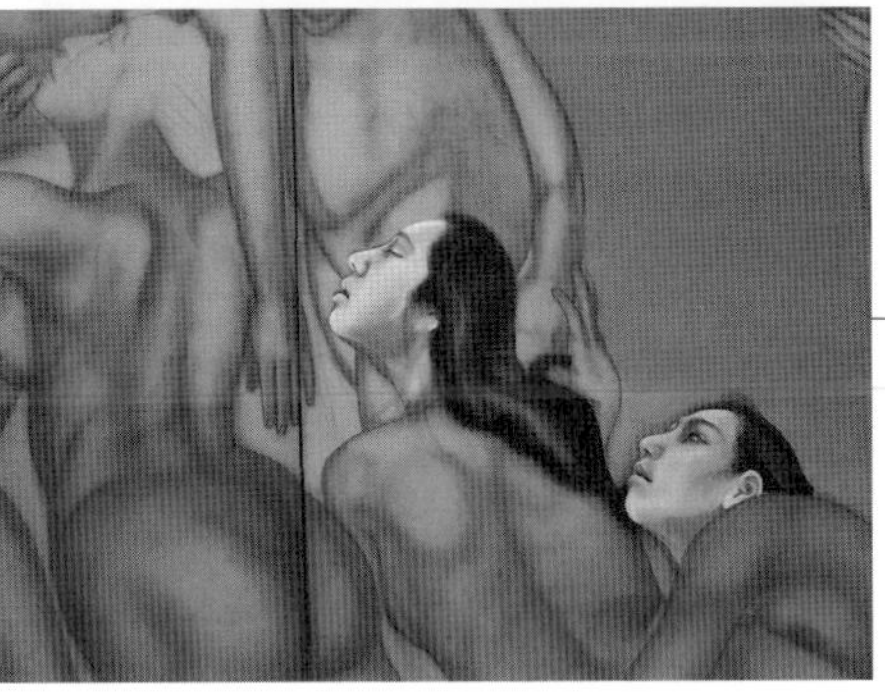

★（上）《畜生塚》（一九一五）
左2点はその部分
（右下）《畜生塚》の前でポーズする楠音

その後の映画界では、二三六本もの映画に関わった。そして、その仲間の助力で開かれた展覧会によって、絵画が国立美術館に収められた。

父親が亡くなると兄が家督を継ぎ、結婚しない楠音は兄の戸籍に入り、兄が亡くなるとその息子の戸籍に入るなど、家族には恵まれなかった。だが、女装の美術家として、森村泰昌の先駆ととらえる向きもある。LGBTなど、世界的に性の多様性も認められるようになった二十一世紀、楠音が本当に評価される時代が来たといえるだろう。

★《虹のかけ橋（七妍）》（一九一五）

表紙＝写真／堀江ケニー、モデル：沙夜

All pages designed by ST

CONTENTS

ゴシック精神とは何か
——反理性の闇を愛でよ

●文＝沙月樹京（評論家・編集者）

　昨今、ゴシック関連の研究書や評論書などが相次いで出版されている。たとえば単純に「ゴシック」というキーワードで検索し、ヒットしたものを評論書を中心にざっと書き出してみたのが左の表なのだが、2000年代後半にゴシックを多面的に捉えようとするものが目立って出版され、2010年代に少々沈静化、しかし2020年年前後から意欲的な本が続々と登場している。「ゴシック」は再び注目を集めているのだ。

　では、そもそも「ゴシック」とは何か？　詳しくは表にあるような本を読まれるといいと思うが、ここに本当にざっくりとまとめてみよう。

ゴシック建築とは

　ゴシックという建築様式がブームになったのは、十二世紀半ばから十五世紀末にかけてだという。その三世紀半という時間のスパンは、変化の激しい昨今からすると気が遠くなるほどの長さなのだが、五十年、百年、ン百年という時間をかけてゴシック建築が建設されたのを考えると、それほど驚くべきことではないのかもしれない。

　ゴシック建築の嚆矢となったのは、北フランスのサン・ドニ修道院教会であると言われている。その建築様式の詳細はここでは省くが、その様式は以降フランスからイギリス、ドイツ、イタリアなどに広まっていき、パリやランス、ソールズベリー、ケルン、ミラノなどの大聖堂が生み出されていった。それらがキリスト教会であるという点は指摘しておいた方がいいだろう。ゴシック様式のイスラム寺院とかはちょっと聞かない。ゴシック建築はキリスト教の思想を具現化したものであり、その内部空間は、言ってしまえばキリスト教の宇宙そのものを象徴していたのである。

ゴシック＝暗黒というイメージ

　だがやがて、十四世紀から十六世紀にかけて、イタリアを中心にルネサンスの波が広がり始めた。まずイタリア人が古代ローマ遺跡から人間性・理性の尊重を学び取り、聖書こ

★フェリックス・ブノワ《サン・ドニ修道院教会》(1861)

主なゴシック関連書（2000年代後半以降の評論を中心に）

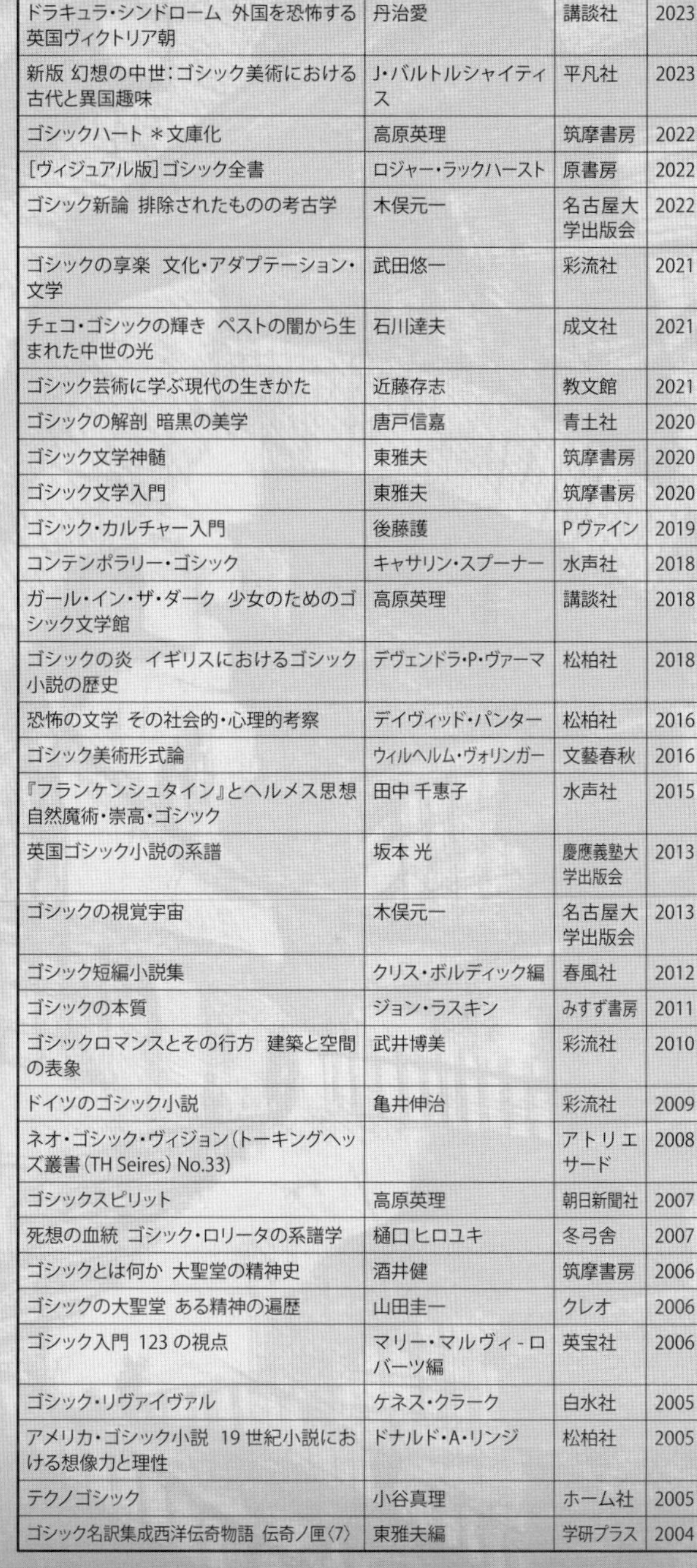

ドラキュラ・シンドローム 外国を恐怖する英国ヴィクトリア朝	丹治愛	講談社	2023
新版 幻想の中世：ゴシック美術における古代と異国趣味	J・バルトルシャイティス	平凡社	2023
ゴシックハート ＊文庫化	高原英理	筑摩書房	2022
［ヴィジュアル版］ゴシック全書	ロジャー・ラックハースト	原書房	2022
ゴシック新論 排除されたものの考古学	木俣元一	名古屋大学出版会	2022
ゴシックの享楽 文化・アダプテーション・文学	武田悠一	彩流社	2021
チェコ・ゴシックの輝き ペストの闇から生まれた中世の光	石川達夫	成文社	2021
ゴシック芸術に学ぶ現代の生きかた	近藤存志	教文館	2021
ゴシックの解剖 暗黒の美学	唐戸信嘉	青土社	2020
ゴシック文学神髄	東雅夫	筑摩書房	2020
ゴシック文学入門	東雅夫	筑摩書房	2020
ゴシック・カルチャー入門	後藤護	Pヴァイン	2019
コンテンポラリー・ゴシック	キャサリン・スプーナー	水声社	2018
ガール・イン・ザ・ダーク 少女のためのゴシック文学館	高原英理	講談社	2018
ゴシックの炎 イギリスにおけるゴシック小説の歴史	デヴェンドラ・P・ヴァーマ	松柏社	2018
恐怖の文学 その社会的・心理的考察	デイヴィッド・パンター	松柏社	2016
ゴシック美術形式論	ウィルヘルム・ヴォリンガー	文藝春秋	2016
『フランケンシュタイン』とヘルメス思想 自然魔術・崇高・ゴシック	田中 千惠子	水声社	2015
英国ゴシック小説の系譜	坂本 光	慶應義塾大学出版会	2013
ゴシックの視覚宇宙	木俣元一	名古屋大学出版会	2013
ゴシック短編小説集	クリス・ボルディック編	春風社	2012
ゴシックの本質	ジョン・ラスキン	みすず書房	2011
ゴシックロマンスとその行方 建築と空間の表象	武井博美	彩流社	2010
ドイツのゴシック小説	亀井伸治	彩流社	2009
ネオ・ゴシック・ヴィジョン（トーキングヘッズ叢書（TH Seires）No.33）		アトリエサード	2008
ゴシックスピリット	高原英理	朝日新聞社	2007
死想の血統 ゴシック・ロリータの系譜学	樋口ヒロユキ	冬弓舎	2007
ゴシックとは何か 大聖堂の精神史	酒井健	筑摩書房	2006
ゴシックの大聖堂 ある精神の遍歴	山田圭一	クレオ	2006
ゴシック入門 123の視点	マリー・マルヴィ-ロバーツ編	英宝社	2006
ゴシック・リヴァイヴァル	ケネス・クラーク	白水社	2005
アメリカ・ゴシック小説 19世紀小説における想像力と理性	ドナルド・A・リンジ	松柏社	2005
テクノゴシック	小谷真理	ホーム社	2005
ゴシック名訳集成西洋伝奇物語 伝奇ノ匣〈7〉	東雅夫編	学研プラス	2004

そが絶対的な真理であるというゴシックの時代の価値観を崩していったのである。同時期、教会にも宗教改革の荒波が吹き荒れ、その権威も揺らぎ始める。

十七世紀のバロックの時代になると、人間は努力し訓練することによって神と同じ完全な存在になりうるという、イエズス会の教えが広まっていく。ゴシックの時代においては、神は超自然的な存在であり、そこに近づくことは人間の力などでは到底無理なことで超自然的な力が必要であると考えられていたのだから、大きな転換である。そしてその背景には、大航海時代の到来やコペルニクスの地動説・ニュートンの万有引力の法則の誕生などによる、世界観・宇宙観の劇的な変化があった。

端的に言えば、ゴシックの時代は科学によって崩れ去っていったのである。

こうして、ゴシックの時代の非科学性と、人や物の交流がほとんどなされない封建制度の停滞感が、ゴシックの時代を含む中世に対し、「暗黒時代」という言葉、そしてイメージを刷り込ませた。中世暗黒時代——それは、科学的な発想がなされなかった中世そしてゴシックの時代を、科学の時代に生きる人間の価値基準で勝手に言い表した言葉だったのだ。

いまゴシックというと、その色のイメージは「黒」だろう。ゴシック&ロリータやゴスのファッションしかり。しかしゴシック建築が黒い外壁だったり、内部が真っ暗ということはなかった(むしろ内部は、ステンドグラスの採光によって、光にあふれていた)。それがなぜ「暗く」「黒い」というイメージになったかというと、右記のように、後世になって「暗黒の時代」とイメージの刷り込みがおこなわれたからだろう。

ゴシック・リヴァイヴァルの潮流

そのようにしてゴシックは時代遅れのものとされたが、しかしやがてリヴァイヴァルする。

バロックの次、十八世紀にあらわれた様式はロココだった。重厚なバロックに較べ、ロココは貴族的な華麗さ・軽やかさが表現され、新しく生まれた貴族のサロン文化と呼応していった。

だがその一方で、それに反発する動きもあらわれる。ひとつはギリシア・ローマ時代の造形を甦らせようとした新古典主義。そしてもうひとつが、ゴシックの時代にロマンを求めたゴシック・リヴァイヴァルだ。

ゴシック・リヴァイヴァルは、ロココのいかにも人工的な美学に対し、ゴシックの時代の不規則さ、荒々しさを憧憬する、言ってしまえば廃墟趣味というか、人間の知の及ばない超自然的な力を信奉する美学だった。ゴシックは、ロココに対するカウンターカルチャーとして——さらに付け加えれば、十八世紀半ばからいよいよ顕現してくる産業革命や、その結果生み出される都市化に対するカウンターカルチャーとして——反近代的な部分が拡大解釈されたうえにさまざまな誤解も注入され、ゴシックにとっては不本意かもしれないが、甦ったのである。

その先駆者となったのが、ホーレス・ウォルポールというイギリス人だった。彼の父親は首相の座を占めたこともある政治家であり、彼自身も一応は政界に身を置いていた。しかし三十歳を前にして両親が相次いで他界すると、手元に莫大な遺産が転がり込んでくる。これがいけなかった。彼がその金で何をしたかというと、ロンドン郊外のストロベリ・ヒルに土地を購入し、若い頃からのゴシック趣味を満たそうと、そこに建っていた屋敷をゴシック風に改築していったのである。しかも、ひとくちにゴシック様式といってもさまざまなものがあるが、適当に気に入ったものを装飾として組み合わせていくという、結構いいかげんなものだったらしい。ゴシック・リヴァイヴァルはご都合主義的な懐古趣味だったのだ。

ところがそのストロベリ・ヒルの屋敷は人々の注目を集め、ゴシック・リヴァイヴァルという一大ムーヴメントに発展していった。おそらく、政治家という地位や人脈も大いに力を発揮しただろう。近所の好事家にもてはやされた程度だったのならともかく、イギリス国会議事堂やパリのノートルダム大聖堂など、数多くの超立派なゴシック様式の建築を生むきっかけになったのだ。

ゴシック・ロマンスの誕生

さらにウォルポールはそれだけでは足りず、ある晩ストロベリ・ヒルの中で見た奇妙な夢をヒントに、本能の赴くまま、自動記述のようにして一編の小説を書き上げる。そして完成したのが『オトラント城奇譚』だ。

この小説は「今日の私たちから見れば、小説以前の中世物語」(紀田順一郎、『ゴシック幻想』書苑新社)であるという。しかし「当時までの小説に見られない、線の太い簡潔なプロット」(同)はあの時代としては画期的だった。そこに、古城や修道院などのゴシック的な建物やそこで起きる怪奇現象といった題材がまぶされ、人々を魅了したのである。

話は古城を舞台に、独裁的な暴君マンフレッド公とその美しい娘マチルダ、すぐ死んでしまう病弱な息子のコンラッド、コンラッドと結婚するために連れてこられたイザベラ、そしてマンフレッド公の魔の手からイザベラを救った若者セオドアなどを中心に、予言や亡霊、怪奇現象などが散りばめられながら展開していく。確かに語り口は古めかしいかもしれないが、物語的には結構面白い。息子に代わってイザベラを強姦しようとするマンフレッド公や、マチルダとセオドアの恋など、色恋沙汰もちゃんと盛り込まれているのだ。

★ストロベリ・ヒル(wikipediaより)

財力のあるウォルポールは印刷設備も自前で持っていて、彼自身のはもちろん、友人たちの作品もせっせと刷っていたらしい。その印刷物により『オトラント城奇譚』のゴシック趣味はフランスやドイツなどにも広まり、さまざまに変容し拡大していく。その八年後に出されたジャック・カゾットの『悪魔の恋』は、隠秘学に大いに感化された作品だったし、一方ウィリアム・ベックフォードは、『アラビアン・ナイト』の影響を受けて、オリエント趣味を前面に押し出した作品を生み出す(『ヴァテック』)。そして「女のゴシック」の祖とされるアン・ラドクリフが登場し、彼女の作品『ユードルフォの謎』に啓示を受けたマシュー・グレゴリー・ルイスは、猥褻でスキャンダラスな作品『マンク』を書き上げるのである。

やがてそれは新大陸アメリカにも飛び火する。西洋人支配の歴史が浅く、いにしえからの霊の気配を感じさせる怪しい場所が少なかったアメリカにおいて、チャールズ・ブロックデン・ブラウンは、ゴシックの闇の部分、つまり恐怖の源泉を人間の深層心理に求めた。舞台も古城などではなく現実に近い社会であり、ヨーロッパのゴシック・ロマンスの影響を受けながらも、それとは一線を画した独自の作品を生み出したのだ。

そうして誕生した「アメリカン・ゴシック」は、同時にアメリカ文学の出発点となり、ポオやホーソーン、メルヴィル、フォークナーなどに受け継がれていく。こんにちのアメリカでのホラーやサイコ・サスペンスなどの隆盛は、まさにブラウンが生み出したアメリカならではの伝統だと言えるかもしれない。

このようにゴシック・ロマンスの登場は、小説というジャンルの新しい夜明けでもあった。やがて推理小説や怪奇小説を生み、そしてオカルト・サイエンスを取り込むことによって、ブライアン・オールディスが『十億年の宴』(東京創元社)で指摘したように、サイエンス・フィクション(SF)の出発点となったメアリ・シェリーの『フランケンシュタイン』を生む。現代の娯楽小説すべての原点がそこにあったと言ってもいいのでる。

「光」によって追いやられた「闇」

ちなみにオカルト・サイエンス、つまりオカルティズムは、ゴシックの時代を過去に葬り去ったルネサンス時代に最初の隆盛を迎えた。「科学的な発想」の浸透をその背景として、占星術や錬金術といった、いまからすれば荒唐無稽に思われることが真面目に研究されたのである。当時は、そうした魔術的なものと科学的なものの区別はなかった。

しかし、十七世紀から十八世紀にかけて広まった啓蒙思想——人間の理性への信頼とその自律を目指そうとしたその考え方が、オカルティズムを自然科学から切り離していく。だが、そのことは逆に、オカルト的なものを白日のもとに引きずり出し、人々に意識させることにもなった。

象徴的なのは、啓蒙思想において啓蒙は「光」であったということだ。啓蒙思想をあらわす英語 Enlightenment ももともとは光で照らすことを表現しており、それはフランス語においてもドイツ語においても同様である。人間が生来持ち合わせている「理性」を「自然の光」と言い表したのだ。

結果、ゴシック的なものは、その光によって闇の部分に追いやられたと言っていいだろう。中世が「暗黒の時代」と称されるのも、そ

★フランシスコ・デ・ゴヤ《理性の眠りは怪物を生む》(1797-98)
啓蒙思想に絶望したゴヤは、「理性の眠り」という闇に惹かれ、この作品や、《我が子を食らうサトゥルヌス》を始めとする「黒い絵」と呼ばれる自邸の壁画群などを描いた。

のあたりの比喩が根源にあるにちがいない。
啓蒙主義に反発するようにして、人間が抱える不合理なもの、神秘的なものを積極的に肯定していこうするロマン主義が台頭してくるのだが、そのような人間の内面への探求はゴシック・ロマンスの方向性のひとつでもある。表層だけを見ると怪奇現象や神秘体験に彩られているかもしれないが、人間の内面にうずまく非合理な心のうごめきを探求していくこと、それがゴシック・ロマンスの重要なファクターではないかと思うのだ。

そしてそのような前提で言うなら、ゴシック的なものの考え方、つまり「ゴシックな精神」というものは、合理主義的・科学万能主義的な思考に常に懐疑を抱き、神秘的なもの・超常的なもの——特に心の内面に渦巻くもの——を肯定し、そのうごめきに常に耳を傾ける精神、そしてその意思を読み解き、それに従順に生きようとする精神、とでも定義できるのではないか。

黒という色のイメージ

そして、ゴシックの色、黒についても付け加えれば、黒という色は闇の色であり、先も触れたように「人間の理性＝光」が届かない未知の場所であり、そして死であり、悪である。黒い服を身につけるということは——聖職者の衣服が黒いことを思い浮かべれば——理性＝光の届かない領域と交信する能力を暗示しているように思う。同時に想起されるのが、光の届かない領域＝死の世界からの使者というイメージ。もしくは、現代の既成概念を否定するアナーキーな存在＝悪。内省的、厭世的、自己否定的な穢れた存在。

そして黒は、これ以上もう何色にも染まらないという反抗的な意思の証しであり、闇に紛れて光の届かない未知の場所に逃亡できる能力も与えてくれる。

黒はまた禁欲を意味する色でもあり、その色をまとうことによって心の奥底からぐつぐつ沸き立ってきている欲望をカモフラージュすることもできる。

そのようなイメージの混交がゴシック・ロマンスに見られた「ゴシックな精神」と重なり合い、「ゴシック」＝「黒」になったとも言えよう。そして「ゴス」などが登場し、ゴシック建築に象徴される中世の「ゴシック」のイメージが完全に換骨奪胎された現代においては、むしろ「黒」という色のイメージによって「ゴシックな精神」が規定されるようになっていたと言ってもいいかもしれない。

「ゴシック精神」を持ち続けること

結局のところ「ゴシック」は、ゴシック・ロマンスによって誤解され、身体改造なども巻き込んで現在に至っている。

21世紀になって明るい未来が開けると思いきや、逆にますます黒い闇に閉ざされてしまっている感のある昨今、この闇の世界を生き延びていくのは「ゴシック」な「心」を持った者である——ということを書いたのは今から15年前、本誌№33「ネオ・ゴシック・ヴィジョン」のときである。しかし今はよりいっそう未来へのヴィジョンが描きにくくなっており、いろんな意味で窮屈さ、絶望感の色濃い時代になってきているように思う。そもそも「ゴシック」は、ゴシック・リヴァイヴァルがそうであったように、過去への回顧がその要素のひとつとしてある。昨今「ゴシック」が注目されているのは、いっそう未来が見えなくなっているがゆえ、過去を回顧したくもなる、という部分もあるのではないか。

だが、「ゴシック」を知ること、すなわち「反理性としての闇」を知り、それを愛でることは、不安や恐怖、そして絶望に必要以上に縛られないでいられるひとつの術（すべ）なのではないか。だからこそ、ゴシック精神を持ち続けよう、そう思ったりするのである。

※この文章はトーキングヘッズ叢書（TH Seires）№33掲載の「ゴシックで生き延びよ」を加筆修正したものです。

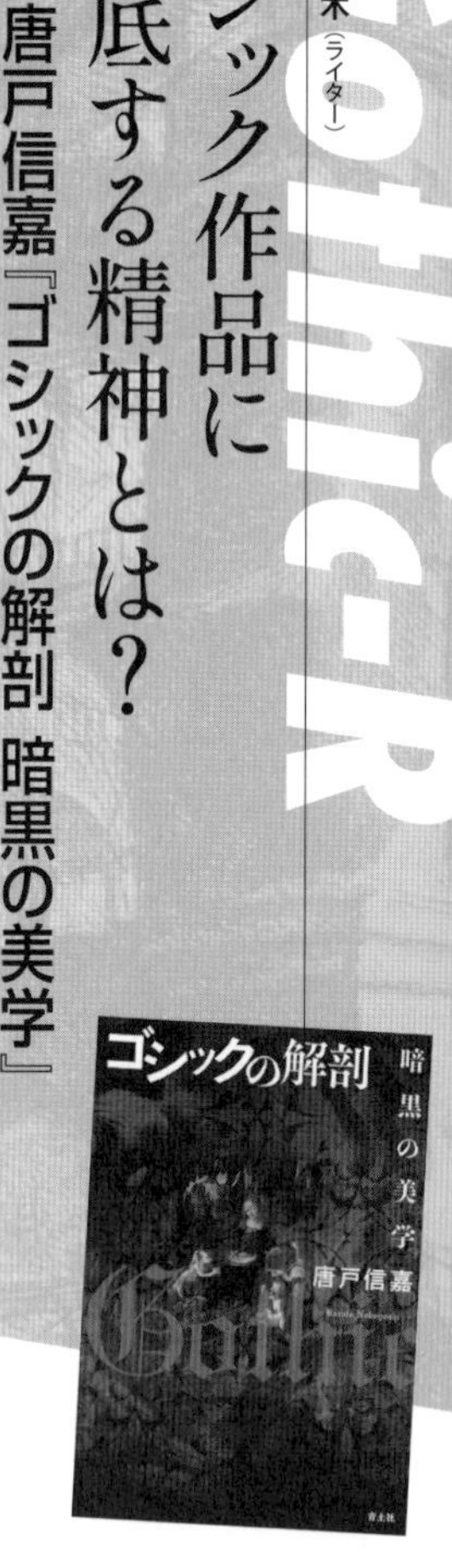

ゴシック作品に通底する精神とは？

――唐戸信嘉『ゴシックの解剖 暗黒の美学』

●文＝梟木（ライター）

ファッションのデザインでいえばクラシックな黒。物語でいうなら恐怖や苦痛に耽溺し悪や死に近付くことさえ厭わない、ダークな世界観。そんな「ゴシック」のイメージは、昨今、私たちの周りにありふれている。

特に映像作品の分野において、その傾向は著しい。ディズニー映画の悪役である女性を主人公とし、若き日の彼女が悪の道に溺れていく過程を描いた『クルエラ』（二〇二一年）。世界中のゴシック文化に影響を与えた人気作品『アダムス・ファミリー』から一キャラクターを独立させ主人公にしたスピンオフ的なテレビドラマ『ウェンズデー』（二〇二二年）。あるいはここに二〇一七年のピクサー映画『リメンバー・ミー』（メキシコの「死者の日」を舞台にした、世にも珍しい極彩色のゴシック映画）を加えてしまってもいい。

共通するのは製作スタジオや作品の公開規模が世界的にメジャーであること、またその人気の拡がりにおけるSNSとの親和性の高さだ。もはや私たちは「ゴシック」に触れるために、文化や時代を遡ってマイナーな作品を掘り当てる必要はない。SNSのタイムライン上に流れる情報に従い、いくつかの話題作を視聴しているだけで、いつの間にか「ゴシック的なもの」を吸収している状態なのだ（『クルエラ』や『ウェンズデー』が発表された当時には主人公のファッションに触発され、コスプレした姿をSNSに投稿して楽しむ女性も多く現れた）。

だがそもそもゴシックとはなんだろうか。

美術用語や建築用語としての定義をべつにすれば、それがある種の「美学」や「意識のありかた」を指すものであることは間違いない。しかし「ゴシック」という言葉を聞いて思い浮かべるイメージは人によってさまざまであり、そこに共通する「なにか」を取り出すことは難しい。唐戸信嘉『ゴシックの解剖 暗黒の美学』（二〇二〇年）は、ゴシックと呼ばれる作品群に通底する精神を探り、古典文学から二十世紀以降のサブカルチャーまで含めてその全体像を浮き彫りにした、意欲的な評論だ。

ゴシックという言葉の起源は、古代にまで遡る。もともと古代ゲルマン系民族のひとつである「ゴート人の」という程度の意味しかなかった単語の「ゴシック」が、いつしかゴート人のような「野蛮さ」（著者いわく、そこには多くの誤解が含まれているのだが）そのものを表すようになり、それが調和と均衡を

重んじるルネサンス的な価値観のもと、中世までの過剰に装飾的な建築様式を指して使われるようになった。そう、ゴシックとはそもそも蔑称だったのである。

ところがルネサンスの時代が終わると、ゴシックはイギリス人のエドマンド・バークによって「崇高」という美の概念を体現したモチーフとして、再評価されることに。十八世紀の中頃にはゴシックの様式を取り込んだ建築が各地に現れたほか、ホレス・ウォルポールによる世界初のゴシック小説『オトラント城』（一七六四）を皮切りに、ウィリアム・ベックフォード『ヴァテック』（一七八六）やマシュー・グレゴリー・ルイス『マンク』（一七九六）、アン・ラドクリフ『イタリアの惨劇』（一七九九）などゴシック小説の第一世代に属する作品が書かれることとなった。この時代にイギリスでゴシックの再興（リバイバル）が起こった理由として、著者は宗教改革、フランス革命、そしてナショナリズムの勃興という三つの「事件」を挙げる。急速に近代社会の基盤が整えられていく中で時代の流れを批判的なまなざしで見つめ、解体しようとするカウンターの文化として、ゴシック・リバイバルはあった。

さて、ここでようやく「ゴシック小説」にまで話が進んだわけだが、ゴシック文化に対する作者の理解をべつとして、そこになにか共通する特徴などはあったのだろうか。著者はゴシック小説の「重要なモチーフ」として「吸血鬼」「人工生命」「分身」「廃墟」「地下」の五つを挙げ、それぞれの文化的、歴史的意義を解題していく。こうして並べてみると、十八世紀イギリスに端を発する「ゴシック」の諸要素がいかに現代のサブカルチャーの中にまで貫通して引き継がれているかがわかるだろう。「吸血鬼」「人工生命」「分身」といえば二十世紀以降のホラーやSF作品でお馴染みのモチーフだし、「廃墟」「地下」もまたジャンルを問わずサブカルチャーの消費者に好まれるイメージだ。

とりわけ「地下」について「SF小説で描かれる宇宙空間は、ゴシック小説の地下を天空のかなたへと転移させたものではないだろうか」と著者が発言している点は興味深い。『機動戦士ガンダム　水星の魔女』（二〇二二〜二三年）は、近年でもっとも多くの若年層ファンの獲得に成功したロボットアニメだが、宇宙を舞台にしたSF作品であるにもかかわらず、そこには「ゴシック」を連想させる要素が幾つも見られた（常に不気味な仮面を被り表情を見せない母親、血統や運命に囚われた子どもたち、階級と差別、クローン技術によって作られた分身、ガンダムの機体に情報として宿る「幽霊」など）。そうであるならば『水星の魔女』は、近年もっとも若年層へのゴシック的イメージの普及に成功したロボットアニメ、とさえいえるのかもしれない。

それにしてもなぜ、私たちはゴシック的な要素に心を惹かれてしまうのか。

おそらくそれは昨今の世界情勢と無関係ではあるまい。文明都市に暮らす人々がコロナや戦争がもたらす「死」の事実（データや報道）から目をそむけるようになって久しいが、もちろんそれは彼らが病気や死に対する恐怖を克服したことを意味しない。むしろ結果は逆で、十六世紀にプロテスタントによって幽霊や煉獄の存在が否定されたときと同じく「死を意識から遠ざけた結果、人々の死に対する恐怖はさらに膨らんでいった」。「死」に対する人々の関心が失われないかぎり、ゴシックもまた少しも変わらず（何度でも「再興」して）魅力を放ち続けるのだろう。

死に対する恐怖が失われない限りゴシックは何度でも再興する

Gothic-R

クィアでフリークな南部ゴシック
――『風と共に去りぬ』から『ノーカントリー』まで

●文＝浦野玲子（ライター）

スカーレット・オハラのゴシック性

南部ゴシックとはなにか。半世紀ほど前の日本では、ウィリアム・フォークナーやテネシー・ウィリアムズ、カーソン・マッカラーズなどの作家の作品が広く読まれていた。彼らの作品が「南部ゴシック」と称されることを知った。

それは、厳密な定義があるのか不明だが、アラバマとかジョージアとか、テキサスなどメキシコ国境地帯まで含めて、アメリカ合衆国南部の独特の文化や習俗や人種構成や風土が醸成する独特の感性がある。そこから生まれる小説や戯曲を指すのではないかと思う。

南部ゴシック作品といえば、通俗的かもしれないが、映画『風と共に去りぬ』（ヴィクター・フレミング監督）が真っ先に思い浮かぶ。

マーガレット・ミッチェルの原作は読んでいないが、ヴィヴィアン・リー、クラーク・ゲーブル主演の映画版は、その音楽も含めて、今なお映画史に燦然と輝いている。１９３９年当時の最先端技術と最高の表現者を集めて作られた総天然色の超豪華映画だ。

『風と共に去りぬ』は、現代人の視点から見れば、黒人差別、白人至上主義に満ち満ちた作品であることは論を待たない。だが、尊大で傲慢なスカーレットが真の愛に気づき、郷土愛に目覚め、苦難を乗り越えて生き続けようとする作品は、南部ゴシックというよりは、ゴシック・ロマンの系譜かもしれない。

それは、ヒロインの名前「スカーレット」にも表れている。作者のマー

★映画『風と共に去りぬ』

ガレット・ミッチェルは、当初「パンジー」と名付けていたという。だが、パンジーでは可憐だが、インパクトがない。

スカーレットこそ、燃え上がるような情熱の南部女にふさわしい。そして、スカーレットは、ゴシック・ロマンの傑作といわれる『緋文字』(ナサニエル・ローソン)の原題、スカーレット・レターに由来しているのではないか。

緋文字とは、姦通の罪を犯した人をはじめ罪あるものが身につけなければならないもの。ナチスドイツがユダヤ人にダビデの星マークを付けるよう強制したのと同様なことだ。スカーレット・オハラは、あらかじめ「罪人」の宿命を負わされた人、道に外れた人として運命づけられていることを示唆しているのかもしれない。

映画では、燃えるような日没前の色や北軍の侵攻で炎上するアトランタなど、たびたび緋色やオレンジ色の情景が登場する。レット・バトラーがスカーレットを抱き上げて一足ずつ上がる階段のシーンが有名だが、この異常に長い階段に敷き詰められたじゅうたんの色さえ緋色系だ。これは「スカーレット」のテーマカラーなのか。

また、エンドロールをはじめ折に触れて映し出される南部の広大な風景と奇怪な樹木のシルエットは、アーサー・ラッカムなど昔の児童文学の挿絵のようなおどろおどろしさを感じる。そして、現代とは比較にならないが、総天然色の美麗さと迫力と不気味な映像が醸し出すゴシックテイスト満載だ。

スカーレットを演じたヴィヴィアン・リーは英国人だが、美貌と貴族性、そして勝ち気で情熱あふれる「サザン・ベル」にはまさに適役だった。サザン・ベルは日本語に訳すと「南部美人」のような意味。なんだか岩手あたりの地酒みたいだが、南北戦争以前のアメリカ南部で上流階級の女性の気品ある美しさを備えた理想的女性像を指す言葉だったという。

ヴィヴィアン・リーの圧倒的な美貌をとらえた有名なスチル写真がある。フリルたっぷりの豪華なドレスに身を包んだ娘時代のスカーレットの姿だ。挑発的かつ蠱惑的なそのまなざしは、情熱と狂気を秘めている。それは、歌舞伎の市川團十郎の魔除けの「にらみ」に匹敵すると思う。

リーの美貌と裏腹の、ときに怪演に近い熱演もゴシック的に思えてならない。その表情の豊かさは、クラシックな演技レッスンの成果かもしれないが、1920年代の表現主義の映画にも通じるようなある種の不気味さを感じる。

★映画『風と共に去りぬ』よりヴィヴィアン・リー

頽廃と哀愁の南部ゴシック的世界

ヴィヴィアン・リーは、のちにテネシー・ウィリアムズ原作の映画『欲望という名の電車』(エリア・カザン監督)でも主演をつとめ、『風と共に去りぬ』についで2度目のアカデミー主演女優賞を受賞した。

『欲望という名の電車』では南部出身の落ちぶれた老嬢ブランチの役。

★映画『欲望という名の電車』

アルコール中毒のニンフォマニアで、ついには妹の夫に暴行され、発狂してしまうという汚れ役だ。

ヴィヴィアン・リーは憑依型の俳優なのか、繊細な神経の持ち主なのか、私生活でも名優ローレンス・オリビエとの結婚生活が破綻し、精神の変調をきたしていく。晩年は悲惨なものだったという。

テネシー・ウィリアムズの自伝的作品といわれる『ガラスの動物園』は、『欲望…』の主人公ブランチ同様、南部の上流階級出身ということだけを誇りにしている母のアマンダ、息子のトム、娘のローラをめぐる物語。脚が不自由なローラはガラスのように繊細な性格とあいまって、家にひきこもってガラスの動物を飾ることしか楽しみがない。そして、『欲望…』と同様、誠実そうな男性と結ばれそうになるも裏切られてしまう。

昨年（2022年）、フランスの大女優イザベル・ユペール主演の『ガラスの動物園』を新国立劇場で観た。イザベル・ユペールは50年も前の映画、『バルスーズ』（ベルトラン・ブリエ監督）で観て以来のファン。フリーセックスを楽しむ奔放でキュートな女の子というような役どころだった。

南部ゴシックの戯曲をフランス人キャストがフランス語で演じることじたい、おもしろくないだろうとは思っていたが、予想通りだった。じっとりまとわりつくようなアメリカ南部の家族関係やひりひりした焦燥感が感じられなかった。残念。

生のイザベル・ユペールをこの目で見たというミーハー願望がかなえられたことだけで良しとしよう。

舞台ではテネシー・ウィリアムズはゲイであることを暗に匂わせていた。ウィリアムズ自身がモデルというトムが夜な夜な「男友達」を求めて出歩いているのでは…？というニュアンスのセリフがあった。1950年代のアメリカでは映画倫理コードに縛られて語れなかったことを21世紀の演劇でようやく語れるようになったということか。

テネシー・ウィリアムズ原作の映画には『熱いトタン屋根の上の猫』（リチャード・ブルックス監督）もある。エリザベス・テイラー、ポール・ニューマン主演で、南部の成り上がり資産家の人々の倒錯的な性愛や欲にまみれた家族関係が描かれる。ポール・ニューマンの役は酒浸りのゲイ。テイラー演じるセクシーな妻は欲求不満のせいか、いつもヒステリックにわめき散らしている。

これと似た映画がある。『禁じられた情事の森』（ジョン・ヒューストン監督）だ。こちらも主演はエリザベス・テイラー。軍人でゲイの夫はマーロン・ブランド。欲求不満の妻の不倫、妻を慕う若い兵士の変質者的な窃視など、5人の男女の倒錯的な愛が描かれる。音楽は1967年当時、気鋭の作曲家だった黛敏郎が担当した。当時流行のどよーんと暗鬱な感じの現代音楽だ。

原作はカーソン・マッカラーズの『黄金の眼に映るもの』だが、当時はタブーだったゲイや覗きや不倫など乱れた性愛が描かれ、エリザベス・テイラーのデラックスな存在感と相まって、『熱いトタン屋根…』とごっちゃになってしまうのだ。

フリーク上等！ LGBTQのフーガ

カーソン・マッカラーズの作品にはまっていた時期がある。きっかけは、半世紀以上前に見た映画『愛すれど心さびしく』（ロバート・エリス・ミラー監督）。原作の『心は孤独な狩人』というタイトルもいいが、ミーハー中学生には映画の『愛すれど…』という邦題がエモいと感じられた。主人公のミックという少女と同年代だったこともあるかもしれない。

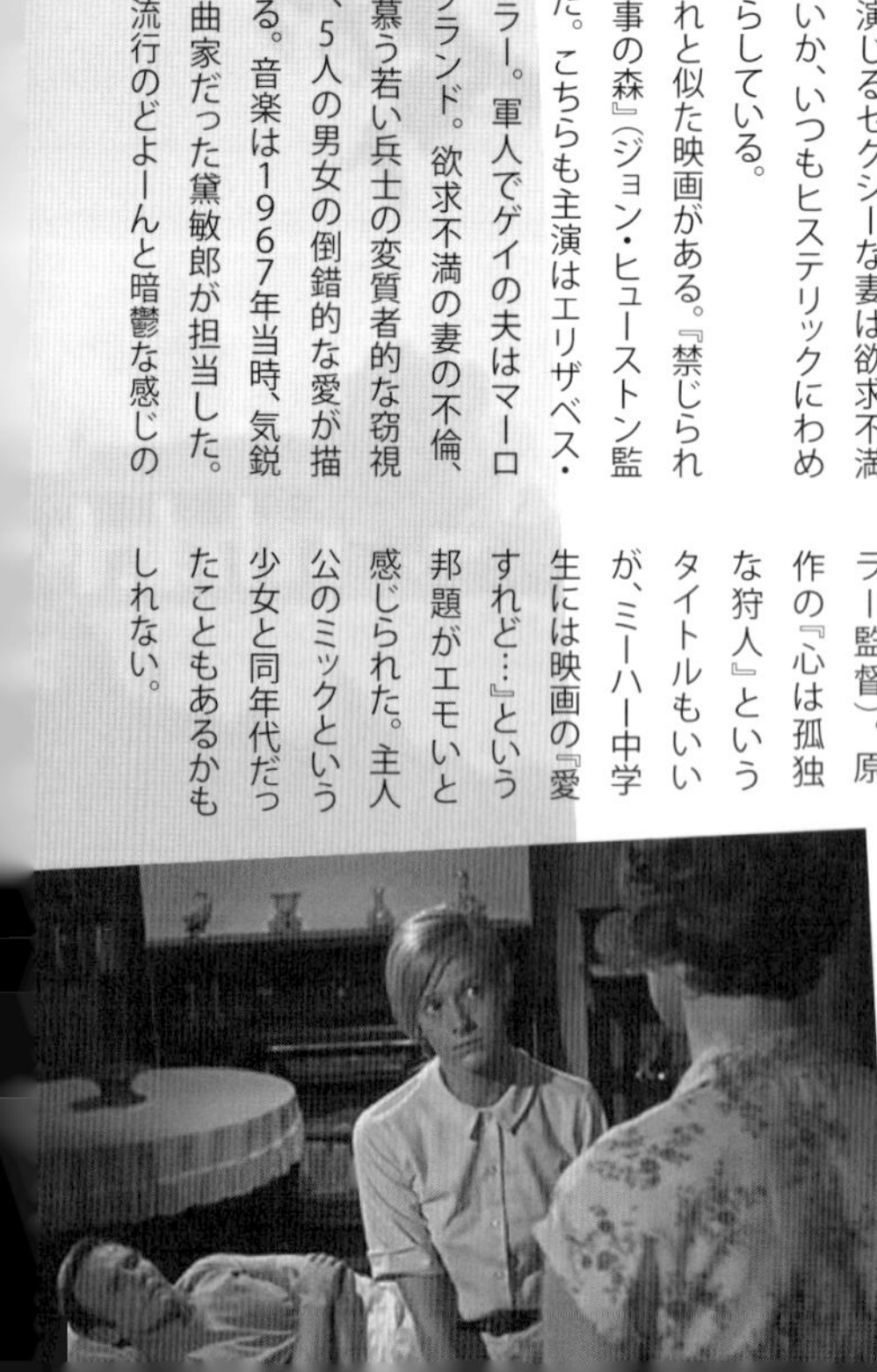

★映画『愛すれど心さびしく』

余談だが、やせっぽちで色気のないミックを演じたソンドラ・ロック。彼女の実年齢は当時24歳くらい。一時期クリント・イーストウッドのパートナーだったが、のちに別れた。

本作の主人公は、聾唖のユダヤ人で宝石彫刻師のシンガー。彼と同じ聾唖で唯一無二の友だったギリシア人のアントナプーロスが精神病院送りとなってしまった。その孤独から逃れるために大きな町へやってきた。そこでミックや終夜営業のカフェの主人ビフ・ブラノン、誠実だが頑固な黒人医師コープランドらと知り合う。

彼らは、聾唖のシンガーに話しかけることによって——人種や思想を問わず公平な態度で接するシンガーの存在によって——心の安らぎを得ることができる。

シンガーは彼らの話を本質的に理解することはない。ただ、じっと耳を傾けているだけだ。耳の聞こえない人がいわば「傾聴」の役割を果たしていたのだ。

ある日、アントナプーロスが施設で亡くなった。それを知ったシンガーは絶望のあまり、自殺してしまう。

シンガーの死によって、ミックをはじめ彼を慕っていた人々は、喪失の大きさを知る。彼らは再び、自分だけの孤独な世界に戻っていくしかない。誰かが誰かを愛しても、その思いは伝わらず、愛は報われない。

シンガーを演じたアラン・アーキンの思慮深く静謐で知的な演技に心魅かれた。彼は、今年の6月に亡くなってしまった。

マッカラーズ作品では、寓話的な『悲しき酒場の唄』もいい。南部のさびれた町で小さな酒場を営む女主人公ミス・アメリア。斜視のがっしりした大女で腕っぷしも強い。自家製のウイスキーやジャム、ソーセージなどを作り、町の人に売りさばいている。不動産売買など商才もあり、自立した女性の鑑のような人（ジェンダー的に問題といわれそうだが）。

★『マッカラーズ短篇集』（ちくま文庫）／「悲しき酒場の唄」などを収録

この〝男勝り〟（これも差別用語か？）のアメリアは、ある日突然酒場に現れた〝いとこ〟と称するライマンを愛するようになる。アメリアの身長は190㎝近く。背中の曲がったライマンは120㎝ほどの小男。せむし男と大女のカップルはフリークの見世物のようではないか。

この不思議なカップルの前に、ギターを抱えた凶状持ちのマーヴィン・メーシーが現れる。彼は、アメリアの前夫（たった10日間だけの結婚生活だったが）。すると、ライマンはこの男に一目ぼれ。

なにしろ、かつてマーヴィンはその界隈屈指の美丈夫で若い女性にモテモテだった。そんな男がなぜ、よりによって〝女らしさ〟のかけらもない大女アメリアに恋をして結婚にいたったのか。謎だ。

フリークな小男と大女とならず者の不穏な三角関係が続くが、ついにアメリアとマーヴィンはボクシングから取っ組み合いの大乱闘！ 激闘の末にアメリアがとどめを刺そうとした瞬間、ライマンが不意打ちをくわせ、アメリアはダウンする。

凶暴化した二人の男はアメリアの財産を持ち去り、酒場を荒らし、ウイスキー製造所を破壊して去っていく。それ以来、アメリアは急速に老い、正気を失い、にぎわっていた酒場も朽ち果てていく……。

本作を映画化した『悲しき酒場のバラード』という映画がある。ヴァネッサ・レッドグレイブ主演で、監督はイギリス人俳優のサイモン・キャロウ。そのせいか、ちっとも南部ゴシック的ではない。えぐみも悲哀もなく、淡々としすぎている。ここはイギリスのさびれた街のパブか何かを舞台に設定を大きく改変したほうがよかったのではないかと思う。

マッカラーズ作品の特徴は、フリークやLGBTQへの愛着が深いこと。彼女自身、レズビアンでバイセクシュアルだったという。

たとえば、『心は孤独な狩人』（村上春樹訳）では、町の人々の観察者でもあるカフェの主人ビフの人柄として、「彼は変わり種（フリーク）が好きなのだ。病んだものや不具な人々に対して、とりわけ親しい気持ちを抱くことができた……」と記している。

グロテスクな神が支配する

先述したアラン・アーキンに加え、2023年は各界で敬愛する人々が相次いで亡くなった。作家のコーマック・マッカーシーもそのひとりだ。

マッカーシー原作の映画『ノーカントリー』（ジョエル&イーサン・コーエン兄弟監督）は、そのあまりの救いのなさに腰が抜けた。

ハビエル・バルデム演ずるサイコパスの殺し屋シガーは、アーノルド・シュワルツネッガーのターミネーター（シリーズ第1作目）の抹殺マシンのような存在だ。彼の楽しみは、相手の生死をコイントスで決めるゲーム。

これは殺人依頼を受けたか否かにかかわらず、たまたま立ち寄った雑貨屋の店主など、シガーの癇にさわった人間に対して行き当たりばったりで行われる。

コインの裏表ひとつで相手に生存の一縷の望みを抱かせる。これは殺人一択のターミネーターより残酷な行為ではないか。

この非情なシガーでさえ、うっかり交通事故を引き起こし、肘の骨が皮膚を突き破るほどの重傷を負う。そして、通りかかった善良な少年から包帯代わりにシャツを譲りうける（実は、自転車に乗った少年たちの動きが気になり、前方不注意で車に衝突したのだが）。これはブラックユーモアだ。

それまで、ベトナム帰還兵の主人公モスやメキシコのギャングや殺し屋たちが繰り広げる、ひりひりするような殺しのゲームがこれでもかといわんばかりに続いていた。だから、シガーの事故は脱力感極まりない。日常のなかに潜む危機には殺人マシンもかなわない。

死神のように冷酷無比なシガーの顔が一瞬、間抜けに見える。男たちの息詰まる殺戮のあと、ありふれた住宅街の日常生活の中の事故で、シガーもまた人間であることが確認される。そして、人間の生死なんてこんなに軽いものなのね、というある種の諦念が生まれる。

『ノーカントリー』を観てから、マッカーシーの小説にはまった。なかでも『ブラッド・メリディアン』と『ザ・ロード』、『チャイルド・オブ・ゴッド』は、その描写の凄惨さ、過酷さが脳裏に刻み付けられた。

全体的に救いのない作品が多く、読むと虚無感に襲われる。人間の業の深さ、残酷さ、グロテスクさが身に染みて、完膚なきまでに打ちのめされる。

最近、映画化が決まったという『ブラッド・メリディアン』。監督は映画『ザ・ロード』のジョン・ヒルコート。数年前も映画化の話があり、楽しみにしていたのだが頓挫していたらしい。

あらすじは、1850年代、アメリカ合衆国とメキシコの国境地帯で繰り広げられる白人のギャング団とネイティブ・アメリカンの争闘の物語。

ギャング団はネイティブ・アメリカンの頭皮ハンター。無差別に集落を襲撃し、ネイティブ・アメリカンを虐殺し、頭皮をはぎ取る（昔の西部劇では、頭皮を剥ぐのは〝インディアン〟だった）。

ギャング団のリーダーは、「判事」と呼ばれる男。彼は7フィートの巨体で全身無毛症。だが、高度な教育を受けたインテリでもある。その姿はグロテスクだが、主人公の少年キッドにとっては神々しく思えるらしい。

本作を読むと、いろいろな映像が浮かんでくる。たとえば、サム・ペキンパーの『ワイルドバンチ』、シャイアン族虐殺を描いた『ソルジャー・ブルー』（ラルフ・ネルソン監督）、そしてフランシス・F・コッポラの『地獄の黙示録』だ。「判事」の姿は、『地獄の黙示録』のカーツ大佐のような不思議なカリスマ性を帯びている。

また、パゾリーニの映画『王女メディア』や『アポロンの地獄』で描かれた古代の生贄の習俗と西部劇が合体したような感覚がある。これだけ、いろいろな映像が浮かんでくるのだから、映画化したくなるのは当然かもしれない。マッカーシー自身、何本か映画シナリオを手掛けている。映像が先に浮かんでくるタイプの作家なのかもしれない。

さて、南部ゴシック映画について駄文を連ねてきたが、これらの作品以外でもトラウマになり、悪夢にうなされるような映画が多い。

たとえば、おぞましい奴隷牧場が舞台の『マンディンゴ』（リチャード・フライシャー監督）は、アンチ『風と共に去りぬ』ともいうべき作品。黒人奴隷のリンチ、レイプは言うに及ばず、近親相姦に不倫等々、南部支配者階級の腐敗、堕落ぶりがこれでもかといわんばかりに描きだされる。

おまけに、落ちぶれた南部上流階級の娘の名前はブランチ。『欲望という名の電車』の色情狂のヒロインの名前ではないか。ベトナム戦争で疲弊した1970年代、アメリカ南部にとっての古き良き時代からもアメリカの輝ける60年代からも遠く離れた映画だった。

『マンディンゴ』の影響が色濃いクエンティン・タランティーノの『ジャンゴ 繋がれざる者』。本作で主人公を演じるのはアフリカ系アメリカ人のジェイミー・フォックス。現実は、「ブラック・ライブズ・マター」など人種差別が根強く残っているのだろうが、筆者には隔世の感がある。

クリント・イーストウッド主演の『白い肌の異常な夜』（ドン・シーゲル監督）は南北戦争の終わりのころ、人里離れ自給自足生活を送る女子学院にたどりついた北軍の負傷兵。一時はやさしく看護されるも、嫉妬に狂った女性たちにいたぶられ、あまつさえ脚を切断されてしまう話。コワイですね〜。

挫折感、差別意識、非合理性、独特なセクシュアリティ等が渾然一体に

ベティ・ディヴィスが怪演する『ふるえて眠れ』（ロバート・アルドリッチ監督）は、南部の豪壮な屋敷で隠遁生活を送る老婆が主人公。フォークナーの『エミリーの薔薇』を想起させるグロテスクさ、不穏な恐怖感が散りばめられている。

ディヴィスは若かりし頃『黒蘭の女』（ウイリアム・ワイラー監督）でスカーレット・オハラばりの勝ち気で型破りの南部女性を演じた。

南部ゴシック作品（映画）には奇妙なもの、グロテスクで不気味なもの、クイアやスーザン・ソンタグのいう「キャンプ」的なものが多く登場する。

それは、奴隷制度によって巨万の富を得た南部の成り上がりたちが金にあかせて築き上げた幻想の上流階級文化であり、ヨーロッパ文化とアフリカの黒人文化と先住民文化の土着性が混交したポリフォニックな文化だったのではないか。その混交性、ポリフォニック性が、テネシー・ウィリアムズやカーソン・マッカラーズをはじめ多くのLGBTQ的な表現者を生み出す背景となったのではないか。

あるいは、黒人奴隷制度に端を発した「南北戦争」に敗れたことの後遺症、トラウマから生まれた、ある意味でPTSD文学といえるのではないだろうか。

敗者の挫折感、それとは裏腹の矜持、根強い差別意識から生まれる感情の歪み、知性や理性の介在を許さない非合理性、独特のセクシュアリティや価値観、死生観、そして美学。それらが渾然一体となって、南部ゴシック世界を形成しているのではないか。

この南部ゴシックのポリフォニック性こそ、均質化され、フラットな世界を生きる人々を異世界へと誘い、五感を刺激する豊穣な表現の源泉なのかもしれない。

シェヘラザードは何を語ったか
——『千夜一夜』とそのゴシック化

◉文＝仁木稔（SF作家）

★フェルディナント・ケラー「シェヘラザードとシャフリヤール」(1880)

『千夜一夜』研究の大家ロバート・アーウィンによれば、ホレス・ウォルポールはこのアラブのお伽話集の〝奔放な想像力〟に熱狂し、それを近代小説と融合させることで『オトラント城奇譚』(一七六四)を生み出した。『千夜一夜』がなければ、ゴシック小説というジャンルも存在しなかったというわけだ。必然的に、ミステリもSFもホラーも生まれていなかった。それどころかウィリアム・ゴドウィン(一八三六没)が考案し、エドガー・アラン・ポー(一八四九没)が完成させた大原則〝結末から逆算された筋書き〟もだ。彼らがゴシック作家の系譜に名を連ねるのは偶然ではない。そもそも『オトラント城』以来の典型的なゴシック小説の筋書きは、〝怪異の解決〟なのである。

斯くしてジャンルを問わず現在に至るまで、『千夜一夜』は〝奔放な想像力〟の代名詞であり続けてきた。スティーブンスンの『新アラビア夜話』(一八八二)はその好例だ。女性作家が賛辞としてシェヘラザードに譬えられることも多い。

これらを踏まえ、アラビア語写本から直接邦訳された原典版『千夜一夜』を読むと、少なからぬ齟齬に戸惑うことになる。長短取り混ぜて数百の物語が収められているが、その多くは良くも悪くも荒唐無稽であり、〝結末から逆算された筋書き〟の成立には一切寄与していないのは明らかだ。おどろおどろしい怪異が満ち溢れているわけでもない。まったく含まない話も多く、主題は多岐にわたる。開けっ広げな猥雑さは、淫靡よりも滑稽に傾く。登場人物はいずれも平面的で、魂の苦悩などとは無縁である。何より、崇高なる悪、絢爛たる闇、退廃の美といった概念は欠片も見当たらない。要するに、あまりゴシック的ではない。

このようなゴシック的『千夜一夜』のイメージは一人の人間が創り上げたものではないが、完成させたのはウィリアム・ベックフォード(一八四四没)である。自ら『千夜一夜』の挿話の幾つかをアラビア語写本から訳している東洋通だが、その精神は近代西洋人のそれ以外の何ものでもなかった。破滅に向か

★ウィリアム・ベックフォードが建てたゴシック様式のフォントヒル修道院

う教主（カリフ）ヴァテックの物語と幾つかの挿話から成るはずだった未完の大作『ヴァテック』は、文学史上最初にして最大の『千夜一夜』的ゴシック小説である。物語それ自体よりも、東洋の装いをしたゴシック的イメージの横溢が、その後の西洋における『千夜一夜』のイメージ、ひいては東洋（オリエント）のイメージを決定づけた。ゴシック化（ゴシサイズ）である。

日本語で読める『千夜一夜』完本は、ほかにバートン版（一九世紀末）とマルドリュス版（二〇世紀初頭）がある。どちらもゴシック化のバイアスが掛かっているため、原典版ほどの齟齬は感じられない。

アラブ世界において、虚構（フィクション）の物語や真偽不明の説話等、お伽話の類は夜話（サマル）と総称される。一日の仕事が終わった暇な時間に語るもの、という点では日本の夜話と同じだが、昼間に語れば妖霊（ジン）を呼び寄せるという曰く付きだ。聖典（クルアーン）のソロモン王（スライマン）然り「アラジンと魔法のランプ」然り、強力な魔法使いはジンを使役したとされるが、夜話にまつわる迷信は単に怠惰の戒めである。北アフリカではもっと即物的に、子孫が禿になる呪いが掛かる。

かつてアラブは一族の系譜や預言者の言行など、重要な情報はすべて口伝した。その信憑性を保証するのは語り手の人柄以外になく、信望を得たければお伽話は遠ざけるべきだった。それは女子供のものなのだ。東から伝わった紙が普及し、世界史上空前の書籍文化が花開いた後も、教養人を自任する男に許された物語は、原則として〝実話〟だけだった。真偽の判定は、もちろん彼ら自身によって為された。

『千夜一夜』の原型は、ペルシア語からアラビア語に訳された『千物語』である。女たちを守るためシャフラザード（シェヘラザード）が毎夜、暴虐な王シャフリヤールに物語を聞かせる枠（フレーム）に二百弱の挿話が収まるお伽話集には、少なくとも三回の〝増量期〟があった。新しい物語の追加だけでなく、別の物語本からの借用も少なくなかった。最初の二回は、例外的に教養人たちが熱心にお伽話を編んだ時代だった。まず『千物語』翻訳から程無い九、一〇世

西洋の優越があってこそ、『千夜一夜』や東洋のイメージがゴシック化された

紀。二度目の一四、五世紀までには、芸人が市場や珈琲店で聴衆相手に物語を朗読するスタイルが定着していた。講談と同じであり、だから『千夜一夜』は口承文学ではない。口承を重視するアラブの伝統と矛盾するが、お伽話であれ実話であれ書き記された物語のほうが高級なのだ。

『千物語』は千夜目にシェヘラザードが語り終わり、王が改心する結末ではあったが、第一夜、第二夜……と全夜カウントされていた可能性は低い。〝千〟とは単に〝たくさん〟だからだ。〝千と一〟は〝もっとたくさん〟である。しかし『千夜一夜』を〝発見〟した西洋人たちは、本当に千と一夜分あるのだと無邪気に信じた。一八世紀初頭にフランスのガランが入手した写本は、三百夜分に満たなかった。翻訳の成功を受け、ガランは残りの写本探しとともに、水増しも開始した。別系統の物語「船乗りシンドバード」およびシリア人キリスト教徒から採取した「アラジンと魔法のランプ」「アリババと四十人の盗賊」などである。

その後も二〇世紀に至るまで、写本探しと並行して水増しと偽造が行われた。〝種本〟にはお伽話集のほか、各時代の教養人による〝実話〟集もあった。過去や同時代の逸話に加え、神の偉大さを示す驚異を収めたものだ。巨鳥（ロック）も島の如き鯨も黒檀の馬も真鍮の都も、元ネタはそうした驚異譚だった。ガランの時代、アラブ世界では『千夜一夜』はすでに忘れられ、初期イスラム時代や十字軍時代を舞台とした長篇英雄譚が人気だった。幾つかは『千夜一夜』の水増しに使われたが、冗漫かつ支離滅裂、単独では到底、西洋人に顧みられなかっただろう。

ところがエジプトでは一九世紀、安価な西洋紙の普及と識字率の上昇を背景に、『千夜一夜』は家庭用の読み物として復活した。物語の追加は、西洋人だけでなくアラブの新たな読者向けにも行われていたらしい。

なお、動物寓話というわずかな例外を除き、〝設定〟上、シェヘラザードが語るのはすべて実話だった。女ながらも教養豊かなので〝奔放な想像力〟を駆使して作り話をしたり、連綿と口伝されてきた説話を語ったりはしないのだ。数多の実話集を読み、記憶したのである。

東洋に関する西洋の知識は十字軍以来、文献の翻訳や旅行記等を通じて確実に蓄積していった。しかしそれらが文学に反映されることはなかった。西洋人が求めたのは東洋の富であって、文化ではなかったのだ。

一六八三年に第二次ウィーン包囲が失敗し、イスラムの脅威は後退した。折しも啓蒙思想全盛のフランスでは、キリスト教に縛られない〝東洋の知恵〟が歓迎された。ここにペローの『お伽話集』(一六九四)を端緒とする妖精物語の流行が噛み合い、ガラン版『千夜一夜』(一七〇四)は大いに人気を博したのである。

フランスの先進性に劣等感を抱く英国では、ガラン版の二年後に早くも翻訳が出された。以後、『アラビアンナイト』は庶民および子供向けとして広く受容される。しかし同じ時期、英国は北アフリカの海賊に苦しめられてもいた。地中海と大西洋を航行する船舶と沿岸住民は満遍なく略奪され、拉致され、売り飛ばされていたのだが、英国人は海洋進出を阻む敵として殊更に恐れたのだった。

英国の男たちを怯えさせたのは、苦役よりも強制改宗よりも尻を犯されることだった。テンプル騎士団の例に見るように、男色は便利な悪の烙印である。しかし英国人は、ムスリム同士の男色には一切無関心だった。本当に被害者がいたのかも確認しなかった。強い東洋が弱い西洋を〝女〟にするという偏執的恐怖であり、割合は非常に低いものの決して少なくはなかった本物の女性虜囚の安全は一顧だにされなかった。

男性虜囚とムスリム女性の関係への言及は、空想的なバラッドが幾つかあるだけだ。

主人公は敵の王女によって救出され、改宗した彼女と莫大な富を伴って帰国し、末永く幸せに暮らす。『千夜一夜』にも、ムスリム男性虜囚と西洋の王女とのそっくり同じ物語が複数ある。

それでも英国は着実に強大化していった。一七三〇年代後半には、北アフリカ諸国政府に大金を支払うことで襲撃は激減した。五七年にはムガル帝国太守とフランスの連合軍を撃破した。そして六〇年代に入ると、後宮(ハーレム)に売られる白人女性、蠱惑的な上に都合よく死んでくれるムスリム女性といった紋切型が、俄かに英国をはじめ西洋諸国を席捲する(図版「奴隷市場」参照)。

一七四五年にジャコバイトの乱が失敗し、英国はカトリックの脅威から解放された。上述のインドでの勝利をはじめ、植民地戦争でもフランスを圧倒していく。『オトラント城』以来、悪はカトリック教徒の姿を取るのが定番だ。恐怖は矮小化し、制御可能になったのである。『千夜一夜』および東洋のゴシック化も、西洋の優越があってこそだ。

『千夜一夜』でもとりわけ有名な「アラジン」と「アリババ」をガランに伝えた人物は、名をハンナ・ディヤーブという。『千夜一夜』とゴシック小説を熱愛し、自身も多くのゴシック的東洋趣味(オリエンタリズム)作品を物したホルヘ・ルイス・ボルヘスは、ハンナについてこう述べている。

(……)シャーラザードにも劣らぬ神来の記憶力をもった、ひとりのマロン教徒の女助手であった。この素性のいかがわしい補佐役――その名をわたしは忘れたくない、それはハンナであると言われている(……)

(ボルヘス『永遠の歴史』所収「『千夜一夜』の翻訳者たち」より)

生憎と、ハンナは男性である。西洋の女性名ハンナとラテン文字表記が同じなので勘違いしやすいとは言え、それ以上にボルヘスにとって〝東洋の語り部〟は女でなければならなかったのだ。

★ジャン＝レオン・ジェローム「奴隷市場」(1866)

ゴシックは生きている
——ゴシック建築小考

●文＝志賀信夫（批評家・編集者）

★ノートルダム寺院（写真：Auguste Hippolyte Collard、1880年ごろ）

西洋文学、西洋文化に関心があると、日本にある洋館などの歴史的建造物に興味を抱くのは、当然かもしれない。筆者も、子どもの頃近所にあった洋館などがなくなり、徐々に歴史的建造物保存の意識も高まったことで、京都、大阪などの歴史的建造物を紹介してきた。そのなかで、建築様式についても少しずつ知識を得てきたが、その一つ、ゴシック建築について、少し考えてみたい。

筆者は若い頃、フランスの十九世紀詩人、ロートレアモンについて研究したが、アンドレ・ブルトンたちが彼を賞賛したことから、シュルレアリスムとの関わりも浮き彫りになった。さらに澁澤龍彦のエロティシズム、幻想小説などに親しんだ十代終わりから二十代には、その流れでゴシック小説に関心を持つのは当然だった。だが、ゴシックの名称は、もちろんゴシック建築が先だ。

いまの若者は、ゴスから遡ってゴシックロリータ、ゴシックへと逆に辿るのだろうが、ゴシックロリータという名称の流行は九〇年代以降だろう。ちなみに、ゴシックロリータ・

★シャルトル大聖堂※

★ノートルダム寺院※

★ケルン大聖堂※

★トーマス・ピッケン「ウェストミンスター寺院」（1851年）

ファッションは、元にゴシックファッションというものがあったわけではなく、華美なロココ的衣装が黒くなったという印象だ。中世ぽいとか「悪魔的」というイメージが重ねられる。そのため、似た衣装を考えると、『白鳥の湖』で黒鳥を操るロットバルトが思い浮かぶ。そして、ゴスロリファッションには、もちろんゴシック小説、ゴシックロマン、怪奇幻想などが背景にある。だが、ゴシック建築は、欧州の大建築の教会が中心だ。その関係は、どのようなものだろうか。

▼……ゴシック建築とは

通常の教会はフランス語だと「église」、英語だと「church」だが、ゴシック建築の多くはカテドラル（Cathedral）、大聖堂がそれに当たる。大聖堂には、本来、司教座がある。つまり、司教がいる大教会ということだ。有名なのは、フランス・パリのノートルダム寺院、ロンドンのウェストミンスター寺院、ドイツのケルン大聖堂など多数ある。その特徴はまず高さが極めて高いこと、建物が巨大で尖塔があり、中が巨大な空間で荘厳だ。

※印の写真はWikipediaより

★ケルン大聖堂（1911年の写真）
多くのフライング・バットレスが見える

さらに、ステンドグラスも特徴の一つといえる。

これはキリスト教が広まり、権威化したことで、教会組織が大きくなったことが背景にあるのだろう。信者が増えれば、献金も多くなって立派な聖堂が建つ。これは、統一教会、創価学会などの現代の新宗教でも同様だ。大きい教会ができれば、そこに集う人もさらに多くなる。そういう意味でも、大聖堂建築は宗教にとって大きな意味がある。

ゴシック建築とはどういうものか。これは、十二世紀から十六世紀に栄えた巨大教会建築を中心とした建築様式である。ゴシックという名は、ゴート族に由来し、ゲルマン民族の一部に対する蔑称だったらしい。それまでのロマネスク（ローマ式）教会建築が、石造りの厚い壁が蒲鉾屋根などの建物を支え、窓が小さかったのに対して、ゴシックは建築技術の進歩によって、壁が薄くなり、高い塔を備えた巨大建築が可能になったのだ。それを見たローマ人などが、「馬鹿でかい教会」として、ゴート的（ゴシック）と呼んだのだろう。

では、ゴシックの教会建築の基本構造はどのようなものなのか。教会全体は上から見ると、十字架の形が中心にあって、その頂点、建物の突き当たりがアプス（後陣）と呼ばれる半球形の奥の側天井を持つ空間。十字架の左右がアイル（翼廊、つまり羽）、中央がネイブ（身廊）、ここまでが、バシリカと呼ばれる、古代ローマ由来の教会建築の構造である。

そして、身廊の左右にはさらに側廊がある。手前の入口の左右に二つの尖塔が立ち、その下に円形の薔薇窓がある。その内部は、石の天井を支えるためのリブ・ヴォールト（肋骨のある穹窿、一種の梁）が上で交差して四本、もしくは六本を基本として下に伸びる。このヴォールトがいくつもあることで、天井が支えられるために、高い建築が可能となり、窓の小さいロマネスク教会と異なり、大きな窓があるため、そこにステンドグラスがはまったものも多い。内部の左右、側廊などは三階建て以上の構造が多く、二階以上の側廊には、奥行きのある上が円形アーチ型のクリストリウム（廊下）と、その上に奥行きのないクリアストーリ（小窓）が並ぶ。側廊の下は何本もの柱で支えているものが多い。

外からは、中央の身廊や側廊などの天井を支えるためのフライング・バットレス（飛梁）が左右にいくつも見える。内部からはヴォールトによって、いくつもの尖塔があるように見えて、森のような様相を呈しているが、外部では、このフライング・バットレスが、恐竜の骨のように見える。これがゴシック建築の典型である。

リブ・ヴォールトは実際にしっかり内部で天井を支える梁というよりは、天井の重さを分散させて、四方・六方に逃がし、それによって左右の壁を広げようとする力を、外からフラシング・バットレスが引き取って、縦の柱のバットレスが下に逃がしている。バットレスの上の小さな尖塔は、上から下への力をより強めている。

このように、ゴシック建築の基礎には、教会建築の原型であるバシリカがあり、また、ロマネスク様式などを改築してできたものもある。十二世紀に北フランスで始まったゴシック建築は、この構造によってカテドラル（大聖堂）、大伽藍が可能になった。縦の長さ百メートル、聖堂の高さ五十メートル、塔は百メートル超えのものも生まれ、その街の住民すべてが一度に入る広さがあった。当時、出稼ぎなどキリスト教信者でない住民も多

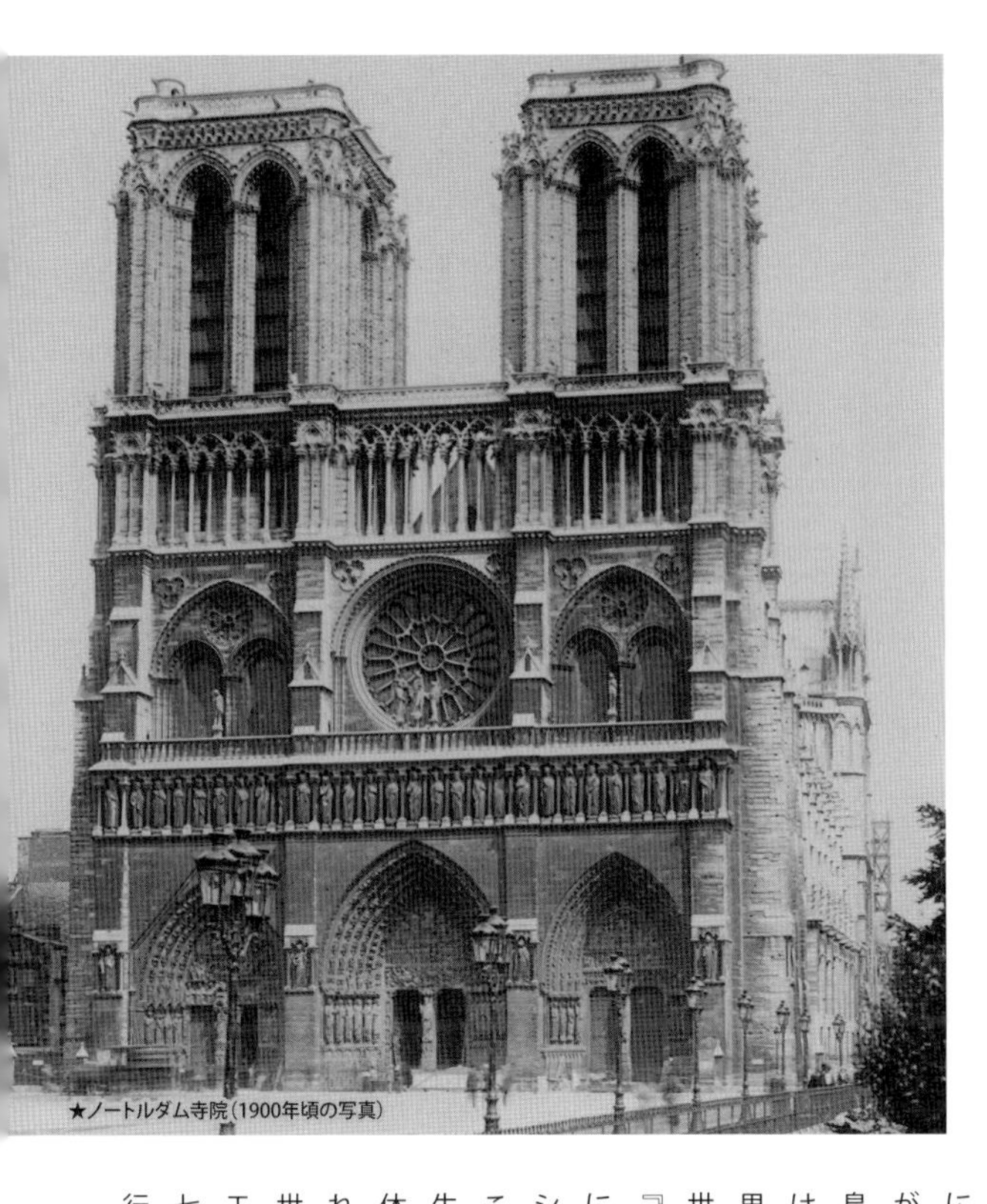
★ノートルダム寺院（1900年頃の写真）

かったが、巨大な聖堂の荘厳な雰囲気と、ステンドグラスや彫刻などによって、キリスト教の伝説や歴史に触れることで、その多くが信者となり、大聖堂はキリスト教の布教・隆盛に貢献したという。

▼……ノートルダム寺院

ゴシック建築の代表の一つとしては、パリのノートルダム寺院をあげるべきだろう。実はノートルダム寺院はフランス各地にある。ノートル・ダム（notre dame）とは「われらの貴婦人」、つまり聖母マリアをまつる聖堂である。パリのノートルダム寺院は、一一六三年に着工され、一二二五年に完成し、その後も塔などの工事が続き、最終的な竣工は一三四五年である。三つの薔薇窓のステンドグラスと正面のポルタイユ（入口）のレリーフが特徴的で、周囲には数多くの聖人などの彫像、そして、塔の回廊の手すりの魔除けのキマイラの彫刻も有名である。

この大聖堂は、一七八九年のフランス革命で襲撃され、一八〇四年にはナポレオン・ボナパルトの戴冠式が行われるなど、さまざまな歴史の舞台にもなってきた。ノートルダム寺院が有名なのは、パリの中心近く、シテ島にある巨大な大聖堂というだけではない。あのノートルダムのせむし男が有名にしたのだ。これは、十九世紀の文豪、ヴィクトル・ユゴーの小説『ノートルダム・ド・パリ』（一八三一）による醜い鐘撞き男カジモドとジプシー女エスメラルダの悲恋物語だ。この流行によって、大聖堂復興運動が生じ、政府が一八四三年、大聖堂の全体的補修を決定。そのため、現在見られる彫刻などの意匠の多くは、十九世紀の建築家、ウジェーヌ・エマニュエル・ヴィオレ・ル・デュク（一八一四〜七九）が十四世紀の記録に基づいて行った修復によるものだ。

二〇一九年四月十五日、このパリのノートルダム寺院が焼け落ちたことは、記憶に新しい。その映像を固唾を飲んで見た。そして、再建プロジェクトが進んでいることもたびたび報道されている。筆者は、フランスワールドカップの年、一九九八年、実際にこのノートルダム寺院を間近から見たが、さほど巨大という印象はない。だが、十二世紀の建設当時は周囲の建物も低く、ランドマークの一つだったに違いない。そのとき泊まった安宿の名前は、ホテル・エスメラルダ。まさに、カジモドが愛した女性にちなんだ名前で、ノートルダム寺院も間近だったのだ。だが、二十年後に焼け落ちたときには、いつでもある、いつでも入れると思い、一九九八年当時、中に入らなかったことが悔やまれた。

▼……ゴシック・リヴァイヴァル

ゴシック様式は、フランス北部からドイツ、スイス、英国などに広がり、それぞれの地域の文化と混交して、それぞれのゴシック様式が生まれる。また、前述のように古い教会をゴシック様式に改築することも多く、いくつかの様式が混じり合ったものも見られ

★『オトラント城奇譚』挿画（1794年、ドイツ版）

る。こうして各地にゴシック建築が生まれるが、より高くという欲望は、時に尖塔の崩壊なども生じさせ、シャルトルの大聖堂（一二二〇）のように、改築によって左右の尖塔の意匠が異なるものもある。そして十六世紀まで、ゴシック様式が続くが、ペストの流行などで、教会建築は下火になる。

それが、十九世紀に再興する。これがゴシック・リヴァイヴァルである。その端緒は、一八世紀後半、英国の首相の四男、ホレス・ウォルポールだろう。ウォルポールは、ゴシック建築に憧れて、自分の館ストローベリ・ヒル・ハウスをゴシックの意匠で改装した。それは大人気となり、観光客が押し寄せるほどだった。また、小説『オトラント城奇譚』（一七六四）を書く。これが、ゴシック小説の端緒となった。これは、城主マンフレッドの息子が結婚式直前、空から降った巨大な兜の下敷きになって死亡し、マンフレッドは跡継ぎを生ませるために、息子の花嫁イザベラを自分の妻にしようとする。そして巨大な剣士など、さまざまな怪異が展開する物語である。

次に知られるのが、ウィリアム・ベックフォードの『ヴァテック』（一七八六）。これは、サマルカンドの王ヴァテックが、魔法使いに秘術を学び、不死の力を求める冒険をする物語。著者ベックフォードは同性愛、両性愛でも知られる。さらに当時のゴシック小説としては、英国のチャールズ・ロバート・マチューリンの『放浪者メルモス』（一八二〇）などが有名である。その流れは、吸血鬼小説や米国のポー、そして多くの幻想小説を生む。

他方、フランスでは、ゴシック教会の建築、そして廃墟などに惹かれたフランソワ・ルネ・ド・シャトーブリアンの『キリスト教精髄』（一八〇二）『墓の彼方からの回想』（一八四九〜五〇）が知られるが、その影響は先述のユゴー、バルザック、ボードレールなどに至る。このロマン主義文学の流れが、ゴシック小説などと融合することになる。

ボードレールもポーや英国文学などを読み、それらの影響から、ジョリ＝カルル・ユイスマンスの『さかしま』（一八八四）などが生まれる。ユイスマンスには、まさに大聖堂をテーマにした小説『大伽藍』（一八九八）もある。さらに幻想文学は、欧州各地で広がっていく。それらの幻想文学を改めて評価したのが、ブルトンらシュルレアリストたちだった。

英国の『オトラント城奇譚』とともに、イタリアのジョヴァンニ・バッティスタ・ピラネージの建築や廃墟の絵画などは、ゴシック・リヴァイヴァルの背景といってもいいだろう。また、例えば、ケルン大聖堂は十二世紀から建築が始まり、十六世紀の中断を経て、完成したのは十九世紀、一八八〇年である。十九世紀には大聖堂などの修復・改築によって、ゴシック建築が研究されたが、その筆頭が建築家、前述のヴィオレ・ル・デュクである。ル・デュク

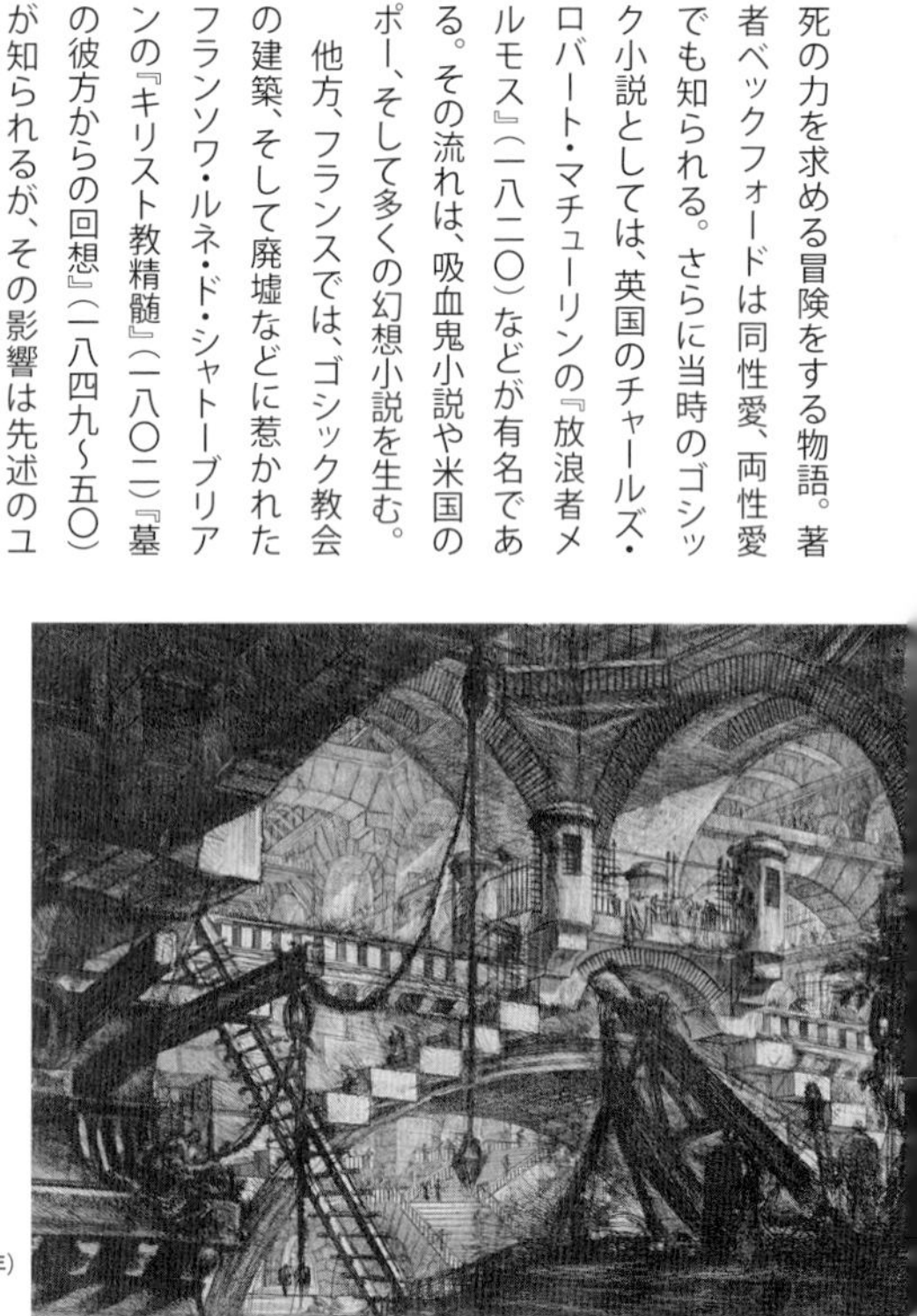
★ピラネージ「牢獄」シリーズより（1761年）

はノートルダム寺院などを改築したが、十九世紀は鉄の時代を迎え、鉄骨建築にも取り組むようになる。そして、一八八九年に建てられたエッフェル塔は、ギュスターヴ・エッフェルの建築として名高いが、実際はエッフェルの会社の技師、モーリス・ケクランとエミール・ヌーギエが立案、ステファン・ソヴェストルが設計した。このソヴェストルはル・デュックの建築チーム出身で、その構造は、ゴシック建築を研究したル・デュクの知識が生かされている。

　ケルン大聖堂が完成までに六百年を費やしたが、それで思い浮かぶのは、ガウディだろう。サグラダ・ファミリア（一八八二〜）も基本にはバシリカ、ロマネスク、ゴシックなどのさまざまな様式があり、それをふまえて建設が進んでいる。例えば、壁面を飾る数多くの聖人は下から仰ぎ見るために縦長だが、これはゴシック時代からの流れでもある。つまり、十二世紀に始まるゴシック建築の流れは、十九世紀のゴシック・リヴァイヴァルを経て、エッフェル塔、さらにサグラダ・ファミリアにまで息づいているのだ。

▼……日本のゴシック建築

日本には巨大なキリスト教の大聖堂があるという印象がない。そのため、いわゆる「ゴシック建築」はほとんどないと思っていた。しかし、調べてみると、教会以外にも、ゴシック建築が結構あるのだ。

　まず有名なのは、一九二五年、東大の安田講堂。東大の総合図書館、工学部四号館、法学部三号館、農学部一号館、医学部一号館など多くの建物を設計した内田祥三（一八八五〜一九七二）が弟子の岸田日出刀（一八九九〜一九六六）と設計。ほかにも同潤会アパートなどがあり、後に東大総長になる。ニコライ堂、三菱一号館などをつくったジョサイア・コンドル、その弟子が東京駅をつくった辰野金吾だが、その弟子の佐野利器のさらに弟子が内田祥三で、いずれも東大教授をつとめた。安田講堂は東大に行く際に訪れたいところだ。

　東京では、一九二九年竣工の日比谷公会堂も有名だ。設計は、大隈講堂（一九二七）を設計した早大建築学科の創始者、佐藤功一（一八七八〜一九四一）。ここでは、一九六〇年、浅沼稲次郎暗殺事件が起きている。日比谷公会堂は何度か入ったが、ゴシックという印象はなかった。

★日比谷公会堂※

★完成当時の安田講堂（1925年）

　そして、一九二八年のカトリック神田教会。これは、マックス・ヒンデル（一八八七〜一九六三）の設計。ヒンデルはスイス出身で北海道に移住、函館の有名なトラピスチヌ修道院（一九二七）など多数をてがけ、横浜に移って、聖母病院、上智大学一号館（ともに一九三一）などを設計している。これは、神保町と水道橋の間にあり、比較的訪れやすい。日曜礼拝の時間などは、入れるだろう。

　また、二〇二〇年、金沢に移転して国立工芸館となった、旧東京国立近代美術館工芸館。これは、一九一〇

★カトリック神田教会※

★旧東京国立近代美術館工芸館※

★聖アグネス教会※

年に田村鎮（一八七八〜一九四二）の設計による近衛師団司令部庁舎を改修し、内部の設計は谷口吉郎で、一九七七年に開館した。東京のお堀端にあるときに、何度か訪れたが、外部の壮麗な意匠が特徴的だ。

　関西に目をやると、まず一八九八年、京都の聖アグネス教会。これは、ジェームズ・ガーディナー（一八五七〜一九二五）の設計。ガーディナーは、築地時代の立教大学など数多くてがけたが、現存するものが少ない。京都に行った際に訪れ、書いた。

　大阪には、一九三二年、信者の梅本省三が設計したカトリック夙川教会、そして、日本基督教団浪花教会（一九三〇）、大丸心斎橋店（一九三三）など、ウィリアム・メレル・ヴォーリズ（一八八〇〜一九六四）の建築がある。大阪や京都などの関西には、ヴォーリズの建築が多い。それは、滋賀県の近江八幡に拠点があったからだ。メンソレータムで有名な近江兄弟社は、ヴォーリズの布教会社に由来する。そして、都内にもヴォーリズの作品はいくつかある。

　さらに、一八六四年、長崎の大浦天主堂は、長崎に赴任したフランス人司祭のルイ＝テオドル・フューレ（一八一六〜一九〇〇）とベルナール・プティジャン（一八二九〜八四）両神父の設計。木製のリブ・ヴォールトは通称「こうもり天井」と呼ばれる。このように、日本のゴシック建築、十九世紀以降の教会建築は、神父や伝道師として来日した人が設計したものが多い。本国で建築を学んでいなくても、直接触れていた教会の知識に基づいて設計士、日本の大工の協力で試行錯誤から、多くの教会建築を生み出した。

　これらの日本のゴシック建築は、ほとんどが十九世紀以降なので、ゴシックといってもゴシック・リヴァイヴァル、別名ネオ・ゴシック様式といえる。

　どうだろうか。欧州に大聖堂などのゴシック建築を見に行くことは、なかなか大変だが、日本にあるこういったゴシック建築を訪ねてみるのもいいかもしれない。なお基本的に、教会はすべての人に開かれており、いつでも祈りを捧げられるというものなので、無住の教会でなければ、入ることが可能なはずだ。無住の場合も、日曜礼拝などでは、近隣の教会などから牧師や神父が来て、礼拝を行う。その際に入ることができる。

　これらを訪ねて、その上で『オトラント城奇譚』や『吸血鬼カーミラ』などに触れれば、よりゴシック小説がリアルに感じられるかもしれない。そして、多くの大聖堂、教会建築やエッフェル塔が現在も多くの人を集め、パリのノートルダム寺院も修復が進んでいる。何よりも、ガウディのサグラダ・ファミリアは現在も建築中だ。まさに、ゴシックは生きているのだ。

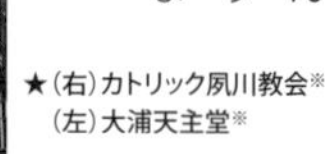

★（右）カトリック夙川教会※
（左）大浦天主堂※

不気味で神秘的な ゴシック世界に没入

アクションRPG「Bloodborne」

◉絵と文＝さえ

Bloodborneは、奇妙な風土病「獣の病」が蔓延した古都・ヤーナムを舞台にしたアクションRPG。「狩人」となったプレイヤーは死臭漂う世界で獣憑きとなった者を狩り、未知のエリアを探索しながらキャラクターたちとの会話やアイテムのテキストからその世界を徐々に明らかにしていく。

装備品でもある衣装のデザイン、狼男や吸血鬼のような敵や空に浮かぶ不気味な色の月、19世紀ヴィクトリア朝時代をモチーフにした背景の数々、ボス戦中に流れるオーケストラと合唱団による荘厳な音楽……それらすべてが合わさってゴシックな世界が作り上げられている。禍々しい仕掛け武器や使うのを躊躇ってしまうような説明の回復薬、血の医療といった得体の知れないもの。不気味で神秘的な世界に惹きつけられる人ならば、一度と言わず何度もプレイしてその世界観を堪能して欲しい。

随所に散りばめられた謎から何が見えてくるのか。私もそろそろ、お気に入りの武器・ノコギリ鉈を手に狩人になってきたいと思います。

「青ざめた血を求めよ 狩りを全うするために」

ゴシックと廃墟美について
——人はなぜ、廃墟とそのカタストロフに美を重ね見るのか

●文＝待兼音二郎（ゲーム／文芸翻訳者）

★アーサー・ラッカムによる「アッシャー家の崩壊」の挿画（1935）

筆者には忘れがたい幼児体験がある。

冬のある夜、チラシかなにかで紙飛行機を折った。幼い筆者の手をはなれた紙飛行機はゆらゆらと飛んでいき、電気ストーブの上にさしかかった途端——それはぼわっと火炎に包まれ、きりもみ降下で畳に落ちていったのだ。

後始末をどうやったのか、どれほど母から怒られたのか、などはきれいさっぱり記憶から抜け落ちている。ただ、紙飛行機の炎上墜落の一部始終がスローモーションのごとくに心に刻まれ、息を呑んだまま感動にうち震えていた。あのとき感じたいわくいいがたい心のざわめきは、いったいなんだったのだろう？

そこから思い浮かぶのが、たぶん『ニュー・シネマ・パラダイス』（1989）の一シーンだったと思うのだが、映画本編の上映前に流されるニュース映像に満座の観客があげた歓声である。第二次世界大戦のおそらく太平洋戦域で、急降下爆撃機が投じた爆弾が航空母艦に命中炸裂する瞬間をその映像はとらえていた。飛行甲板

★(上)リチャード・ウィルソン《キュー庭園の崩落したアーチ》(1761-62頃)/模造廃墟の例
(下)ウィリアム・ターナー《ティンターン修道院の内部、モンマスシャー》(1794)

いっぱいが爆風に包まれる光景はたしかに壮観かつ大迫力で、美しいとすら思えるものだった。

けれども想像力を働かせれば、空母の飛行甲板では機銃座の操作員が肉片と化すなどの阿鼻叫喚図がくりひろげられていたはずだし、筆者の幼児体験の紙飛行機が現実の航空機であったなら、残酷な大量死がやはり発生していたはずだ。にもかかわらずに、そうしたカタストロフにある種の美を見てとる人間の心性は、いったいどこからくるのであろうか?

エドガー・アラン・ポーの「アッシャー家の崩壊」(1839)は、きわめて印象的な邸宅崩落のシーンを結末に配している。陰鬱なアッシャー家の当主ロデリックとその双子の妹マデラインを呑み込んで黒々とした古屋敷が瓦解崩落し、ずぶずぶと沼に沈んでいくのだ。屋敷の化身のごとき兄妹が館と運命を共にするあの結末が響かせる余韻にも、先の二例に似たところがあるように思える。滅びの美とでもいうべきだろうか。

かような崩落倒壊を直接描いた作品はさすがに少ないが、古びた城館や廃墟は十八世紀中葉いらいのゴシック・ロマンスでは定番の舞台装置であり、その背景には廃墟に美を見出すゴシック・リバイバルの価値観があった。いっぽう、それと平行して一七五五年にはポルトガルのリスボンで東日本大震災クラスの巨大地震が発生し、現実のカタストロフにいかに向き合うか知識人が再考を強いられるということもあった。現代の我々がそこから何を学べるのかについて、以下に考察していきたい。

崇高とピクチャレスクの概念

廃墟が美しい景物として絵画に描き込まれるようになったのは十八世紀からで、崇高なるものの発見がその背景にあった。

若者の人格形成期からの卒業旅行とでもいうべきグランド・ツアーがその頃流行し、文豪ゲーテも、ゴシック・ロマンスの嚆矢とされる『オトラント城奇譚(綺譚)』(1764)の作者ホレス・ウォルポールも、アルプスを越えてイタリアの地を踏んだ。

天高く屹立する山々、深い断崖と巨大な岩石、それに比べてあまりにちっぽけな人間の存在——グランド・ツアーの青年に立ちはだかった自然の圧倒的な力の大きさが、崇高の念を彼らに抱かせた。ローマの古代建築の廃墟も、自然と悠久の時の流れが人間の営為に勝利したことの現れであり、崇高の印象をますます強めた。

そして生気溌剌と枝葉を茂らせる樹木と廃墟が同居する光景こそ崇高美の縮図という思いからか、わざわざうち崩した建造物を庭園などに配する〝模造廃墟〟もこの頃流行したのである。

こうした流れから芽生えたのが、ピクチャレスクという概念。その単純な語義は「絵のように美しい」ということだが、廃墟のように一見醜く厭わしいものに積極的に美を見出すということでもある。

ここでピクチャレスク絵画の典型例として、ウィリアム・ターナーの作品を紹介したい。屋根が抜けた修道院が植物に覆われつつあるさまが印象的だが、絵の下部に人物像が小さく描きこまれているのを見逃してはならない。こうしたローアングルの視線誘導はピクチャレスク絵画における典型的な手法で、自然を仰ぎ見る人間の小ささを表現するためなのである。

★（上）ミヒャエル・ヴォルゲムート《死の舞踏》（1493）
（下）ジャック＝フィリップ・ル・バ《リスボン大地震後の教会の廃墟》（1757）

ゴシック様式の教会堂に怪物を、廃墟に骸を重ね見る

　小泉八雲は「ゴシックの恐怖」（1900）というエッセイで、幼少期、ダブリンの教会堂におぼえた恐怖感を回想している。彼はまず、ゴシック建築の尖った部分が怖かったのだと述懐してから、ある小説家の「なにか巨大な怪獣の骸骨の内部にいるような感じがする」という文章を引いて、大聖堂の窓を眼にたとえ、出入口を大きな口にたとえた有名な比喩に心打たれた、と述べているのだ。

　そびえ立つ教会堂を巨大な怪獣にたとえるこの着眼には、重要な示唆が込められている。

　ゴシック様式の教会堂が北フランスで次々に建てられたのは十二世紀半ばのことだが、その背景には三圃制の農業革命がうみだした余剰人口による都市の拡大があり、農村から都市に流入した人びとが胸に抱いていた巨木の林立する森への郷愁や異教的な崇敬の念が、天を突く異形な尖塔に代表されるごてごてしい装飾をもたらしたのだと、酒井健は『ゴシックとは何か』（二〇〇〇年、講談社現代新書）で指摘している。つまり、ゴシック大聖堂とはキリスト教の権威の象徴であるのと同時に隠しえぬ異教的要素の具象でもあり、怪物的なモニュメントとさえ形容しうるものなのだ。

　その後の十四世紀半ばには黒死病がヨーロッパで大流行し、「メメント・モリ」（死を想え）という格言とともに、骸骨が生者とともに踊る「死の舞踏」を描いた絵画が世に広まった。

　骸骨とは人間の骸であり、その姿は醜く無惨であるはずだが、「死の舞踏」の絵画には強烈な生への執着とともに、冒しがたい尊厳や崇高さといっ

ゴシック建築の廃墟は、怪物の骸になぞらえられるのではないか

★アンドレイ・タルコフスキー監督『サクリファイス』パンフレット／表紙は「日本の木」

たものも濃厚にただよい、どこか美しいとすら感じさせもする。その意味で、死体が腐乱していくさまを描いた仏教絵画の九相図に一脈通じるとも言えそうだし、ゴシック・リバイバルが廃墟に抱いた〝崇高〟や〝ピクチャレスク〟の美意識と重なるところもありそうだ。

　さてここで、小泉八雲のエッセイにあるように、そびえ立つ教会堂が巨大な怪獣にたとえられるなら、異教的なおどろおどろしさの匂い立つゴシック建築の廃墟を、怪物の骸になぞらえることもできるのではないか。

　一七五五年のリスボン大地震では建造物が軒並み倒壊し、最後の審判のラッパが「時」の終わりを告げるときにおきるとされてきたようなカタストロフが発生した。怪物の骸のごとき廃墟が人びとの骸を呑み込み、あるいは下敷きにする地獄絵図が現実のものとなったのだ。

　となれば廃墟を悠長に眺めて詠嘆するどころではない。フランスの啓蒙思想家ヴォルテールは翌年、「リスボンの災厄についての詩」を発表し、「すべてが善である」という哲学思想の否定や、慈悲なき神意への呪詛を激しい言葉で綴っている。

　しかしそのいっぽうで、「リスボン壊滅、一七五六年」という詩を発表したウェールズの詩人ジョン・ダイアーのように、この災害によって人間の卑小さや、人智を超えた神の摂理、自然の崇高さを再認識した人びともいた。じっさい、〝崇高〟や〝ピクチャレスク〟の美意識はリスボンの震災を経て消沈するどころか隆盛にむかったのである。

　かようなカタストロフを経てもなお廃墟は美しいということなのか？　それが〝滅びの美〟を読み解く鍵ということなのか？　ここで考えてみたいのが、廃墟と共にある植物の存在感の大きさである。

タルコフスキー監督の遺作と陸前高田の奇跡の一本松

　先に挙げたターナーの廃墟画では修道院跡が植物に覆われている。悠久の時の流れと人間の営為のはかなさを引きくらべるとき、旺盛な生命力で繁茂する植物は永遠不滅や崇高の象徴であり、それゆえ多くの廃墟画に植物が描きこまれている。

　建物が建造物の骸であるなら、瓦礫の隙間から生える草は野辺の骸の傍らに咲く一輪の花のごとくであり、命あるものの終焉に接してその尊厳に打たれる思いを人に抱かせ、再生への希望を胸に宿らせる。「國破れて山河在り／城春にして草木深し」という杜甫の詩があることからも、そうした感性は非キリスト教徒の東洋人にも理解しやすい。

　カタストロフを生き延びた植物に崇高さや再生への希望を見出すという意味で忘れがたいのが、東日本大震災による大津波の跡にぽつんと残った岩手県陸前高田市の〝奇跡の一本松〟だ。アンドレイ・タルコフスキー監督の遺作となった『サクリファイス』（1986）にはまさしくこの木を思わせる一本松が登場し、偶然の一致とはとうてい思えないと世間を沸かせた。

　映画の主人公が一本松を浜辺に植えたその日に核戦争が勃発するという展開からして撮影後におきたチェルノブイリ原発事故を予言するようなものであるし、しかもその松が、まったく驚くべきことに、なんと「日本の木」と呼ばれているからだ。

　廃墟と植物。その取り合わせはカタストロフと滅びの美の関連を読み解く大きな鍵となるのだろう。広島の原爆ドームと福島の廃炉原発を抱えたこの国で、九相図の骸の傍らにのびる草にも思いを致し、冬がきたらまた紙飛行機を電気ストーブに飛ばすとでもしようか。

※主要参考文献：クリストファー・ウッドワード著、森夏樹訳『廃墟論』（二〇〇三年、青土社）／唐戸信嘉著『ゴシックの解剖』（二〇二〇年、青土社）／忍澤勉『終わりなきタルコフスキー』（二〇一二年、寿郎社）

※本文における算用数字は、原書等の初出を表す。

ジョサイア・コンデルの、和ゴシックへの挑戦

●文＝橋本純（小説家）

明治政府は日本の近代化に向け西洋風の都市構築を企画した。その中心となる建築の専門家を英国から招聘し、政府機関の入る、いわゆる箱モノの設計をさせることになった。この招聘に応じたのが、若き天才と言われたジョサイア・コンデルであった。

コンデルは実務経験こそ浅かったが、英国では優秀な建築家に贈られるソーン賞を受賞しており、将来有望なる逸材だった。同時に彼は日本に強い憧憬を抱いており、これが日本へ行く最も強い動機であったろう。明治10年に着任した時、まだ彼は24歳であった。

当時の英国建築、特に大型のビルディングはヴィクトリアゴシックの全盛期で、コンデルの設計もまたこの様式に則ったものばかりであった。しかし、日本の地に立ったコンデルは、工部大学校造家学科の唯一の教師として教壇に立つ傍ら政府の要求による設計を行う事になるのだが、たちまち日本の風土の虜になってしまう。

ここに明治政府とコンデルとの意図に乖離が生じる。明治政府は遣欧使節団が目にした立派な西欧の町並みをそのまま日本に再現したい、その為にゴシック建築の専門家を招いたつもりだったが、肝心のコンデルの思惑は違っていたのだ。彼は授業においても、建築学の体系に洋の東西で大きな差異はないとし、日本の建築技術の継承もまた工部大学校の生徒達に託されたのだとした。

それでも仕事であるから、依頼された設計などは丁寧に行い相応に評価を得た。日本における処女作となる東京訓盲院や上野の万国博覧会場（のちの東京国立博物館本館）などには、ゴシック独特の様式美がふんだんに

ゴシック建築を期待されたコンデルが日本で生んだ新様式

盛り込まれた。

だがその一方で、既にこの頃から建物の意匠の隅々に和のテイストが滲み始めていた。上野の博物館の窓枠などには日本風の切妻屋根のデザインが盛り込まれていたりする。

しかし、こうした細かい日本趣味とでもいうべきものは、素人同然の政府役人には見抜けるはずもなく、彼等の目には次々と出来る洋館は立派な西洋建築としか映らなかった。

若きコンデルは、これらの建築設計において、自在に各種の様式を取り混ぜる試みを始める。開拓使物産売捌所などはヴェネチアンゴシックを取り入れたし、明治政府の社交場として有名な鹿鳴館の設計ではインド風の意匠を各所に散りばめた。明治政府の役人たちは、ダンス外交に使われたこの建物にまさかイスラム洋式が使用されているとは思いも寄らなかったかもしれない。

コンデルの設計が大きく変わるのは明治17年に工部大学校を辞してからだ。この時期彼の日本文化への傾倒はさらに深まり、なんと自ら歌舞伎を演じたり浮世絵を習うため画家の河鍋暁斎の弟子になったりしている。

この日本趣味を深めていく中で彼は、歴史というものを大きく建築に取り入れるスタンスを取るようになった。彼はこの時期三菱の岩崎家をパトロンとしていたが、そこから得た仕事の多くにゴシックやさらに古いエリザベサン、ジャコビアン様式などを取り入れ、そのうえ和の色合いを忍ばせるという、まさにコンデルにしか出来ない新様式を確立したのだった。

この裏には無論、日本の文化を肌で知り、風土というものを建築に取り入れないと建物は生きていけないという意志が強く反映されている。

本来的な西洋建築は日本の風土に適していないのだ。だが、コンデルは出来うる限り快適に過ごせる建物の設計に努力した。風の通りや湿度への気配りは従来の西洋建築には無い取り組みなのだった。

この住みやすさへの追求の原点こそ、画家河鍋暁斎と共に旅した日本各地の見分が生かされていると思って間違いない。暁斎とコンデルは何度も写生旅行に出かけ、暁斎の人生最後の旅行もまたコンデルとの日光旅行となったほどである。

大好きな絵の為にと思って付き合い始めた師匠暁斎は、コンデルの人生の師でもあり建築の様式までも変容させた恩人だったと言えよう。

コンデルにとって日本式ゴシックの集大成は、おそらく鎌倉の地に建てた自身の別荘だったのではないだろうか。鎌倉は、師匠暁斎と共に写生旅行を行った思い出の地でもあった。

ジョサイア・コンデルの墓は、東京・護国寺にある。ゴシックを広めるために日本に来た男は、日本人以上の日本通として、今も妻のくめと共に日本に眠っている。

★(右頁)東京訓盲院
(左頁上)東京国立博物館本館
(左頁下)鹿鳴館

楽しい地獄で夜遊びを！——キャバレー・ドゥ・ランフェール

●文と絵＝あや野

かつて1890年から1950年頃までモンマルトルに存在した『地獄』をテーマにしたナイトクラブ〝キャバレー・ドゥ・ランフェール〟。

ゴシックカタコンベのような装飾が所狭しと施され、呻く口を広げる悪魔の門の前では、悪魔に扮したドアマンが、合言葉のように「呪われろ!」と芝居がかった口調でもてなしてくれたとか。

入店するや、不気味に歪んだオルガン演奏やファウストをテーマにした荒々しい合唱が鳴り響き、低い天井には無数の悪魔が頭を垂れてお出迎え。

そしてこれまた悪魔に扮した給仕係から提供されるのは、病的なネーミングのドリンク、繰り広げられる悪魔的イリュージョンパフォーマンス!

悪魔悪魔悪魔尽くし。
圧倒的な世界観に脱帽です。

★1909年のキャバレー・ドゥ・ランフェール（右）とキャバレー・ドゥ・シエル（左）。
ランフェールには、右頁の絵のように2階に窓がなく、悪魔の像で覆われている写真もある。

★メフィストに扮した、キャバレー・ドゥ・ランフェールの設立者アントニン・アレクサンダー

★〝地獄〟の店内で楽しむお客さん

1920年代には、アンドレ・ブルトンや、その周りのシュルレアリスト達もこの店で出逢い交流を楽しんだとか。

ああ！一日で良いので、タイムスリップして遊びに行きたい程素敵です。

お隣には、正反対の『天国』をテーマにしたお店〝キャバレー・ドゥ・シエル〟も存在したとか。

両店とも、凝った装飾とパフォーマンスにもかかわらず価格が比較的手頃だったようです。

両方ハシゴしたい〜！

当時の店内を撮影した一枚には、夥しい〝地獄〟の彫像の下、和かに微笑む紳士や淑女達のシュールな姿が。この時代、オカルティックな風景の中〝抜群の笑顔！〟という写真が多く、世紀末の退廃の味わい深さを感じます。

過ぎ去りし時代のロマンと共に〝キャバレー・ドゥ・ランフェール〟で夜遊びする憧憬が止まらない…クーラーの効いた21世紀の部屋でそっと想いを馳せる夜です。

茶番と化したゴシック的恐怖
——ラース・フォン・トリアー「キングダム」完結に寄せて

◉文＝高槻真樹（SF評論・映画研究者）

デンマークを代表する映画監督・ラース・フォン・トリアーは、新作を発表するたびに賞賛と罵倒が入り乱れる、正真正銘の奇才である。二〇二三年、日本で開催された大回顧上映「レトロスペクティブ」のラインナップを振り返ると、才能はあふれんばかりだが、ほとんどの作品は、どこか「いかれている」と言わざるを得ない。特に近年の「アンチクライスト」（二〇〇九）、「メランコリア」（一一）、「ニンフォマニアック」（一三）は、悲惨な状況を黒い笑いとして描こうとして「まったくシャレになっていない」状況に陥ってしまっている。

トリアーは長年鬱など精神疾患に苦しめられてきたといい、自らの苦境を笑い飛ばして治療に繋げたかったのだろうが、あまりにも痛々しくてむしろ心配になってしまう。しかも二〇二二年にはパーキンソン病を患っていることを告白。事態は悪化するばかりに思えた。

ところが難局のさ中に発表された新作「キングダムエクソダス〈脱出〉」（二〇二二）は、吹っ切れたかのように痛快な、傑作ブラック・コメディに仕上がっていたのである。一体なぜそんな「奇跡」が起きたのか。

唐戸伸嘉『ゴシックの解剖』（青土社）によれば、ゴシックとは死への恐怖から生まれた概念である。プロテスタンティズムや科学主義・近代合理主義の登場によって、亡霊や死後の世界が否定され、「死を生から遠ざけた結果、死はかえって不気味な、恐ろしいものとして感じられるようになった」のである。かくして死の象徴である怪物が活躍する、ゴシックホラーが大流行することとなった。その多くは古めかしく薄暗い古城や邸宅を舞台とし、迷宮のような廊下を彷徨いながら、登場人物たちは怪物の影におびえる。

トリアーのテレビドラマシリーズ「キングダム」は、もともと一九九四年、九七年に四話ずつが制作され、本国デンマークでは視聴率五〇%を超える大ヒットを記録した。巨大病院を舞台としており、一見ゴシックとは遠い存在に思えるが、今回のレトロスペクティブ用パンフレットに解説を寄せた立石敦子によれば、ロケに使われたのは「一八世紀に創設された実在の病院」で、本当にRiget＝Kingdomというニックネームなのだという。古城のように巨大でどんよりと薄暗く、迷路のような内部構造はなるほどゴシック的だ。しかも病院は死に近い場所でもある。病院を舞台としたホラーは決して珍しくない。

だが「キングダム」は、ゴシックではあるがホラーではない。突き放した位置から、怪物に右往左往する人々を笑いのめすコメディとして作られているのである。

そんなことがあり得るのだろうか。従来のゴシック作品は、日常と死の接続を絶たれ不安と恐怖を増幅させた人々の感情を語る物語である。当然それはホラーとなるはずだ。だが、少し引いた位置から、俯瞰してみたらどうだろう。急にそんな些細な悩みはどうでもよい気がしてこないだろうか。それは心の病を抱えるトリアーにとっても、希望の光となり得る可能性を持つ。

第一部・第二部の主人公は、傲慢に権力を振りかざす悪徳医師ヘルマーと、霊能力を持つドルッセ夫人なのだが、正義の霊能力者が悪党を懲らしめる話ではない。霊や怪物は好き勝手に暴れまわるが、医師たちもいずれ劣らぬ曲者ぞろいで決して負けてはいない。ドルッセ夫人もあまり真面目ではなく、野次馬的に首を突っ込んでは、騒動を大きくしてしまう。

開かぬ扉に立ち往生し、こじ開けようとする場面はゴシックホラーの定番だが、「それ、引き戸ですよ」などというコメディの定番要素が持ち込まれ、恐怖は台無しとなる。パロディ的な演出により善と悪の対決は茶番と化す。

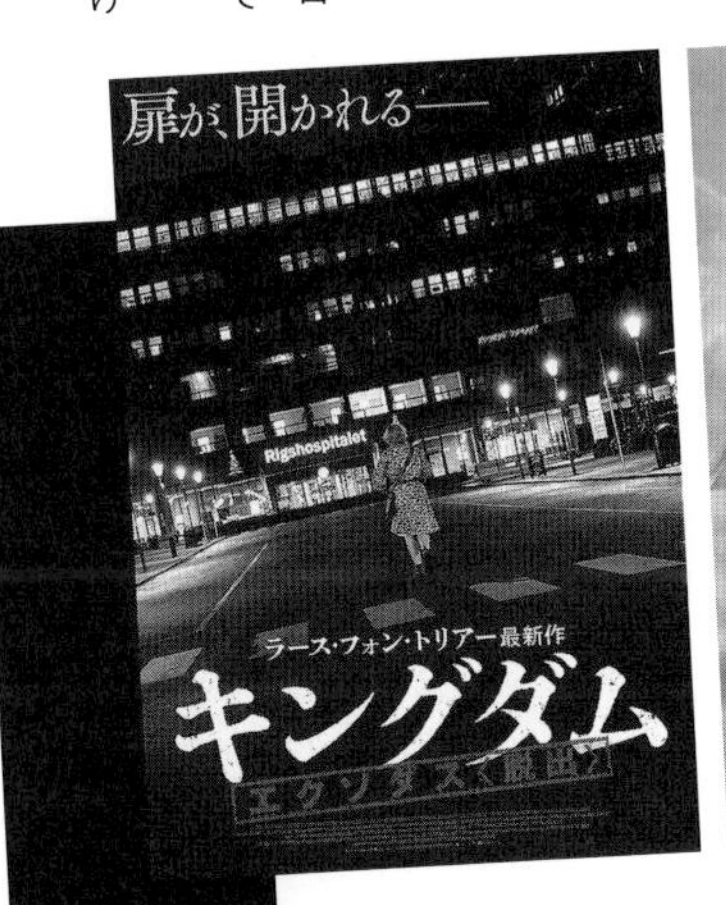

気に病むのではなく、思い切って笑いとばせばいい

主演俳優二人の急逝により中断していた本作品は、今回新たに五話が作られ全一三話で完結した。今回制作された第三部に至っては、第二部の結末に「中途半端だ」と憤っていた一視聴者のカレンが召喚され、ヘルマー医師の代わりは実際に息子のヘルマー・ジュニアが担当。新たにメタ的な要素が付け加えられ、物語の登場人物たちが日本人の「キングダム」聖地巡礼ツアー一行と遭遇する場面まで登場する。

トリアーの近年の映画作品では、個人の狂気と苦悩を主観的な視点から描こうとしたから、息苦しさと重さから逃れることができなかった。だが「キングダム」シリーズは、主観から遠ざかることで、どんどん愉快で楽しいものになっていく。

作品の完結に際しトリアーは「善も悪もあることを心得よ」という言葉を寄せている。作品中では善と悪が派手に闘っているが、あなたはどちらかに肩入れする必要はない。あなたと関係なくそれらはただ「ある」のであり、時には高みの見物を決め込んでもいい。苦しかったり悩んだりしたときは、気に病むのではなく、思い切って笑いとばせばいい。登場人物たちの未来は不明慮だが、本作品を観るあなたは、きっと救われるはずなのだ。

クラシックに回帰するゴシックホラー映画

◉文＝浅尾典彦（作家・プロデューサー・夢人塔代表・治療家）

最近は量産型CG演出に飽きて来たのか、クラシックホラー映画の表現を使ったものが多く見られるようになってきている。2023年夏に公開された中から、そうしたゴシックホラー映画を何本か紹介しよう。

8月18日に公開された『ブギーマン』は、『キャリー』『シャイニング』など名作ホラーを生み出し続ける小説家スティーヴン・キングの短編の映画化。ヨーロッパに伝わる特定の姿形を持たない恐怖のキャラクター〝ブギーマン〟がモチーフで、ハロウィン祭の怪物として日本でも知られている。

ある日突然母親を亡くし、哀しみの淵から立ち直ろうとする父ウィルと姉妹セイディとソーヤー。最初9歳のソーヤーが家の中で怪しい何かを目撃する。恐怖に怯える娘を父親はトラウマと思い、知り合いの心理カウンセラーにみせるが良くならない。やがて恐怖が家族を飲みこんでゆく。

闇に潜むモンスターとの戦いだが、ブギーマン自身はほぼ姿を見せない。不安表現のため部屋のあちこちを見渡す一人称のカメラアングル、何かが体を引きずりながら移動しているであろう天井から聞こえる不気味な音、突然のアップと効果音などなど、古典的なクラシックホラーの演出を使っている。

それもそのはずで、監督のロブ・サベッジは、本作の製作に当たって研究したのが、シャーリー・ジャクソンの小説「丘の家の怪」の映画化で、幽霊を全く見せずに観客を恐怖に叩き落としたロバート・ワイズ監督の名作怪談映画『たたり』（1963）や、ヘンリー・ジェームズの「ネジの回転」をデボラ・カーや、のちに『ヘルハウス』でも幽霊と遭遇するパメラ・フランクリン他で撮った幽霊映画の傑作『回転』（1962）などのクラシックホラーだったのだ。観客が本当に怖いのは何かを研究し、演出と音、タイミング、カメラアングルで雰囲気を構築してゆく。まさに正統派の作品だった。

9月8日公開の『ドラキュラ　デメテル号最期の航海』は、ゴシックホラーの代表ともいえるブラム・ストーカーの小説「吸血鬼ドラキュラ」を映画化した古典回帰の一本。ドラキュラ映画は、トッド・ブラウニング監督の『魔人ドラキュラ』（1931）をはじめ数多あるが、今回は原作の中でも第7章「デメテル号船長の航海日誌（キャプテン・ログ）」の部分だけを抽出。ただしその章は船長の日記なので当然一人称で書かれているが、これを脚本のブラギ・F・シャット他が、主人公をクレメンス医師に切り替えて書き直し、『スケアリーストーリーズ 怖い本』『ジェーン・ドウの解剖』というホラーファンのツボを心得た作品を手掛けたアンドレ・ウーブレダル監督の演出で映画化された。

嵐の中、イギリスのロンドンへ向かっていた帆船デメテル号。積み荷は50個の無記名の木箱。それをルーマニアのカルパチア地方から運ぶた

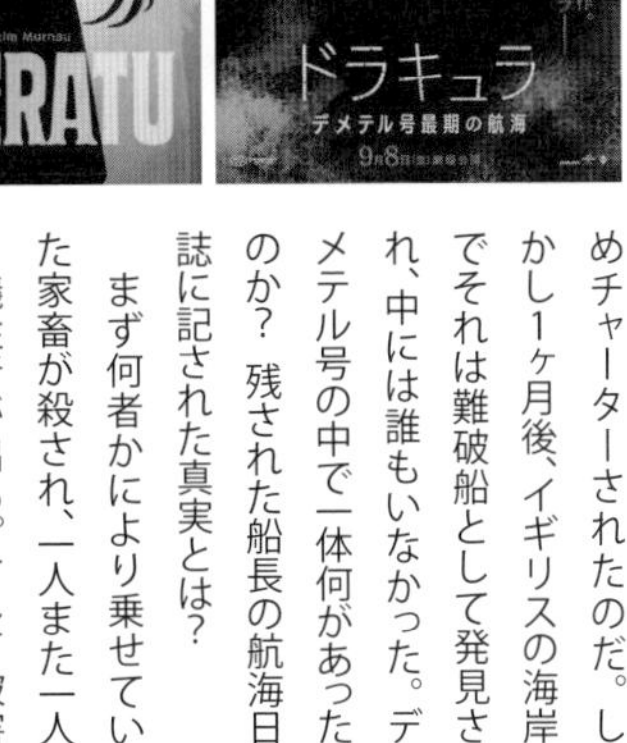

めチャーターされたのだ。しかし1ヶ月後、イギリスの海岸でそれは難破船として発見され、中には誰もいなかった。デメテル号の中で一体何があったのか？ 残された船長の航海日誌に記された真実とは？

まず何者かにより乗せていた家畜が殺され、一人また一人と犠牲者が出る。そして被害者は再び蘇り、他の乗組員を襲いだす。クレメンス医師たちは、一連の事件は吸血鬼の仕業と突き止める。この船にはもう一人、ドラキュラ伯爵が乗っていたのだ。だが、神出鬼没のモンスターとどう戦えばいいのか？ 逃げ場のない船の中で命を懸けた死闘が始まる。

ドラキュラの容姿は、『魔人ドラキュラ』で俳優ベラ・ルゴシが作り上げた、襟の高いマントを羽織った黒ずくめの伯爵のそれではなく、坊主頭で尖った耳と牙を持つという、ドイツのF・W・ムルナウ監督の『吸血鬼ノスフェラトゥ』（1922）を模している。『魔人ドラキュラ』以前に作られた吸血鬼映画としてオマージュを捧げたのだ。しかも、今回は蝙蝠の羽根を持っていて空も飛ぶ。まさにブラム・ストーカーも小説の参考にした、スラヴ圏で伝承される吸血鬼「ウプイリ」のそれで、原点回帰とも云える。演じているのは『IT／イット』シリーズ『スレンダーマン　奴を見たら、終わり』などでクリーチャーや怪異が専門の俳優ハビエル・ボテット。前半は閉鎖的な船の中で起こるゴシックホラー、後半はモンスターバトルとなり、二倍楽しめるエンタテインメント作品である。

9月15日公開の映画『名探偵ポアロ：ベネチアの亡霊』はアガサ・クリスティ原作の最新映画化シリーズの第3弾。今回は今までと趣向を変えてポアロが超常現象の謎にチャレンジする。原作は「ハロウィーン・パーティ」（1969）、監督・製作・主演はケネス・ブラナー、共同製作にリドリー・スコットが名を連ねている。

事件の舞台は、第二次世界大戦終戦直後のイタリアは水の都ヴェネツィア。かつて名探偵の名を欲しいままにしたエルキュール・ポアロは、一線を退いて隠匿生活をしていた。ある日、古い友人で女流作家のオリヴァが訪ねて来て、「死者の声を話すことができる」という霊媒師のトリックを見破るために降霊会に参加してほしいという。霊の存在など信じないポアロはしぶしぶ降霊会の執り行われる謎めいた屋敷へと出向く。そこは子どもの亡霊が出現するといういわくつきの館で、降霊会の最中にもさまざまな超常現象が起こり、遂には信じられない状況で参加者のひとりが殺害されてしまう。犯人は霊なのか、それとも？ ポアロは知恵をめぐらせながら証拠集めを開始するのだが……。

推理ジャンルでいえば「館もの」なのだが、屋敷の内部の撮影の方法や光と影、音などの演出技法はクラシックホラー映画そのもの。珍しく翻弄され迷走するポアロの顔だけを追い続けるアクションカメラ、風景をなめるドローン撮影も加わって面白い。降霊会のトリックを科学と推理の力で解いてゆくストーリーは、１００年ほど前、流行していた交霊術に疑問を持ってサイキックハンターとして次々とトリックを暴き、心霊術を擁護していたアーサー・コナン・ドイルと対立関係になった天才奇術師ハリー・フーディーニの勇姿を思い出させてくれる。

12月には『THE EXORCIST／エクソシスト　信じる者』も控えている。私は「ホラー映画の恐怖の神髄は〝ふんいき〟だ」という持論を展開しているが、ゴシックを重んじるクラシックホラー映画の表現では、まさに恐怖の雰囲気づくり、空気づくりに心血を注いでいると言える。「見える恐怖」より想像力を掻き立てられる「見えない恐怖」が心に残る。本当に怖いホラーは、スクリーンの中だけではなく、〝何か潜んでいそうなフレームの外の黒味（闇）〟までもが怖いのである。

ゴシック的頽廃美を秘めた『オペラ座の怪人』の魅力

●文＝並木誠（アートライター）

パリ・オペラ座ガルニエ宮にファントム怪人が神出鬼没に現れ、犯罪の香りが。その複雑怪奇な行動は歌姫クリスティーヌへの純愛であった。常に愛と死の香りが漂い、複数の映画化やミュージカルで知られるガストン・ルルーの『オペラ座の怪人』。まさにゴシックホラーの傑作だ。

★（上）19世紀初頭のパリ・オペラ座
（下）エドワール・デタイユ「パリ・オペラ座の落成」（1878年）

パリ・オペラ座ガルニエ宮は、セーヌ県知事オスマンのパリ大改造計画の一環で公募され、シャルル・ガルニエ設計により1874年12月に完成。絢爛豪華なネオ・バロック様式の勇壮な鉄骨による建築で、2167の座席が5階に渡って配された壮大なもの。『オペラ座の怪人』で描かれる広大なバックステージ機構や深い奈落、地底湖の描写も、決して誇張ではないのだ。深く掘削した基礎工事で大量に湧出した地下水を、防火用の意味合いもあってプールするために、巨大な貯水槽が地下に実在する。

さてこの『オペラ座の怪人』は、実際に新聞記者でもあったルルーの取材談のようなノンフィクション風に書かれている。19世紀のパリ国立オペラの史実とパリオペラ座建築にまつわる幽霊話や陰惨な事件を折り込みながら、カール・マリア・フォン・ウェーバーの歌劇『魔弾の射手』を翻案したものである。前半は謎の「天使の声」と共にプリマドンナとして上り詰めていくクリスティーヌの成長譚とその謎の声の存在に嫉妬する恋人ラウルの葛藤が描かれ、後半はファントム＝怪人エリックの不幸な身上の秘密を知るペルシャ人・ダロガの手記といった体裁をとる。

いくつも映画化やミュージカル化がされ、1925年のロン・チェイニー主演の映画と86年のアンドリュー・ロイド＝ウェバーによるミュージカル版が代表的。後者は日本では、劇団四季が上演している。

映画化作品を見ていくと、まずその嚆矢として1916年のエルンスト・マトライ監督"Das phantom der Oper"があるが、これはフィルムが現存していない。

次に1925年にルパート・ジュリアン監督で映画化され、これは白黒のサイレント映画で、映画史の教科書的な作品である。特殊メイクで「ドクロのようなおぞましい人相の怪物」を忠実に再現した、ファントムことエリックを演じたロン・チェイニーの怪演でも知られている。白黒の質感がホラー映画の怪奇耽美ティストに良く象嵌しており、一層とおどろおどろしい感じに仕上がっている。基本的には原作を踏襲しているが、原作の最後では、「可哀そうで不幸なエリック」とクリスティーヌがエリックの額にキスし、その誠実な行為にエリックは「母親さえキスを許さなかった」と感涙。クリスティーヌを解放して、最後はペルシア人のダロガ（ペルシア語で国家警察の長官）に遺品を送るのを合図として、死亡記事をレポック紙に掲載するところで終わる。一方ジュリアン監督版では、拷問部屋に閉じ込められたラウルを救うためにクリスティーヌは結婚を了承、怪人エリックはクリスティーヌを連れて馬車で逃走を計るが、群衆に追いつかれてクリスティーヌは助けられ、エリックはセーヌ川に叩き落される。

43年のアーサー・ルービン監督版では、通常怪物じみた扱いのエリックがオペラ座の初老のヴァイオリニストとして設定される。またかつて音楽の求道の為に母娘を捨てた、クリスティーヌの父親であることが匂わされている。

89年のドワイト・エ・リトル監督版は、ファントムであるエリックを『エルム街の悪夢』で主演したロバート・イングランドが演じる、ホラーテイストが強いもの。現代のニューヨークが舞台で、女優クリスティーヌが怪人エリックがその昔作曲した歌劇『ドン・ファンの勝利』のスコアを発見して、100年前のパリにタイムリープしエリックに会いにいくといった奇天烈な趣き。エリックは、スコアを完成させるために悪魔と契約。その報酬として悪魔に顔の皮を剥がされるが、死人の皮を縫い付けると仮面を被らずに、ジェイソンやフレディといったシリアルキラーばりに不気味に活躍する。全体的にかなりグロい表現が頻出する映画だ。

98年のダリオ・アルジェント監督版は、さすが名作『サスペリア』の監督『オペラ座の怪人』の映画史上もっとも過激である。ファントムは美形の青年となり、下水に捨てられネズミに育てられて、地下迷宮に流れ着いた設定になっている。クリスティーヌ役をアルジェント監督の娘アーシア・アルジェントが演じている。特筆すべきは音楽がエンニオ・モリコーネであること。翻案の仕方が破天荒で、美形のファントムとクリスティーヌの性愛的描写も官能的で激しく濃厚である。

2004年のジュエル・シュマッカー監督版はウェイバーのミュージカルを元にしており、洗練されていてとても現代的。オペラの劇中歌も吹き替え無しで演じる。エミー・ロッサム演じるクリスティーヌなどは可憐で、怪人エリックは悪魔の子として見世物小屋にいた設定になってている。

『オペラ座の怪人』の翻案映画化されたものは数多あれど、怪人エリックの設定も脱獄囚や見世物小屋の出身などさまざまで、ルービン監督版など怪物扱いしない解釈などもあり、ルルーの原作の奥深さと、その多義的な可能性の自由さを感じさせる。それが『オペラ座の怪人』の魅力の一つでもあるのだ。

舞台には魔物がいるとしばしば言われるが、ルルーの『オペラ座の怪人』はそうした魔物の殿堂たるパリ・オペラ座を舞台に、歪んだ怪人エリックとクリスティーヌの純愛をゴシック的な頽廃美で描いた。その妖美な幻想怪奇は不滅であろう。

★ルパート・ジュリアン監督版「オペラ座の怪人」

Gothic-R

●文＝宮野由梨香（評論家・人類史研究家）

精霊と交感する少女

――映画『ミツバチのささやき』とフランケンシュタイン

映画『ミツバチのささやき』（ビクトル・エリセ監督／一九七三年）が日本で公開されて話題となったのは、制作から十二年後の一九八五年のことだった。上映館はシネ・ヴィヴァン六本木。当時、地方住まいだった私が上京してまで観たのは、友人に強く勧められたからである。「映像が常にささやいている映画なんだ」と、その友人は言った。

ヒロインは、六歳の少女アナ。彼女は映画『フランケンシュタイン』（ジェイムズ・ホエール監督／一九三一年）の怪物のことが頭から離れなくなってしまう。ゴシック小説の名作を原作とした映画に登場する怪物は、幼い少女に何をもたらしたのだろうか。

ゴシック作品による精神の深化

『ミツバチのささやき』の舞台は一九四〇年頃のスペインのカスティーリャのオユエロス村である。アナは、二歳上の姉イサベルと一緒に、村の公民館で映画『フランケンシュタイン』を観ている。姉妹が映画を観る機会は、どうやら滅多に無いようだ。

アナは目を見張っている。自分より少し年長くらいの少女が、死体をツギハギした怪物と出会っている。少女が花を湖面に浮かべてみせると、怪物もぎこちない動きで同じようにする。二人とも楽しそうだ。

次のシーンで、その少女は無残な死体となって父親に抱きかかえられている。

アナにはわけがわからない。

「なぜ殺したの?」

映画が終わっても、疑問は膨らむばかりだ。

「なぜ怪物はあの子を殺したの？ なぜ怪物も殺されたの？」

★日本初公開時のパンプレット。表紙は、映画『フランケンシュタイン』に見入るアナ。

★映画『フランケンシュタイン』（1931）

姉イサベルはこう答える。「怪物もあの子も殺されてないのよ。映画の中の出来事は全部ウソだから」と。もちろん、アナの尋ねているのはそういうことではない。

しつこく問い続けるアナにイサベルは言う。「怪物は、身体を持たない精霊が出歩く時の変装なのよ」「精霊は身体を持っていないの。だから殺されないの」「本当は生きていて、村はずれに隠れて住んでいるの」「お友達になればいつでもお話できるのよ。目を閉じて彼を呼ぶの。『私はアナよ』って」

かくてアナは目を閉じて精霊たる怪物に呼びかける。村はずれの小屋を覗きに行く。そして、その小屋に隠れていた逃亡兵と遭遇し、食べ物や衣服を運ぶ。この映画の舞台背景には、スペイン内戦があるのだ。

ある晩、逃亡兵は発見されて射殺される。アナは彼がいなくなったことにショックを受けて、夜の森をさまよう中で、映画の中に登場したのと同じ姿をした怪物と出会う。

翌朝、発見されたアナは介抱されて回復する。そして、精霊に呼びかけ続ける。「私はアナよ」と。


「現実と虚構の区別がつかない、精神的に未熟な少女の物語」と捉えられてしまいかねないストーリーだが、もちろん、そういうことではない。これは、「ゴシック作品によって精神を深化させた少女の物語」なのである。

精霊と交感する少女

アナは「なぜ怪物はあの子を殺したの?」と質問する。怪物のすることにも理由があるはずだと考えているからである。重ねて「なぜ怪物も殺されたの?」と問う。「少女を殺した悪者だから、殺されて当然である」という説明を思いつかないからである。

精霊との交感が可能なのは、このような少女だ。

アナは最初から、怪物と友達になることを求めている。存在に優劣をつけていない。

何かと優劣をつけようとするのはホモ・サピエンスの宿業とも言えるが、それは容易に排除の論理へと向かっていく。ともすれば自らを疎外する視点となって、自身をも苦しめる。

「ママ、精霊って知ってる? わたしは知ってるの」とアナは言う。重ねて精霊について尋ねたアナに「いい子にはいいし、悪い子には悪いもの。……お前はいい子ね?」と母親は応える。

父親はアナとイサベルを連れて、キノコを採りに行く。「いいキノコ」なのか「毒キノコ」なのか、彼はいちいち判断して娘たちに教える。

ひとつのキノコを示して、彼は言う。

「本物の悪魔だ。一番危険なキノコだ。食べたら必ず死ぬ」

彼は、そのキノコを娘たちの目の前で踏みにじる。

母親にも父親にも、怪物の精霊と交感するアナの内面を理解することは出来ないだろう。

イサベルはアナの「良き伴走者」

『ミツバチのささやき』の原題を直訳すると『ミツバチの巣箱の精霊』である。出典はメーテルリンク『蜜蜂の生活』だと、監督自らが語っている。集団を支えるミツバチたちの行動を操るのが「巣箱の精霊」であり、ミツバチたちが一糸乱れぬ行動をするのは、この精霊の存在によるのだという。ミツバチはそれぞれが精霊と交感して動いているのだ。

これと対照的なミツバチ観を提供したのは、ハイデガーである。ミツバチの行動はただ刺激に対して機械的に反応しているだけで、人間のような判断の自由を持たないと、彼は主張した。

アナの父親はミツバチを飼育している。彼はミツバチを「報われることのない過酷な努力、唯一の休息は死」であるような存在として見つめている。それは、彼自身の人生がそのようなものであることの投影であろう。このミツバチ観はハイデガー的である。

アナの母親は、どうやら夫が同じベッドで寝ることを嫌がっているらしい。それを知る夫は夜更けまで書きものをしては、机に突っ伏して眠っている。

アナの母親は、常に誰かに手紙を書いている。「この家も壁以外はすっかり変わりました。中にあったものはどこに消えたのか」「人生を本当に感じる力も消えたように思います」

こういった手紙を書いては、投函に出かけることを続けている。彼女の心はどうやら夫や娘たちのもとには無いらしい。

一家が住まう家の窓は六角形を組み合わせたハチの巣模様で、明かりをつけるとハチミツ色になる。凝った彫刻の施された立派な門柱、やたらと広い玄関に幅広の石造りの階段、数多くの部屋。設定には「領主の邸宅」と書かれているが、見るからにいわく因縁のありそうな、地域の喜怒哀楽が吹き溜まっていそうな家である。

一家が住まうにあたっても相当ないきさつがあったようだ。手紙の文面からして、たぶん母親は「領主の邸宅」の元からの住民なのだろう。そして、父親の方は、この家の現在の持ち主だと思われる。

このような「巣箱」で育ったアナとイサベルだからこそ、映画『フランケンシュタイン』に激しく反応したのだろう。それは、死体から使える部分を取り出してつくりあげられた怪物がいたいけな少女を殺し、自分を造り出した者を殺そうとし、自分も殺されるという不穏な物語だった。

一見、この物語に反応しているのはアナだけに見えるが、そうではない。イサベルがアナに教えた「嘘」は、アナが内心求めている答えを察知して提供しているのである。アナが姉の言葉をそのまま信じてしまうのは、それがアナにとって最高に納得できる答えだったからに他ならない。

イサベルは死んだふりをしてアナをからかったりもする。猫の首を絞めて引っかかれたりもしている。それは、イサベルが「死」という概念を扱いかねているからである。その意味でイサベルはアナの「良き伴走者」なのである。無自覚のまま、イザベルも精霊によって動かされているのだ。

この世ならぬものを見つめる目

メアリー・シェリーが『フランケンシュタイン　あるいは現代のプロメテウス』を匿名で発表したのは一八一八年のことだった。近代科学が技術と結びついて、それまで存在しなかった新しいものを作り出し、人々の生活スタイルを急激に変えつつあった時代である。人間は、自らを滅ぼしかねないようなものを造りかねない存在であることを伝える物語は、科学技術に明るい未来を夢見る風潮に警鐘を鳴らした。

この作品に登場する「怪物」は、極めて高い象徴性を持っている。

それに触れたアナは「自分が今ここで生きている」ということを認識し、生や死や精霊について考えることを始めた。それは『フランケンシュタイン』という映画に魂を揺さぶられたからである。

アナは多分、それまでも身の回りに何か言葉にし難いものがあることを感じ取っていたのだろう。しかし、それが意識に上ることはなかった。

★『ミツバチのささやき』Blu-ray
アナは大きな目で「世界」を見つめる。

「怪物」は姿を持たない精霊が出歩く時の仮の姿で、目を閉じて呼びかければ応えてくれる。そう聞いた時、アナのセンサーは目覚め、精度に磨きをかけるべく動き始めた。この世ならぬものを感じ取るためのセンサーである。

この世ならぬものを見つめなくては、この世のこともわからない。

象徴性を感じ取る能力や抽象化する思考力というのは、この世ならぬものを見つめなくては育たない。

死体のツギハギに生命を宿らせるという「神をも恐れぬ所業」の成果たる「怪物」の精霊とは、死の象徴であると同時に虐げられ抑圧されたものの象徴であろう。それと対比される「少女」とは生の象徴であると同時に救済の象徴となり得るものである。

逃亡兵に渡した上着を父親が持っていること、逃亡兵が姿を消して血痕が残っていることを知ったアナは、駆け出して行き、家に戻らない。森をさまようアナは、父が踏みつぶしたのと同じ毒キノコを見る。アナはそれに手を伸ばし、そっと触ってみせる。

毒キノコもフランケンシュタインも、「呪われた生命」でありながら生きようとしている。

それをも愛おしむ心を、アナは持っている。

思えば、「アナ」はケルト神話の大地母神の名前なのだった。

映画のラストで目覚めたアナは、コップの水を飲む。

その顔は急に妙に大人びている。一瞬、二十歳も年長な女性の顔のようで、そして、とても美しい。

○

精霊のささやき声はとても小さい。

しかし、大きな力で我々を導き動かしている。

「私はアナよ」と、少女は精霊に呼びかける。

ソーイングスター
by eat
ズン
cafe white
アンゴルモアが
降臨した
ぎゃー
ひ!!!
地球は明日
破壊される
らしい
はわわわわわ

きゅーーん
かっかわいい!!!!
マナミ
服飾デザイナー
死ぬ前にあのお方のお洋服を
作りたいわぁ
ダメ元で聞いてみた
かわいいかわいいおねがい!!おねがい!!
実は地球の文化に以前から興味があったアンゴルモアさん
案外すんなりXデイを5ヶ月延ばしてくれた
ワーワー
やったー
よくやった
ちら
……
破壊すると決まった時もすごく残念に思っていたのだとか

ゴオ

もちろん軍は
そんな事は
お構いなしに
アンゴルモアを
撃退しようと
全世界から
一斉に猛攻撃を
くらわせた
しかし
彼女には
それが全く
効かず
逆に
服作りを手伝わないと
今日にでも滅ぼすと
脅されていた
めきょ
ひぃぃ
あらー
ズラ
助かります~

ご覧ください
今や軍までもが地球を救う事を諦め
アンゴルモアの為に働いております！
STOP
NO ANGO
STOP
ANGOLMOIS
アンちゃんはさぁ
他の星の人を見た事ある？
あるのかー
他の星では
服とかに興味はもたなかったの？

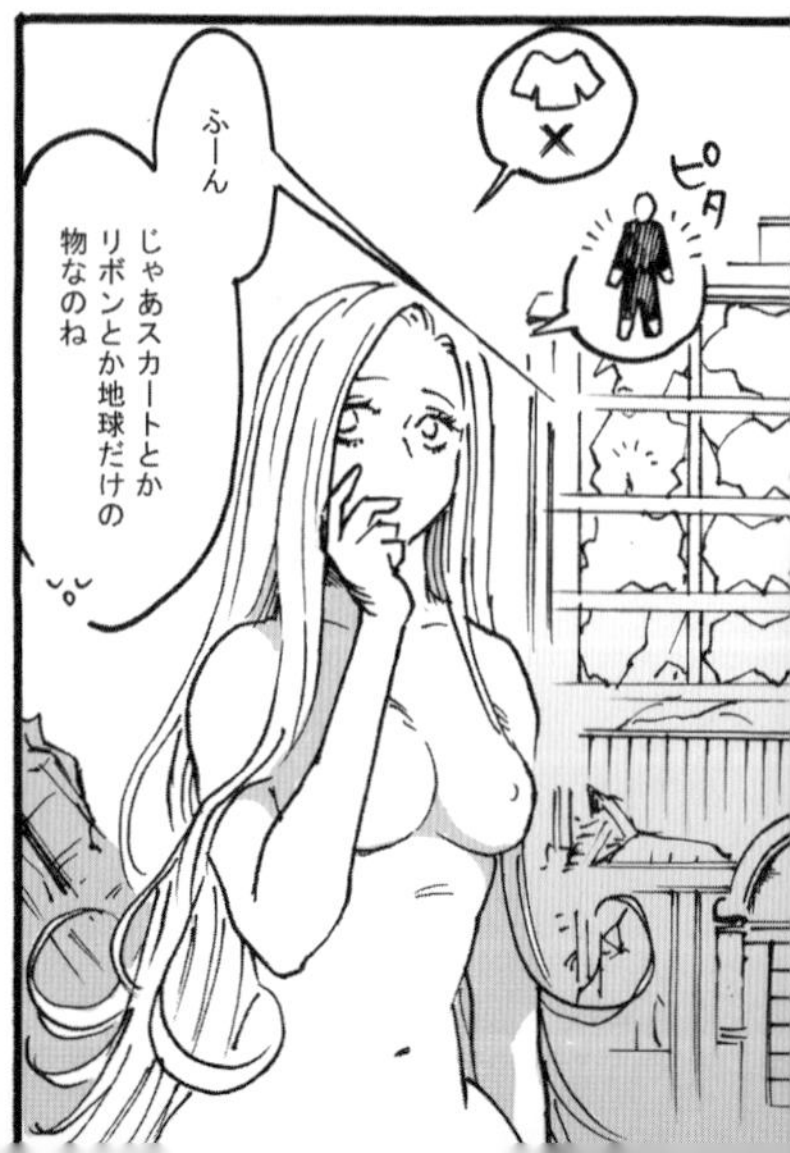
ふーん
じゃあスカートとかリボンとか地球だけの物なのね
ピタ

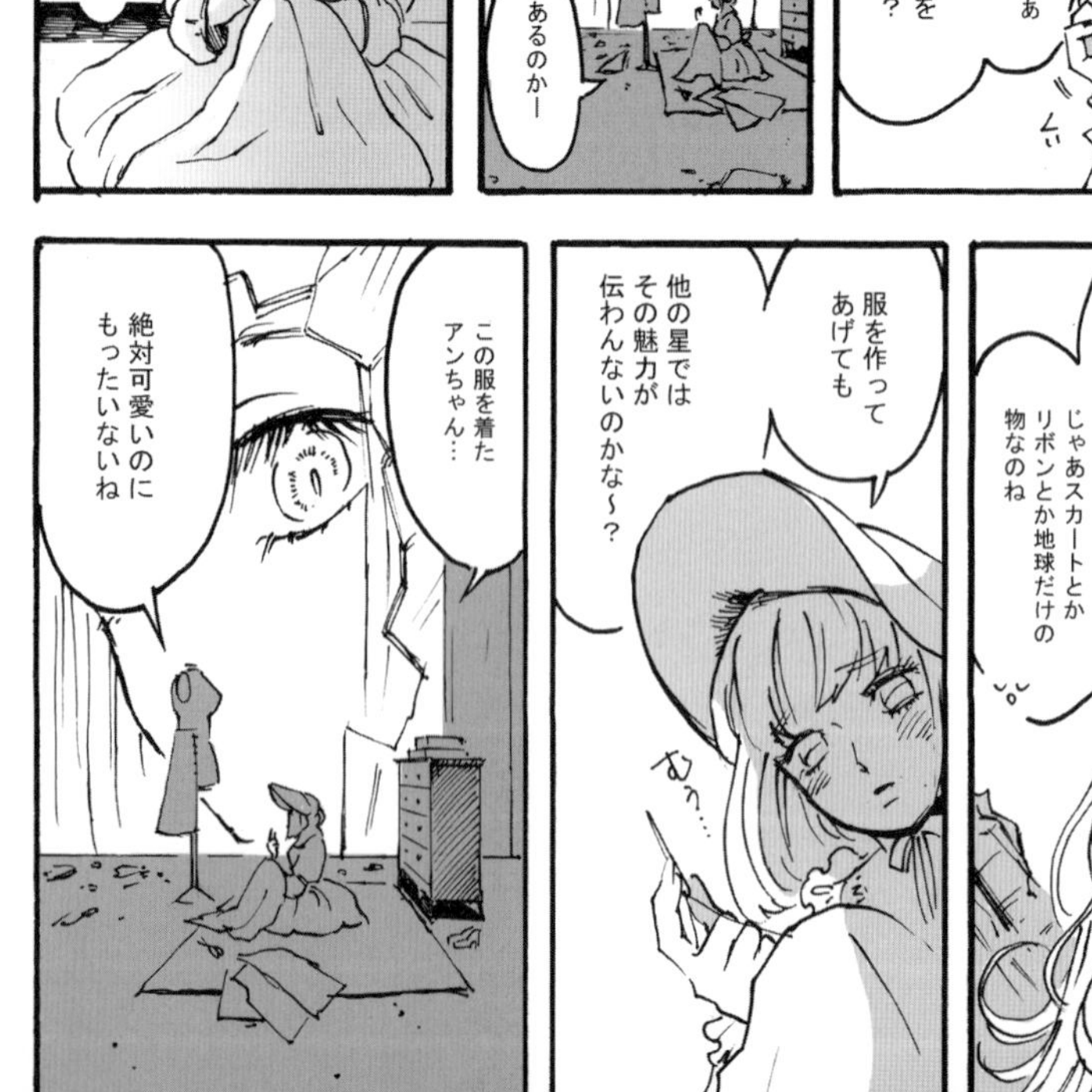
服を作ってあげても
他の星ではその魅力が伝わんないのかな～？
むぅ…
この服を着たアンちゃん…
絶対可愛いのにもったいないね

……
月日は
あっという間に
過ぎた
マナミが大きな
服を作っている
間に人々は
パートナーや
友人と思い出を
作り
別れを告げる
事ができた
アンゴルモアの
服作りを反対
していた人々も
服の完成を
静かに見守っていた
STOP
5ヶ月後ー…
きしゃー
似合うー！
可愛い！
お化粧も
バッチリだよ！

やっぱり
破壊神のアンちゃんにピッタリだわ
ゴスロリ♡
♡
気に入ってくれた？
うれし～！
ズラー
本当は
あんなのやこんなのも着せたかったけど
5ヶ月じゃ1着が限界だったの！
ごめんね！
…ーッ
でもこれでもう悔いは無いわ…
ありがとう
時間をくれて
アンちゃんにとっても良い思い出になってくれていたら嬉しいわ

……
うーーん
え？
何？
もっと
着てみたい
から
アンちゃんが
飽きるまで
地球の破壊を
延期!?!?
え
え
え？
え
え
おお
おおお
うそ…
ママー
なんで
泣いてるのォ

わーん!
ありがとー!!
これからよろしく!
飽きられないように
私も頑張るねー!!
こうして地球は一人の女性によって
一時的に救われた
その後
いつ滅ぼされるかと緊張感を抱えたまま生活をしている人類とは裏腹に
アンゴルモアはオシャレの楽しさを覚え
末永く充実した日々を過ごしたのであった

破滅を生きる地雷系女子

◉文＝相良つつじ（画家）

最近、量産型や地雷系と言われるファッションがある。それらはロリィタやゴスロリのファッションとは、似て非なるもの。しっかりとした厚手の生地、洗練されたデザイン、一着一着丁寧に作られた高級なロリィタドレスに比べ、量産型・地雷系ファッションは、専門ブランドはあるものの、値段は控えめ。プチプラを売りにした大手通販サイトSHEIN、グレイル等でも格安で購入することができるが、作りは実に安っぽい。

量産型ファッションは、ピンクや白が多く、リボンやフリル、ハートのモチーフといった甘ロリ要素のあるデザインが多い。その始まりは、ジャニーズオタクや二次元オタクの女の子たちだと言われている。その系統を継いで、今も推し活をしている子が多い。最たるものが、透明のビニールポケットが付いていて、推しのバッジやチェキを貼ってデコレーションできる推し活バッグ（痛バッグ）である。

一方、地雷系ファッションはゴシックロリィタに似ている部分もあるが、ゴスロリよりも配色の幅が広く、10代20代を中心に多様な層に着られている。ステレオタイプの例として、チョーカーに黒い厚底靴、人によっては耳・舌・眉・くちびる等にピアスをたくさんつけて、社会に対して反抗的な雰囲気を出している。黒髪ぱっつん前髪でツインテールまたはハーフツインにして、派手色（主にピンク）のインナーカラーを入れている。アイメイクは、赤・ピンク系のシャドウで病みカワイイを演出。特に赤色系のアイライナーを目の下に引くことを地雷ラインと呼び、一時は他ファッションの系統にも流行した。黒いマスクを選び、サンリオキャラクターの人気はクロミちゃんだ。

地雷系の服もゴスロリに比べてずっと安いが、例外として地雷系の象徴、MCMのリュックは高級ブランド品。このリュックは〝歌舞伎町のランドセル〟と呼ばれており、その名の通り、地雷系ファッションはトー横界隈や歌舞伎町の若者によく見られる。10代・20代の女の子が大きな額を稼ぐには、夜の仕事が手っ取り早く、ホストやコンカフェに依存する少女の中には、家に帰らずストロング系飲料にストローを挿して飲酒しながら深夜まで公園等で駄弁っている子もいる。

そんな地雷系女子のアイコン的存在が、をのひなおの人気コミック『明日、私は誰かのカノジョ』（通称・明日カノ）の5巻の表紙に描かれているキャラクター〝ゆあてゃ〟だ。SNS上で#ゆあてゃメイクがバズり、人気TikTokerやYouTuberがモノマネメイクをしたり、女性ファッション誌LARMEとコラボしアドトラックも都内を走り、パリピ酒として人気のクライナーファイグリングの公式コラボパッケージが販売される等、異例の人気である。

ゆあてゃ（優愛）は地雷系女子で二十歳の女の子。ホストクラブに通うホス狂いキャラとして登場する。ゆあてゃ像は、作者のをのひなおが歌舞伎町に行き、街の写真を撮りながら完成させた姿だという。明日カノ5巻で微笑む彼女の腕にはびっしりリストカットの傷があり、作中ではネグレクトされ、祖母の介護をするヤングケアラーであり、不登校、家出、性風俗、オーバードーズ……。10代の少女も読むコミックとしては重く暗い背景のある人物だ。

V系バンド全盛期の時代とは比べものにならないほどに深刻化した子供の貧困。そして、SNSの普及で気軽に悪い大人と接触できてしまう現代。安いペラペラの地雷系ファッションで、心身をボロボロにしながら、お金で推せる愛を求める破滅的なゆあてゃの生き方が、多くの少女たちの胸に刺さったのだと思う。大切に作られたロリィタ服で優雅にお茶会をしていた少女達との、幸福の格差が現代の絶望を感じさせる。

心身ボロボロにしながら推しに生きる

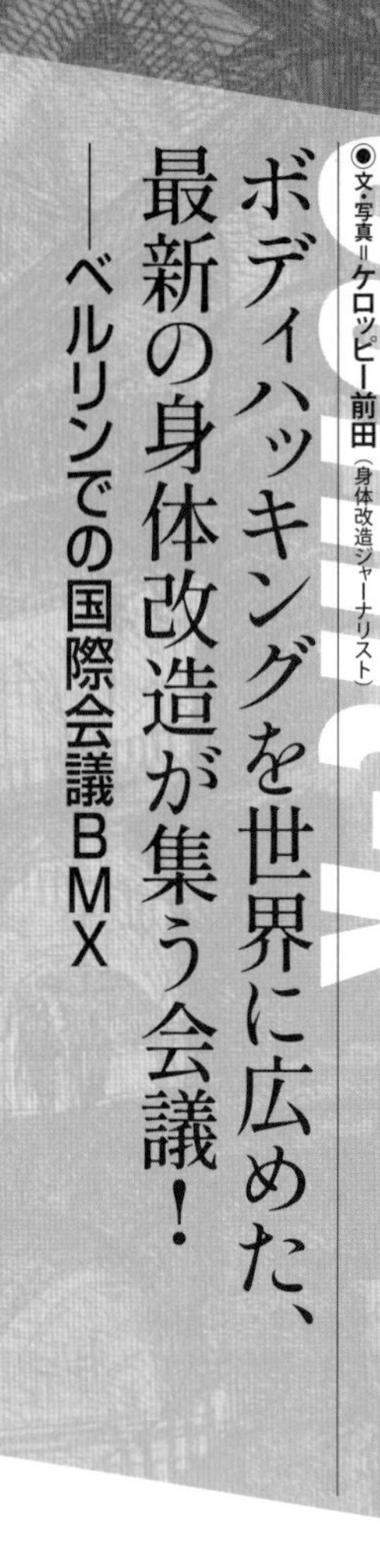

ボディハッキングを世界に広めた、最新の身体改造が集う会議！
――ベルリンでの国際会議ＢＭＸ

◉文・写真＝ケロッピー前田（身体改造ジャーナリスト）

★サスペンション時の脳波測定デモンストレーション

２０２３年９月７日から10日までの４日間、ドイツ・ベルリンにて身体改造国際会議ＢＭＸ（ボディ・モディフィケーション・エクスチェンジ）が開催された。あくまで専門家を対象としたもので、朝から夜までそれぞれのトピックスについてのレクチャーやディスカッションなどが同時進行で行われた。

ここでいう「身体改造」とは、タトゥー、ピアスおよび過激な身体の加工＆装飾の総称のこと。英語では「ボディ・モディフィケーション」と呼ばれているが、臓器移植や美容整形を含む「人体改造」と区別して「身体改造」と訳している。

そんなニッチなジャンルで国際会議が成り立つのかと思うかもしれないが、２０２３年のＢＭＸの参加者は講師やスタッフを含めて６００人。ピアッサーやタトゥーアーティスト、業界関係者や研究者を主な対象としたイベントなため、十分すぎる参加数と言えるだろう。昨年と比べても１００人増、そのほとんどは若い世代という。パンデミックを経て、世界中から身体改造業界のベテランから若い世代までが集まる貴重なチャンスということで、筆者も参加することとなった。

ＢＭＸの主催者ステファンを最初にインタビューしたのは２０１８年だった。彼は身体にフックを刺して吊り下げるボディサスペンションの世界大会「サスコン」のスタッフでもあった。

「最新の話題はサイボーグ、つまり、マイクロチップやマグネット、電子機器などの体内埋め込みだね」とステファンは語っており、サスコンの次にはBMXに行かねばと思っていたところでパンデミックとなった。

約3年間のパンデミックの間に、脳とコンピュータを接続するイーロン・マスクのニューラリンクが大躍進したことは前号で解説した。ステファンの言葉にある通り、今年で17年目となるBMXが「身体改造」をテーマとする国際会議として特別なポジションにあるのは、「ボディハッキング」と呼ばれる、マイクロチップやマグネット、電子機器などの体内埋め込みといった新しい身体改造を広くアピールする現場となったからである。

今では、人間に埋め込むマイクロチップといえば、個人認証IDとして用いてドアの開閉や車のカギ、書き換え可能なNFCチップなら名刺替わりに使われることを知っている方も多いだろう。またスウェーデンではマイクロチップで電車に乗れるなど、社会的な規模での取り組みも行われているが、そのもともとの発端もBMXであったという。

2013年のボディハッキング革命

2013年、ティム・キャノンが「サーカディア」というスマホ程度の長方形の電子機器を左の上腕部に埋め込み、DIYサイボーグとして大きくメディアで取り上げられた。その舞台こそ、BMXであった。その機器はワイヤレスで体温などの身体情報を送信するとともに充電も可能だった。埋め込み施術をサポートした身体改造アーティストのスティーブ・ヘイワースは「医療機器でないデバイスを体内に受け込む最初のケース」と絶賛した。

それは見た目の奇抜さやファッション性よりも機能性や利便性を追求する、全く新しい身体改造のジャンルが始まるきっかけとなった。ティムは2015年にはLEDが点灯する埋

★ティム・キャノン

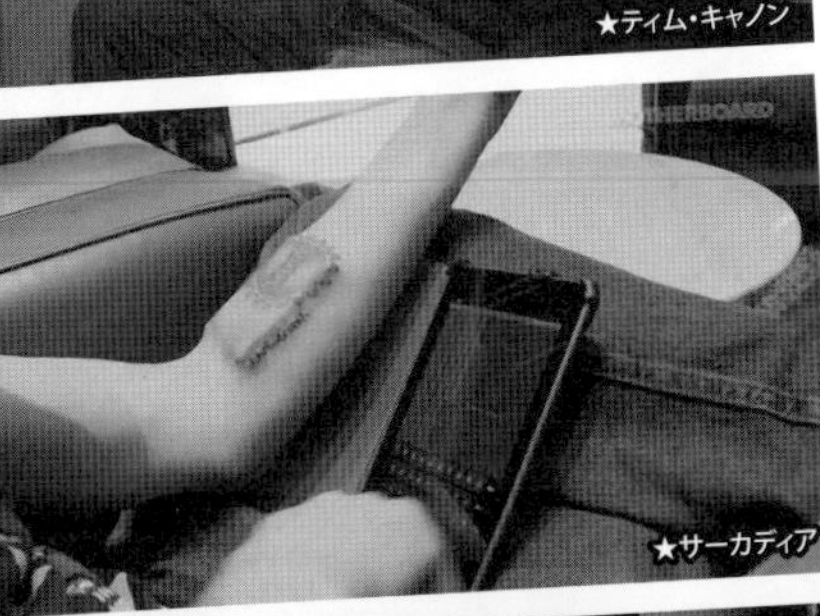

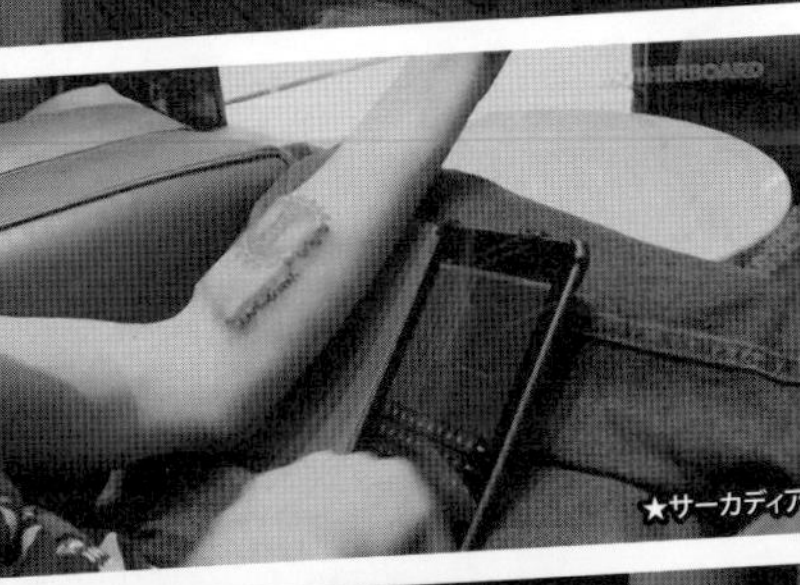
★サーカディア

★ノーススター

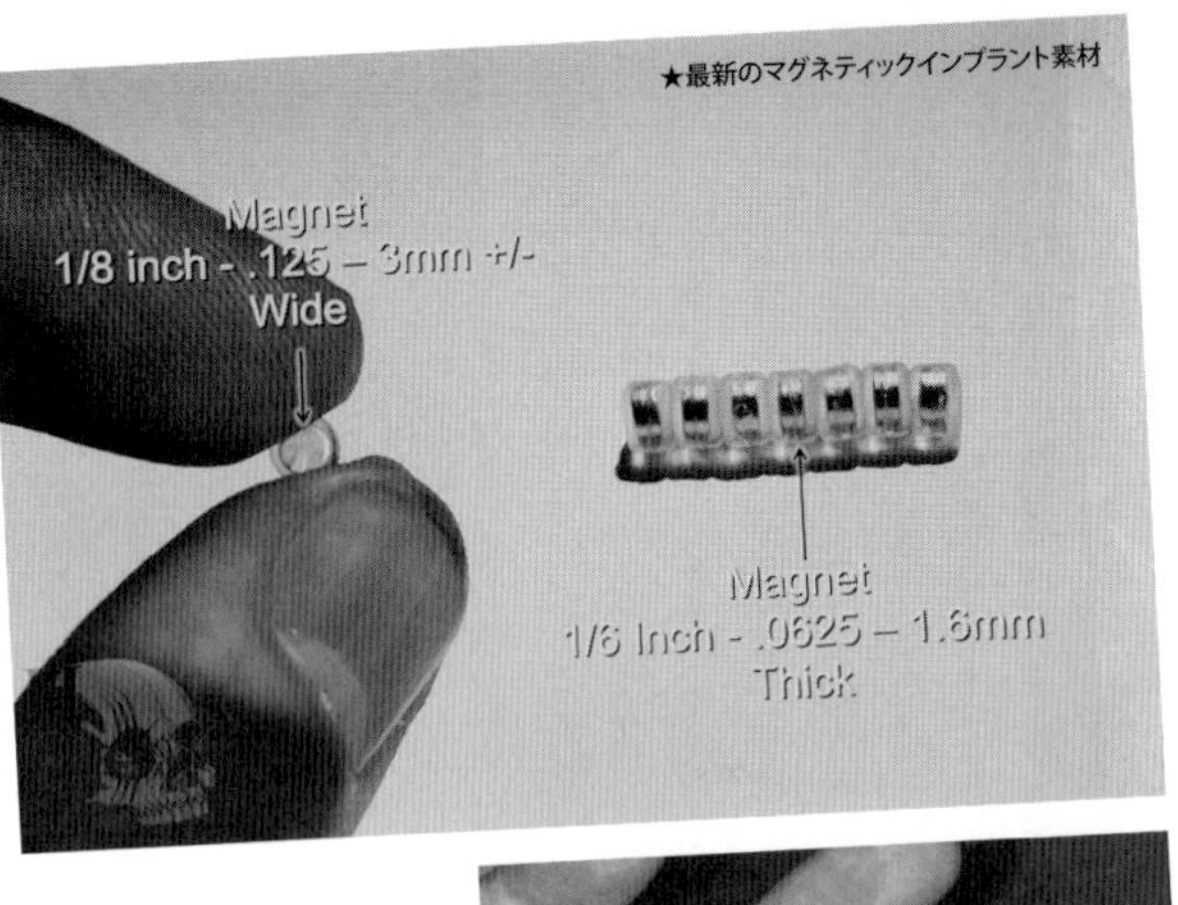

★最新のマグネティックインプラント素材

め込み機器「ノーススター」を開発し、彼とその仲間たちがそれを埋め込んだことで再びメディアに注目された。

同じ2013年、DIYでマイクロチップの体内埋め込みやそれで開閉するドアロックなどを推進していたアマル・グラフストラが「デンジャラスシングス」というベンチャー企業を立ち上げ、データ書き換え可能なNFCマイクロチップのディストリビュート

身体改造によって磁界を感じる感覚を手に入れた

を始め、BMXでも紹介された。また、先に挙げたスウェーデンにおけるマイクロチップの普及を仕掛けたユアン・ウステルンドは、2018年のBMXでその活動について講演した。

そればかりか、BMXに始まるボディハッキングのムーブメントは、2015年、ラスベガスで毎年行われる国際ハッカー会議DEFCON（デフコン）に「バイオハッキング・ヴィレッジ」という部会を立ち上げる形で派生し、17年にはティムら重要人物が登壇した。また15年にオースティンで始まった「ボディハックス」は、ボディハッキングに特化した国際会議で、筆者が取材した18年は「スマホの次にはマイクロチップの時代が来る」という内容が議論されるほどの盛り上がりをみせた。ボディハッキングは身体改造カルチャーの枠を超え、未来のテクノロジーと結びついてサイボーグ時代の先駆けになるのではないかと期待された。

★2004年、指先に磁石を埋め込むというアイデアが斬新だった

★筆者とスティーブ・ヘイワース

マグネティック・インプラント

2023年のBMXに話題を戻そう。4日間にわたって行なわれた会議では、タトゥーやピアスについての技術的なワークショップを伴う講義もあり、身体にフックを貫通して吊り下げるボディサスペンションをストレス軽減や精神疾患の治療に利用したり、サスペンションで吊られているときの脳波測定のデモンストレーションなどもあった。

インドの身体改造の歴史、18世紀や19世紀のタトゥーやピアスについてのリサーチなど、ここに来なければ聞けないような貴重な情報満載の講義が続いた。とはいえ、ボディハッキングに関わる今年の最重要トピックスは「マグネティック・インプラント」についてのものだろう。

マグネティック・インプラントとは、表面をコーティングした強力なネオジム磁石を体内に埋め込むもので、インプラントの開発者スティーブ・ヘイワースが2004年に生み出した。指先などに磁石を埋め込むことで磁界を感じることができるという特殊な身体改造で、マイクロチップと並んで人気があるボディハッキングのひとつである。今回はスティーブ自らが開発秘話を明かした。

ところで筆者がスティーブを最初にインタビューしたのは、1997年だった。彼はその時点ですでに磁石をコーティングして体内に埋め込むアイデアを語っていた。彼によれば、そのアイデアが具体化するのは2004年に入ってから。最初は、磁石を埋め込むことでバンドなしで腕に時計を張りつけたり、サングラスのつるがなくとも顔に固定しようというものだった。実際に作ってみると、時計と磁石に挟まれた皮膚は痛みを伴い、ずっとそのままにしておくと皮膚の変色などの問題が予想された。目の周囲に磁石を埋め込んでゴーグルを固定しようというアイデアは実現されずに終わった。

そこにトッド・ハフマンという人物が現れる。彼は指先に磁石を埋め込んだら磁界を感じることができるのではないかという。そして、彼自身がそれを試してみたいというのだ。すぐさま試してみるとトッドは磁界を感じる体験をした。体内に埋め込んだ磁石は電磁界に接触するとそれ自体が小刻みに振動する。体内に埋め込んでいるとその振動は「触感」として、つまり「磁界を触ったように」感じるのだ。スティーブも同様のものを自らに埋め込んで磁界を感じた。すぐに同様の試みの志願者たちが現れたが、指先ということもあって、磁石のコーティングの仕方や埋め込むときの場所など様々な試行錯誤が行われ、いまでは誰でも磁界を感じる感覚を手に入れられるようになった。

ちなみに指先に磁石を埋め込むアイデアを思いついたトッド・ハフマンは、ニューロサイエンス(神経科学)を大学で学び、遺体を冷凍保存して未来に蘇生しようという「クライオニクス」の先駆けであるアルコー延命財団に研究者として2年間勤めた。その後、彼は頭部だけを冷凍して保存している人たちを蘇生するため、脳のデータをコンピュータ上にアップロードする技術「ブレイン・エミュレーション」の第一人者として知られるようになった。脳の研究と身体改造の意外な接点がここにもあることには驚かされる。

★ケロッピー前田『モディファイド・フューチャー』(フューチャー・ワークス)

4日間の会議の最終講義の枠で、筆者は「日本の身体改造30年史」について講演するチャンスを得た。1990年代に始まるタトゥーやピアスの流行から、縄文時代のタトゥー、サイバーパンクというアイデアは日本で始まったという話まで、筆者が新刊のバイリンガル本『モディファイド・フューチャー』(フューチャー・ワークス)で書いたことを英語で約90分間スピーチした。そして、もちろんニューラリンクの現地取材に挑んだことも説明した。

ニューラリンクの実用化まで少なくとも5年間はかかるだろう。その間にも新しい身体改造はあらゆる形で登場してくることになるのだろう。これからも身体改造国際会議BMXの動向からは目が離せない。

★BMXの参加者たち
Photo by bmxnet.org

の中、踊り明かす。見えるものとの踊り、見えないものとの踊り、それらの隔てを無くしたサバトに捧げる踊り。TAIKI氏の魔術の元、そこには超自然的な力も働いていたように感じる。

それまで、ステージ上の表現者とそれを目撃する観客という世界しか知らなかったのだが、この魔術的空間ではひとりひとりが皆主役であり、表現者だったのだ。通ううちに、より本物でありたいと深まっていき、僕の生き方は変わっていった。一夜限りの変容であったはずが、日常の時間の殆どが変容し、化粧し着飾る事が自分にとって当たり前になった。闇の美意識が、アイデンティティとして完全に根付いたのである。

★左からRose de Reficul、TAIKI氏、Guiggles

BLACK VEILはDJパーティーだけでなく、このイベントがなかったら来日しなかったであろう海外アーティストの公演も行われた。世界との隔たりのないゴスカルチャーの坩堝だったのだ。僕はこの人種、性別、言語を超えた環境で、多くの出会いに恵まれた。パートナーのロウズとの出会いもそうだ。幻想の中、即興のパフォーマンスめいた踊りを彼女と重ね、その基盤から2人でのパフォーマンスがはじまった。他にもこのムーブメントの中から多くの表現者が排出されたように思う。

TAIKI氏は2022年に他界した。しかし、氏が生涯をかけて守り続けたTERRITORYとそこから生まれたBLACK VEILの熱は消えていない。TERRITORYはTAIKI氏の意思が継がれサロンとWEBが続いており、BLACK VEILも長い歴史をそのままに紡ぎ続けている。Sabbatic Metamorphosesを経た我々も、不変の美学をもって2023年10月28日に催されるBLACK VEILに臨む。

★TERRITORY／BLACK VEIL
http://www.territory-d.com

★Rose de Reficul et Guiggles
https://www.victorian666.com/

Black Veil Children
――TAIKI氏のゴスカルチャーの洗礼を受けて

◉文=Guiggles（パフォーマー）

★TAIKI氏

ロックミュージックの一ジャンルとして確立した「ゴス」は、1970年代末から1980年代中盤の英国のパンクロックからニューウェーブに至るシーンの細分化の中で登場したムーブメントであった。「ゴス」はゴシック文学の系譜を引いているとも言われ、共通項ではないにせよ、反時代性、古めかしいものや死のイメージに対する愛着、精神的暗部への傾きといった特徴がみられる（中略）。現代のゴス文化は1990年代から世界的に広まり、音楽のみならず、映画やファッションといった分野にも波及している。（Wikipedia「現在のゴシック・ゴス文化」より）

僕にとってゴスカルチャーの原体験は、大阪のゴシッククラブイベントBLACK VEILにある。オカルトショップTERRITORYのTAIKI氏が立ち上げたイベントだ（氏についての詳細は本誌№37特集デカダンスを参照）。悪魔崇拝、神秘主義、ホラーを拘り抜き既にカリスマ的存在であったTAIKI氏は、黒魔術儀式を執り行うサタニックリチュアルユニットDIABOLIC ARTの活動や、OMEN OF EVILというハードコア、ノイズ、ブラックメタル、ゴシックロックなど様々な闇の濃いジャンルのアーティストをまとめたライブイベントを行っていたほか、TERRITORYとは別にゴスに特化したbar SABBATを開いていた。

僕も、非日常的空間であるそれらに心酔し通い続けていた。時代は20世紀末、アンダーグラウンドな存在だったゴスカルチャーは世界的な盛り上がりを見せ、メジャーな映画でもゴシックなテイストが演出されるようになっていた。

そして機が熟し、2000年にBLACK VEILが生み出された。One Night Of The Sabbatic Metamorphosesという副題が添えられたこのイベントは、クラブイベントのスタイルを用いたサバトであると思う。一般的な日常を過ごす人達がこの夜思い思いの闇に身を包み、自らを変容させて自我を解放させるのだ。ドレスコードをくぐり、闇の美意識をもつ人と人との相互作用とあらゆるジャンルのゴスミュージックによって、陶酔と高揚

血塗れたボディアートとオカルト的ダークネス
——SRBGENk個展『Dancing In The Street』

●文＝ケロッピー前田（身体改造ジャーナリスト）

●カラー図版→16頁

★《つよいこ》

近年ますます活躍が目覚ましいSRBGENk（ゲンキ）、ヴァニラ画廊では3年ぶりとなる個展が開催された。ポップで可愛い女の子をモチーフとしながらタトゥー、ピアス、切り傷、流血といったグロテスクな表現を盛り込んで観る者を虜にする作風は唯一無二、デジタルとアナログ（水彩画）を両立した多彩な技法で生み出される作品は21世紀の美人画ともいえるだろう。

GENk曰く、展覧会のタイトルとなった「Dancing In The Street」とは、マーサ&ザ・ヴァンデラスによる1964年リリースのモータウンのヒット曲。みんな外に出て路上で踊ろう、可愛い女を見つけにいこうみたいな内容を歌っており、今回のメインビジュアルもこの曲を聴きながら一気に仕上げたとのこと、従来の作品に比べると突き抜けた明るさが際立つ展示となった。

「やっとコロナを抜けて、みんな外に出よう、好きな服を着て、

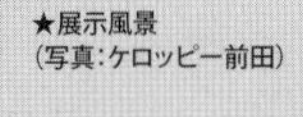

★展示風景
（写真：ケロッピー前田）

好きな場所に行って、やりたいことをやろうというメッセージを伝えたかったんです。もうひとつのテーマは、魔女とウィッチハンター（魔女狩り）という対立構図。でも、魔女は黒ミサの格好で踊っていい、ウィッチハンターも一丁羅で着飾っていい、両者は敵対しているけど、それぞれ好きなように生きていい。そんなコンセプトで今回の展示を構成しました」と解説した。

今回の新作の鑑賞のポイントはなんだろう。

「こだわったのは具体的に小物や装飾品をしっかり描き込むこと。ファッションに重きを置いたので、服装も具体的なブランドにこだわって、化粧品も現物を買って描きました。こんな女の子だったらこんな服装を着るだろう、こんな武器を使うだろうと現実と絵がリンクすることを狙っています。遊び心の要素をたくさん盛り込んでいるので、ディ

★《すきの反すう》

テールも鑑賞してもらいたい」と強調した。

　そして、新作には明らかに男性や女装した男の子も混ざっているが、「骨格で男だとわかる」とあえて説明はない。また、背景のデジタル風の模様も目の錯覚を意識した特殊なもので、かなりのこだわりがみえる。さらに『裸のランチ』で知られるウィリアム・バロウズに触発された作品《素直にならない》ではタイプライターの実物を購入し、可愛い女の子がタバコを吸っているが、その煙は霊媒師から吐き出されたエクトプラズムのようでもある。

　多彩な技法へのこだわりについてはどうだろう。

「メインビジュアルはデジタルを描いたものをレンチキュラー印刷で仕上げています。だから、見る向きで絵が変わるんです。これは展示会場で実物を見てもらわないとわからないかもしれません」と、作品の体験性についても趣向が凝らされた。

　一方でアナログの作品では、先に挙げた作家ウィリアム・バロウズのカットアップを模して、同じ絵を複数描いて切って貼るという大胆なコラージュ作品に挑戦している《Soft Machine 3》)。「この絵はそのまま展示した方がいいんじゃないか、本当に切ってしまっていいのかと、最初の原画を切るまでに二日かかりました。でも一旦切り始めると楽しくて、どんどん壊していけるようになりました。2023年以降に続く、新しい求めていくべきものが見つかった感じでした」と自信の表情をみせた。

　また人形作家FREAKS CIRCUSとのコラボレーションも見逃せない。

「僕の絵がさきにあってドールにしてもらいました。女の子、血、武器、自分が好きな要素を盛り込んだ作品ですが、本来人形は顔に傷をつけるこ

★FREAKS CIRCUSの人形作品

★《ぐるぐる思考》

とはタブーといいます。だからこそ、あえて顔にハート型の傷口を入れ、頭蓋骨に穴を開けるトレパネーションも施しました。そんな絵をリアルに再現してくれて、そのドールを絵に描いてみたいと思っています」と絶賛した。

ではモチーフとしてはどうだろうか。GENkと言えば、これまでも「バツ印」をよく描いており、以前の説明では願掛けや願い事が成就するためだった。ところが今回は意図的に意味を反転させたという。「自由で満たされている子は入れなくなって、力を持たない子たちが恨みの印として入れるように絵が変わってきました。だから、魔女は魔法を使え、自由に生きているからバツ印が入ってない。それに対して、恨み事、なんで毎日嫌なんだろう、ムカつくよといったネガティブな思いから魔女たちを拷問にかけようと企むウィッチハンターたちにはバツ印が入っています」という。魔女とウィッチハンターという対立構図については《すきの反すう》と《ぐるぐる思考》という対比をなした2つの作品がわかりやすい。自由に生きる魔女はナイフを刺されても流血することはなく、ナイフを構えるウィッチハンターは胸部にバツ印を施して血を流しているのだ。この微妙な意味の逆転はコロナ後の時代の変化とも響き合っている。

最後にメッセージをお願いした。

「この女の子って実在するんじゃないかって思わせたい。たとえば、絵で描いた子を実際にコスプレしてもらって実在化させたい。とにかく体感する作品、つまり展示会場に来てもらって、作品と向き合って驚いて欲しい」と、作品作りにおけるこだわりを熱弁した。

「いまの自分の最高をすべて見せる」というGENkの言葉の通り、常に挑戦と実験を繰り返し、新しい作風を貪欲に開拓し続ける創作エネルギーが素晴らしい。元気ハジける魔女たちから激変の世を生き抜くパワーを感じ取って欲しい。

★SRBGENk（ゲンキ）

怖いは美しく、恐いはエロティック。kawaiiと恐怖が混在している血のペインター。オカルティックで血に塗れた幻想と狂気をベースとした奇妙で愛らしい絵柄が特徴。作品で一際目を惹く力強い視線や瞳、そして美しく描かれる血の表現で魅了する。小説の表紙やイベントのキービジュアル、ボードゲーム「ハコオンナ」のメインビジュアルを担当。現在はエロス＆グロテスクな方面だけではなくさまざまなジャンルの展示イベントやアートフェスティバルでも活躍中。

※SRBGENk個展『Dancing In The Street』は、2023年7月21日〜8月6日に東京・銀座のヴァニラ画廊で開催された

仮想の館

最合のぼる 文・写真

濃霧に沈む森を抜けると、見渡す限りの荒涼とした大地が続いていた。空にはぶ厚く雲が垂れ込め、北風が吹きつける。私は鞄を持っていない方の手で長い外套の前をしっかりと押さえ、前傾姿勢で歩を進めた。なぜこんな荒れ地を歩いて行かねばならないのか。全く気乗りがしなかったが、こうするより仕方がない。とにかく早く到着しなければならない。こんな寒々しい場所から抜け出し、暖かな暖炉の前で強い酒でも飲みたかった。

「訪ねる人なんて、居やしませんよ」

「訪ねる人なんて、居やしませんよ」

そうだ、馬車の方がずっといい

声を発したのは馬車の馭者だった。それは酷く粗末な馬車だった。乗り心地は不快極まりない。特に湿地に入ると馬車の揺れは一段と酷くなった。泥を跳ね上げて回る車輪が悲鳴を上げている。馬車は右に左にと激しく揺れ、乗り込む時に田舎者風情の馭者が「舌を噛まなきゃいいが」と言った意味が今になって良くわかる。突然、馬が怯えたようにいななき、後ろ足で立ち上がった。馭者の制御も虚しく馬車は大きく傾き、私は空中に放り出された。

くそ、失敗した

気がつくと、辺りは薄紫色の夕闇に包まれていた。私が倒れていたのは、目的地である館の前だった。外れかかった眼鏡をかけ直し、立ち上がって衣服についた泥と落ち葉を払う。改めて見上げた洋館は、石造りの建物全体に葉落した蔦の蔓が血管のように這う廃墟のような佇まいだった。二階の窓がひとつだけ開いていることに気づく。レースのカーテンが風に膨らみ、窓辺に立つ白いドレス姿の女性が見えた。挨拶のつもりで軽く頭を下げて再び顔を上げると、すでに女性の姿はなかった。

これが目的地か

正面の重厚な玄関扉が軋みながら開く。扉の隙間から、おずおずと顔を見せたのは、前歯が異様に突き出した小男だった。私は館の主人に招かれたことを告げる。小男は用心深そうに鼻をひくつかせながら私の全身を舐めるように観察し、やがて危険人物ではないと判断したのか招き入れた。

館の内部は随所に装飾的な造形が施された豪奢な造りだった。大理石を敷き詰めた広いエントランスから二階へと続く大階段は優雅な曲線を描き、手すりのレリーフも美しい。しかし空気は黴臭い泥のように重く淀み、ほとんど掃除がされていない。大きなシャンデリアには蜘蛛の巣がかかり、等身大の甲冑や暖炉の上に置かれた彫像や剥製なども薄らと埃を被っている。明かりを入れたランタンを持つ出っ歯の小男は妙に周囲を警戒し、せかせかとした足取りで私を二階へと誘った。長い廊下の左右の壁に並ぶ肖像が、珍客である私に不穏な視線を送っている。

一室の前で足を止めた小男は、鍵を開けたドアの中に素早く身を滑り込ませた。部屋に入ると、真っ先に目についたのは天蓋付きの大きなベッドだ。壁に寄せてアクセサリーや色ガラスの小瓶が並んだドレッサーや整理箪笥があり、ベッドの反対側にはひび割れのある姿見、部屋のあちこちにフランス人形やぬいぐるみが置かれている。花模様の壁紙といい、女性が使用していた部屋だと思われた。

部屋の主を訊ねようとしたものの、すでに小男の姿はなく、一匹の大きな鼠が壁の穴に身を隠す姿が見えた。開けっぱなしの窓にかかる黄ばんだレースのカーテンが揺れている。近づいて見下ろすとすっかり濃くなった夕闇の中に、白いドレスの女の後ろ姿が見えた。

悪趣味な演出だ

階下に降りてみると、暖炉には赤々と火が入っていた。燃える炎を見つめていると、自分が随分と緊張していたことに改めて気づかされる。つと、召使いを名乗る初老の女性が足音ひとつ立てずに現れた。彼女の片方の目は潰れかかって白く濁り、痩せぎすで背が高い。暖炉の前のソファを私に勧めると、お茶の用意を始めた。ソファに腰を下ろした私は、何はともあれ館の主に挨拶をしたいと申し出てみたが、片目の召使いは訝しげな視線を投げかるだけで答える様子がない。やがて縁の欠けたティーカップを私の前に置くと、ようやく…――口を…――開…―いた。

「もう遅うございま…――どうぞお休み…――まし」

途切れる

「もう遅うございます、どうぞお休み下さいまし」

不安定だな

私の足元にどこからともなく小さなボールが転がってきた。
片目の召使いは骨張った大きな手でボールを摘まみ上げる。
ボールは主人が召し使いを…――呼ぶ合図。

合図なのか？

私はグラスの中で揺らめく琥珀色の液体を口に運ぶ。

ウイスキーの味がする？

ふいに猫の威嚇する鳴き声が聞こえた。
片目の潰れた痩せた猫が猛然と鼠を追いかけて行く。
すでに…――召使いの…――姿は…ない。
口元を拭った私の手が赤く濡れた。
欠けた縁で唇が切れていた。

本物の血だ……？

雨は夜半過ぎから激しくなった。外れかけた鎧戸がひっきりなしに窓枠を叩き、時折パッと外が明るくなる。雷が近づいていた。稲光と雷鳴の間隔は次第に短くなり、稲妻がメリメリと嫌な音を立て夜空を切り裂…——私はベッドで眠っていた。眠る私の顔に、窓硝子を伝う雨滴が不規則な影を落とし…—て…—部屋の中がにわかに明るく…——私の死人のような寝顔が浮かび上がった。

私は今、こんな顔をしているのか？

誰が来た？

ドアノブがゆっくりと回っている。

ランタンの弱々しい炎…——風もないのに揺らめく。

ひび割れのある姿見の中を、人影が通り過ぎる。

誰かいるのか？

再びの稲光…——私の枕元に佇む白いドレスの女を照ら…——

この女を知っている……知っているどころか……

いや違う……これはリアルではない……

閃光と轟音

blackout

Now Loading...

外したVRゴーグルをデスクに置く。

目の前のモニターは落ち、室内も停電している。

すでに雨音は弱まり、遠ざかりつつある雷鳴が聞こえる。

明かりを求めてスマホを触るが、充電切れで電源が入らない。

デスクを離れた私は自室を出て、手探りで廊下を進んだ。

廊下は鼻を摘まれてもわからないほど暗かった。停電になっ
とはいえ、ここまで暗くなるのも妙に感じる。確か部屋のドアは開
けたままにしたはずだが、その場所さえわからない。そんな暗闇の
中でも、なぜか自分の足元ははっきりと見えた。
ふいに闇の中から転がり出て来たのは、あの小さなボールだ。

外された眼鏡はベッドサイドに置かれてい

ランタンの火は消え、室内は闇に包まれてい

雨音は弱まり、遠ざかりつつある雷鳴が聞こえ

を求めてマッチを擦るが、湿気ているのか火が点かない

ベッドから出た私は部屋を出て、手探りで廊下を進んだ

外雨音は弱まり、遠ざかりつつある雷鳴が聞こえる。

明かりを求めてスマホを触るが、充電切れで電源が入らない。

デスクを離れた私は自室を出て、手探りで廊下を進んだ。

廊下は鼻を摘ままれてもわからないほど暗かった。停電になったとはいえ、ここまで暗くなるのも妙に感じる。確か部屋のドアは開けたままにしたはずだが、その場所さえわからない。そんな暗闇の中でも、なぜか自分の足元ははっきりと見えた。
ふいに闇の中から転がり出て来たのは、あの小さなボールだ。不意を突かれて軽く蹴ってしまったボールは、暗い廊下を転がっていく。真っ暗闇にも関わらず、転がる様がはっきり見て取れる。それは眠っているのに自分の顔が見えているのと同じ感覚――、
「ご用でございましょうか?」
「ご用でございましょうか？」

背後の声に振り向くと、蝋燭を持った片目の召使いが立っていた。彼女はエプロンのポケットから取り出した小さなボールを、私に向かって差し出した。

館はいつも濃霧に閉ざされていた。一歩、外に出ようものなら、粘土質の湿地にずぶずぶと膝まで浸かってしまう。いや、違う。外は目もあけられないほどの猛吹雪だ。氷点下の凍てつく世界に踏み出す勇気はない。いや、違う。玄関扉は長いこと開くことができない。なぜなら館全体を幾重にも覆った蔦が、鍵穴にまで蔓を深く伸ばしているからだ。いや、それも違う……。

館の主人は一向に現れる様子がない。確か主人は病に伏せていると聞いた。ベッドから一人で降り立つことさえできず、用があると小さなボールを投げて召し使いを呼ぶ。しかしそろそろ私は彼に会って話をしなければならない……会って話す？　何の話を？　そもそも私は誰に呼ばれてここに来た？　館の主人とは一体誰だ……？

あの日以来、出っ歯の小男も片目の召使いも姿をみせない。
あの日以来、大きな鼠も片目の猫も姿をみせない。
私は暇を持て余し、あらゆる部屋のドアノブを回す。
しかしどの部屋の扉にも鍵がかかっていて開かない。

駅者の声が聞こえる。
訪ねる人なんて 居やしませんよ
馬のいななきが聞こえる。
居やしませんよ
雷鳴が地を揺るがし、稲妻が夜空を無残に切り裂いていく。

「——訪ねる人なんて、居やしませんよ」
誰にも会いたくない

怯えた馬がいななく
パトカーのサイレン

館の主人は現れない
最初からわかっていた

逃避

cyber space

転がる小さなボール
闇から呼んでいる

「もう遅うございます、どうぞお休み——」
もう手遅れだ

片目の潰れた猫が殺した鼠で遊んでいる
いつまでも消えない感触

暴風雨と雷鳴
耳に残る女の悲鳴

出っ歯の小男
無様な自分

白いドレス姿の女
恐怖に歪んだ顔が目に焼き付く

仮想の真実

現実の幻想

逃亡

extended reality

リアルなのか

混乱した思考

交錯する世界

バーチャルなのか

ふいに館はぐるりと裏返り

グロテスクな内面を晒した

音を立てて崩れていくその様子を

私は——、

Now Loading...

END

長い夢を見ていた　長い夢だったら良かった　逃げ込んだ空間を永遠に彷徨いたかった　闇の果てに消えて行く　どうやら退路は断たようだ　壊れることだけが許された　もう一度トライするのだろうか　いや、違う

ゴシックホラーの3大モンスターは、こうして生まれた

●文＝鈴木一也（ゲームクリエイター）

　令和四年末にリリースされた私の最新作『十三月のふたり姫』は、グリム童話の『いばら姫』をベースにした、サウンドノベル的デジタル絵本である。設定とシナリオは私、イラストはアオガチョウ、サウンドは増子司が担当している。

　グリムの原作では、仙女の呪いで美しい姫が百年の眠りに付き、王子様のキスで目覚めるというもの。ディズニーアニメで世界的に有名になった物語だ。私の作品では、その王子様のキスに真実の愛が無く、目覚めなかったらどうなるのか？という設定になっている。

　以後およそ百年ごとに、姫を目覚めさせようとさまざまな王子が訪れる。その中に、三人セットで登場するのが、ドラキュラ伯爵、狼男、フランケンシュタインの怪物たちだ。

　日本人ならこの組み合わせ、孫悟空、沙悟浄、猪八戒の『西遊記』三人組と同じくらい馴染みがあるはずだ。

　実はこのセットを作ったのは、藤子不二雄Ⓐ先生なのだ。その初出は一九六五年『少年画報』で連載が始まった『怪物くん』だ。ドラキュラ、オオカミ男、フランケンの三人が、怪物ランドの王子怪物くんの従者として日本にやって来る。

　この、主人を含む四人編成は、心理学の祖C・G・ユングが分析した人間の人格構成と一致している。彼は人の人格タイプを、思考、感情、直観、感覚の四つに分けており、『西遊記』を例に取ると、玄奘三蔵が思考、悟空が直観、悟浄が感情、八戒が感覚担当となる。ユングによると、この四人で構成された物語は、人の心に入り込みやすくなるのだという。

ドラキュラ伯爵の系譜

　それでは、これら三怪人をそれぞれに掘り下げてみよう。

　まずはドラキュラ伯爵だが、この出自は言わずと知れたブラム・ストーカーの怪奇小説『吸血鬼ドラキュラ』である。さらにそのルーツを辿ると、同じアイルランドの女流作家レ・ファニュの『カーミラ』であり、さらに古くはポリドリの『吸血鬼』へと至る。

　『吸血鬼』は、メアリー・シェリーの『フランケンシュタイン』と同じ夜に生まれた作品だ。

　一八一六年、スイスのレマン湖畔にある別荘ディオダティ荘に集まった男女五名が、生憎の長雨による暇つぶしのゲームとして、それぞれが怪談を創作するという「ヴィラ・ディオダティの怪奇談義」が行われた。

　この長雨がインドネシアの火山大噴火の寒冷化現象のせいという、歴史の偶然の面白さである。ファンタジー小説の誕生が、ナチのロンドン爆撃が原因であるのを思い起こさせる。

　集まったのは、館の亭主である詩人のバイロン卿、詩人のパーシー・シェリーとその恋人のメアリー、バイロンの愛人でメアリーの義妹でもあるクレア・クレモント、そしてバイロンの同性愛の恋人にして主治医のジョン・ポリドリである。この五名の怪奇談義から、『吸血鬼』や『フランケンシュタイン』が誕生したのだ。

　ちなみに、この夜の出来事が麻薬絡みの幻覚か、はたまたほんとうに怪奇現象が起きたのか、という設定にして、ケン・ラッセルが『ゴシック』と

いう魅惑の耽美的フィルムを残している。

二作品に影響を受けたブラム・ストーカーは、実在のワラキア公国とトランシルヴァニアの英雄、ヴラド三世をモデルにして『吸血鬼ドラキュラ』を書いた。

このヴラド三世は、押し寄せるオスマン帝国軍を退け、敵兵を串刺しにして晒したことから、ヴラド・ツェペシュ（串刺し公）と仇名された。またヴラド・ドラキュラとも呼ばれ、ドラキュラはドラゴン・ジュニアといった意味合いになる。ヴラドの父がハンガリーのドラゴン騎士団に所属し、ヴラド・ドラクル（ドラゴン公）と呼ばれていたために、彼自身気に入って用いていた。

伝説のアーサー王の父は、ユーサー・ペンドラゴンだ。これはドラゴンの頭、といった意味で、イングランドを統べる称号だった。中世欧州に於いて竜という言葉の意味するところは、強壮なる英雄であったのだ。

ドラクルもドラキュラも、そうした意を含んでの仇名なのだろう。後にドラゴンは『聖書』に従いサタンとされ、ドラキュラは悪魔の息子という意味あいに変わる。まさに吸血鬼に相応しい名だ。

★『魔人ドラキュラ』

ブラム・ストーカーの物語は、戯曲化されることによって、大衆文化として広がった。このときの舞台演出が、ユニバーサル映画による『魔人ドラキュラ』へと受け継がれて、こんにちの典型的なドラキュラ像が誕生した。

東欧では吸血鬼はひどく恐れられた。死体が吸血鬼となって出て来ないよう、起き上がろうとすると、首が切れるトラップを仕掛けた棺桶まであった。

しかし最近の研究によると、吸血鬼すなわちヴァンパイアとは元来先祖霊のことで、日本のお盆のような祭りに、故郷に帰ってくる存在だったようだ。起屍鬼への怖れは世界共通にある。その恐怖の感情が、伝統意識を塗り替えて、祖先霊を吸血鬼へと変貌させたのだろうか。

狼男とウェアウルフ

ウェアウルフは古くから民間伝承にあったが、現代の狼男のイメージは、一九四一年の映画『狼男』から始まる。ユニバーサル映画による前作『倫敦の人狼』（こちらはウェウルフ）との二作品によって、その設定が作られたといっていい。満月で変身、銀の武器で死ぬ、変身すると凶暴化して、噛まれた人間も狼男になるといったものだ。

手塚治虫の『バンパイア』では主人公が狼化するが、彼の故郷である隠れ里、夜鳴谷の一族は、さまざまなきっかけで完全な獣と化す。この獣化現象をまとめて「バンパイア」としたところに手塚治虫の慧眼がある。

★『狼男』

★『ハウリング』

この作品、『メリー・ポピンズ』に影響された虫プロが、実写とアニメの融合ドラマ化に挑戦している。白黒映像の実写の中で、獣化した姿がアニメで描かれる。主役は水谷豊であり、彼のデビュー作品でもあった。あの右京さんは若い頃、ウェアウルフだったのだ。

初期の狼男映画のメーキャップは、狼男というより猿男で、カッコいいとは言い難かった。一九八一年の映画『ハウリング』では、最新のSFX技術によって、見事な変身シーンが表現された。マズルが伸び獣人化した姿も美しく、これぞウェアウルフといえる。映画はシリーズ化され、以後狼男はこの姿が主流となる。

ウェアウルフの伝承は古く、すでに古代ギリシアで伝えられる。

東欧には狼の毛皮を被ってその力を得る魔戦士がいた。これは強壮なる獣の力を、皮を被ることで手に入れるという呪術に他ならない。熊の毛皮を被った者は狂戦士と化すという伝説もある。古代ギリシアの英雄ヘラクレスは、自らが倒したネメアのライオンの皮を被って獅子奮迅の働きをした。

動物と人を重ね、同一視する呪術の源流は、トーテミズムにある。特定の血族はある動物と深く関わりがあり、事に際してその精霊を宿し、力を揮うことができるというものだ。

悲劇の人造人間

創造主の御業を真似て人を造るという行為は、禁忌中の禁忌だ。錬金術の中でも人工子宮によるホムンクルスの製造は、特に神への冒涜度合いが高かった。そして錬金術の子宮はまた、現代科学を孕んでいた。

『フランケンシュタイン』は、西洋科学勃興期に誕生する。父はアナキスト、母はフェミニストというラディカルな家庭に育ったメアリーは、早熟な才能を開花させてこの怪作をものにする。

映画とは違って原作は極めて哲学的な作品である。せめぎ合う愛と狂気、己の存在の在り処を求める苦悩が、人造人間の中で荒れ狂う。加えて大自然の美しさに感銘を受けるときの、人間性というものの気高さが描かれるのだ。

それらは同じ人造人間の悲劇を扱った、映画『ブレードランナー』へと、しっかり受け継がれている。

一方、一九三一年公開の映画『フランケンシュタイン』は、原作の記号——子供の死、婚礼の襲撃、友人博士の殺害などを上手く拾いながら、まったく違ったエンターテイメント作品として誕生する。なぜかフランケンシュタイン博士のファーストネームであるヴィクターが、友人のヘンリーと入れ替わっているのだが。

何と言っても、モンスターの造形が強烈であった。特殊メイクが映画の華となった最初の作品である。博士の研究室である塔への落雷、クライマックスで燃える山上の風車は、タロットカードの塔をイメージさせ、人々の無意識に刻み込まれる映像となっている。

この作品によってドイツ人的マッド・サイエンティストの典型が誕生する。映画『博士の異常な愛情』のDr・ストレンジラブなどは、フランケンシュタインのパロディともいえる。

本作のパロディの傑作といえば『ロッキー・ホラー・ショー』がある。ここでは不気味な館、マッド・サイエンティスト、人造人間、宇宙人、キングコングと、ゴシック・ホラーをトランスした世界が次々と花開いていくのだった。

★『フランケンシュタイン』

倉阪鬼一郎のゴシック俳句・短歌ワールド

◉文＝日原雄一（精神科医）

さいきん蟄居閉門している。どうにもからだが重たくてうごかない。完全にうごかないわけではないが、すこしでもうごかすとかなりつかれる。

　けれどもうごかさないと暮らしが立たないから、少しずつうごかしてのろのろと生きている。妖美なゴシックな城に閉じこもって暮らしたいところだが、実際は川辺の古アパートだからなさけない。マンディアルグの『城の中のイギリス人』のような生活も送りたいけれど、それほどの精力もなくて困っている。

　蒲団のなかで日がな過ごしていると、どこから蒲団でどこからが自分かわからなくなってくる。さえ氏のラインスタンプで、「もう私おふとんになる」というものがあった。まさにそんな気分だった。倉阪鬼一郎の『悪魔の句集』に、「怨霊退散己が額に魔除け札」という作品がある。倉阪鬼一郎の「怪奇俳句」には、ゴシック文化のもつ「超自然への志向」をさらに強め、みずからが超自然的存在であると明かしているものも多い。

　倉阪鬼一郎は言わずもがなだが、倉阪鬼一郎である。かつては「日本で唯一の怪奇小説家」で、『内宇宙への旅』や『緑の幻影』、『汝らその総ての悪を』というモノスゴイ作品もあった。さいきんは人情時代小説も書きながら、『火星ラストソング』、『最終結晶体その他の物語』という作品も書いている。

　処女単行本は一九八二年。幻想文学会出版局から出版された『地底の鰐、天上の蛇』。第二単行本は二年後の一九八九年。やはり同社からの『日蝕の鷹、月蝕の蛇』だ。一冊目は短篇小説集で、二冊目は短歌集である。どちらも持っているはずだけれど、こういうときに出てこないのがいつもの私だ。その後も三冊目の短篇小説集『怪奇十三夜』をはさんで、四冊目は俳句集『怪奇館』。これも持っている。持ってるはずだが出てこない。

異形の青少年になりたかった私

　アマゾンでみたらマーケットプレイスで、七万円という値がついている。おいおい、さすがに出てこいよとおもって、うごかない体をちょっとだけうごかして探したら、わりとすぐに出てきた。なんだ出てくるんじゃねえかと、ちょっと自分でも自分の現金さに怒りをおぼえた。

　弘栄堂書店が当時出していた、書き下ろし句集シリーズの三冊目。ここにも「かく申す我もむじなぞ油坂」、「剥製の我を欺く薄暑かな」、「晩秋の我を映さぬ鏡かな」など、「我」が異形の者であると宣言した作品がある。

　倉阪氏にはいちどお目にかかったことがあ

る。たぶん二〇〇五年夏、日本SF大会がパシフィコ横浜であった、高校一年生のころだ。それこそそこで催される、倉阪鬼一郎サイン会めあてで行ったのだ。サイン会のまえに、会場廊下で倉阪氏を見かけて、スゴイネ高校一年生の私、声をかけて肩にいる黒猫のミーコ姫様にもさわらせてもらった。あの日、午後にあったサイン会では色紙もお願いして、「行列の一人は被る人の面」という句を書いてもらった。人の面を被った者、異形の者というのは即ち私のことだろうと、当時はずいぶんよろこんだものだ。今はまったく情けがなくて、異形の者でも何にもできない溶けたスライムと化している。

ただ、その句を色紙に記していた倉阪氏は、まさに、鬼才たる異形の作家のすがただったのをおぼえている。

たぶん生涯唯一のファンレターを、友成純一先生に送って、返事をもらって狂喜したのは中三のころか。中高時代の私、蛮勇が過ぎる。

倉阪鬼一郎の句集はその後、『悪魔の句集』、『魑魅』（ともに邑書林）、『アンドロイド情歌』（マイブックル）へと続いていく。『怪奇館』のあとがきには、「怪談ひいては怪奇小説は、せんじつめれば俳句になるのではないかと思う」、「本書は本邦初の怪奇俳句集だが、作者にとってはもっとも短い怪奇小説集でもある」という。同様のことは『悪魔の句集』以降のあとがきでも述べられている。

二〇一二年には幻冬舎新書から、『怖い俳句』が出た。倉阪氏による、俳人たちの詠んだおそろしい俳句をまとめ、解説した好著だ。その後、同新書からは『怖い短歌』、『元気が出る俳句』、『猫俳句パラダイス』などもでている。二〇一八年には沖昌之のねこ写真に、倉阪氏が俳句をつけた『俳句ねこ』（集英社）なんて本もあった。そこには「影つれてねこ歩みをり夏の夜」、「そこで並ぶ黒ねこたちの冬日陰」、ねこを見て猫に見られる冬の路」なんて猫らしい可愛くも不気味な句もある。そういえばゴシック塔には黒猫がよく似合いますね。

まがいものの私を潰してください

倉阪氏の歌集の第二弾は、『世界の終わり／始まり』が二〇一七年に書肆侃侃房からでている。「百年前に死んだ私だから九月の空がこんなにも青い」、「さようならわたしの分身流れていく幾千光年の銀河の果てへ」という短歌もあった。

ゴシック的なる状況のなかでは、異形な自身を閉じ込めておく場合もあれば、流してしまう場合もあるのである。「ばらばらの我を蒐める良夜かな」、「殺すぞと俺が言う俺の屍体の前で」という作品が『悪魔の句集』にある。『アンドロイド情歌』には、「ある晴れた夏の日に私の人形を潰す」という句も収録されている。

潰したくて潰すのではない。潰さざるを得ないから潰すのである。実際の「私」を潰す前に、リハーサルで潰すのである。

ゴシックの堅い城のなかで、私を潰す者はいない。だから自分で潰すし潰れる。

私自身がつぶれる前に、世界がつぶれている場合もある。堅い自己の城のなかから、俗世間を眺める。それもゴシックのスタイルである。「終末は末黒の芒ゆるるばかり」(『アンドロイド情歌』)。

そのタイトルどおりなのが、さきほどの歌集『世界の終わり／始まり』だ。「たぶんゆっくりと回っているだけだから人工衛星など見えなくていい」。「ふ、という字に息を吹きかけてみる少しふるえる世界のかたち」。世界に息をふきかけて、ふるわせてしまうのである。句集においても、「桃の花万物ほろびたるのちに」(『アンドロイド情歌』)、「死の鐘を鳴らす真昼の偽天使」(『怪奇館』)、「千年の滝絶えてこの田螺なり」(『怪奇館』)というのがある。

その城も時が流れる。「文月果つ葉月も果てて日和坊」(『魑魅』)。そのなかで、とつぜん異な来訪者がくることもある。「夏の朝ふと出会ひたる異星人」、「木の芽どき何かがぬつと立つてゐる」(『アンドロイド情歌』)。

いつの間にか隣にぬっと立っていたそのものに呑み込まれて、いまわたしは瀕死である。今

堅い自己の城のなかから、俗世間を眺める。それもゴシックのスタイルである。

回の私はいつもにも増してメッチャメチャですが、遺作とおもえば腹も立てづらいんじゃないですか。全身の関節がひしひしと痛いし、目もぼんやりかすんでいる。起きて座っているのもつらい。困ったなあと思っているが、いま、たとえばきょう安倍さんみたいに銃殺されても、悔いはさほどないかなあと思っている。未練はいくつかありますが。

布団のなかで、ひとつ、倉阪氏の句でとなえるものがある。今日だけでない。一年前も、三年前も、大学一年くらいのころからとなえていた。「打ち水や廃屋の前にも少し」。

打ち水や廃屋の前にも少し。もちろんその廃屋は私である。ぼろぼろの廃屋の私にも、打ち水を少しくれるひとがいる。このトーキングヘッズ叢書に、文章を書かせていただいていることもそうだ。ありがたいことだとおもう。私がすぐに暗唱できる俳句は、自慢じゃないがこの一句だけですね。阿川弘之と北杜夫の対談では、阿川弘之は志賀門下なのに、茂吉の息子の北杜夫のまえで齋藤茂吉の短歌を詠唱する。

そういえば茂吉の歌のなかにも、「ただならぬ世さまといへどうちはらひたるこの風のおと」、「くぐもれる物を払ひて南なる大門を開けいきほひのむた」など、超自然的なものへの憧憬、畏敬をうたったものも多い。

倉阪氏には秘書・ミーコ姫様はもとより、御愛嬢も立派に成長されている。そのかたが、茂吉の息子北杜夫・斉藤茂太のように、父君と同じく文学の冥い血をひくかたであったらいいなとおもう。おもうのは傍目の勝手な妄想である。からだがおもたくて布団の一部と化しているなか、そんなよしなしごとを夢想しては、また眠気がおそってくる。さいごに一句だけ、勝手ながら詠みたい。

秋雨とともに流るる我の跡

南無阿弥陀仏南無阿弥陀仏。有難い有難い。

REVIEW

絵／村祖俊一「闇の救済」

恐怖を主眼にゴシック小説を多面的に論じる

デイヴィッド・パンター
恐怖の文学 その社会的・心理的考察
石月正伸・古宮照雄・鈴木孝・髙島真理子・谷岡朗・安田比呂志訳、松柏社、4000円

★本書は、一九八〇年に出版された一巻本の原著に改訂を加えた九六年の二巻本のうちの第一巻の翻訳である。「日本語版への序文」も加えられ、現代の日本人がどのように「ゴシック」を理解しているかについても言及しているところが嬉しい。

著者のパンターは文学ジャンルとしての「ゴシック」の概念の成立について説明したのち、先行研究を批判的に検討する。そして、ウォルポールの『オトラントの城』からヴィクトリア朝のレ・ファニュまでのゴシック小説を論じるのだが、その主軸となる要素は恐怖である。もちろん、作品の背景にある歴史的・社会的問題や、作品の構造、形式的特徴への考察も盛り込まれているのだが、ゴシック小説が読者を引き付ける特徴は何よりもそこに恐怖が描かれ、読者に戦慄をもたらすところにある。ゴシック小説の研究書というと、特定の論点を追究するあまり、作品に宿る恐怖感自体の考察に行き届かないものもあるが、パンターの姿勢はブレることなく恐怖を主眼として全体を貫いている。

また、十八世紀の半ばから一八七〇年代までの流れを辿る著作ではあるが、単調な作品紹介ではなく、作品をある程度選択して論じており、読み応えがある。登場する多くの作家名や固有名詞については、理解を助ける巻末訳注もあるのだが（ただし年号その他の表記にミスが散見される）、論じられる作品の少なくとも半分くらいは読み通していないと、議論についていくのは難しいであろう。ただ、邦訳されているものも多く、ある程度読書経験があれば、個々の既読作品が有機的に繋ぎ合わされていく議論を楽しむことができる。

論じられるゴシック作品は小説だけにとどまらない。第二章「ゴシック小説の起源」と第四章「ゴシックとロマン主義」では詩作品との関係について、豊富な引用と共に議論される。『批評論』や『人間論』といった作品で古典主義を主張する詩人アレクサンダー・ポープに対し、エドワード・ヤングやロバート・ブレアなどの墓畔派と呼ばれる詩人が取り上げられ、ゴシック小説の先駆けとなった作風が論じられる。また、その後のロマン主義の代表的な詩人たちは、ゴシックから多大な影響を受けただけでなく、彼らの作品にゴシックを取り込んで活用している。詩と散文の垣根を超えて共有されるゴシックの特性が理解できる。

第七章では「初期のアメリカ・ゴシック小説」も取り上げられ、英米を行き来していたゴシック小説の諸相も論じられる。ただし、新世界アメリカでは、イギリスやヨーロッパ大陸のように容易に中世を舞台にした作品を描けない。アメリカでは別の流儀でゴシックが発展し、罪の意識や強迫観念を際立たせるゴシック作品が書かれ、ポーへと結実する。

最終章では読者の大衆化が進んだヴィクトリア時代のゴシックも論じられる。ラドクリフやルイスらによる一七九〇年代のゴシック小説が、いかにしてディケンズやコリンズ、レ・ファニュに継承され、発展していくのかが説明される。（市川純）

ゴシックは時代の変遷とともに変貌し浸透している

★少し前の話だが、某ファストフード店のCMにドラキュラやフランケンシュタインといったゴシックの怪物たちが登場した。それが食欲をそそる演出になるのだろうかとは思ったが、夜限定メニューということで、夜の魔物たちをいくぶんコミカルに登場させたのだろう。

キャサリン・スプーナー
コンテンポラリー・ゴシック

風間賢二訳、水声社、3000円

ゴシックな表現は日常生活の様々なところに浸透している。しかし、日本でそれを大々的にアカデミックな視点で分析し、発表する場というのはかなり限られており、著作物も微々たるものである。

一方欧米はゴシック研究が非常に盛んで、古典的な文学ジャンルとしてのゴシックはもとより、現代文化におけるゴシック、あるいはゴスを追究した著作も数多い。本書は海外におけるこの分野の研究書の数少ない翻訳の一冊である。

序文ではゴシックの語源であるゴート人の話題から、十七世紀に建築用語となったゴシック、その後十八世紀半ばのゴシック小説、さらに建築と絵画のゴシック・リバイバルへの流れが概観される。ゴシックは時代の変遷とともに様々な意味を付与され、変貌し、今や新たな自意識を持ち、グローバルな消費文化の中で様々な分野に浸透している。

第一章「疑似ゴシック」では、冒頭からゴシックをテーマにしたイギリスのパブやバーが取り上げられる。似た趣向の店は日本でも見られよう。これがゴシック・ロマンスの嚆矢『オトラント城』と共に、「疑似」的な中世として結び付けられる。疑似という概念は、ボードリヤールの議論も踏まえ、中世世界の模倣に留まらず、現代の映画作品にも接続される。

第二章は文字通り「グロテスクな身体」表象を取り上げる。十九世紀にも『フランケンシュタイン』のような怪物を描いた作品はあるが、現代のゴシックなアート作品ではさらに身体の醜怪・醜悪に力点が置かれているようだ。

ここまでに紹介される例は日本で馴染みのないものも多く、本書を入門書として捉えるなら訳注もほしいところだが、第三章「十代の悪魔たち」以降はより親しみやすい事例が紹介される。若い女性とゴシックの繋がりは、古典的なゴシック・ロマンスのヒロインにも見られるが、これと関連して、現代の欧米の議論でよく取り上げられるテレビ・ドラマ『吸血キラー　聖少女バフィー』などが議論される。ゴシックなヒロインのイメージは、さらにサブカルチャーやファッションなどの領域にも進出して今に至る。

一見、主流の文化や一般的流行に抗うように見えるゴシックなスタイルであるが、今や、大量消費社会の中で大衆向け商品と緊密に結びついている。第四章「ゴシック・ショッピング」ではそのような消費文化や広告などに見られるゴシックな例が分析される。

ゴシックな表現は、現代に至ってこれだけ拡大、生産されていくうちに、摩耗して斬新さが失われているという見方もある。だが、著者はそれに反論する。現代の恐怖を理解し、語るための方法として、ゴシックという表現様式を評価する結論となっている。（市川純）

家父長制による家の呪縛の怖ろしさ

シルヴィア・モレノ＝ガルシア
メキシカン・ゴシック
青木純子訳、早川書房、3000円

★ゴシック小説は十八世紀のイギリスで生まれた。これにはもちろん、文化的な必然性がある。中世のゴシック美術に価値を見出し現代に再興（リバイバル）しようとする英国人の情熱が、気分の沈みがちな曇り空が続くロンドン郊外の陰鬱な気候が、切り立つ山々に象徴される自然の風景を「崇高」と捉えて賛美する英国生まれの詩人たちの感性が、ゴシック小説の誕生には不可欠だったのだ。

しかしだからといって、イギリスと正反対の気候や風土の土地でゴシックが芽吹かないとは限らない。シルヴィア・モレノ＝ガルシアの『メキシカン・ゴシック』は、メキシコに住む風変わりな英国人一家の屋敷を訪れたヒロインが遭遇する恐怖を描いた極上のゴシック・ホラー作品だ。

舞台は一九五〇年代のメキシコ。首都メキシコシティで優雅な社交生活を送っていた女子大生のノエミのもとに、ある日、一通の奇妙な手紙が舞い込む。手紙の差出人は一年前に英国人青年と結婚し、現在は彼の家で幸せに暮らしているはずのカトリーナといういとこの女性。しかし彼女が寄越した手紙の内容は毎晩のように屋敷に幽霊が現れ、自分は夫に毒を盛られているというおよそ常軌を逸したものだった。旧知の仲であるカトリーナの身に何か異常な事態が迫っていることを確信したノエミは、彼女の嫁ぎ先である英国人一家の住む古い館を訪れるのだが……。

土地の人々から〈ハイ・プレイス〉と呼ばれる、高地にある呪われた屋敷。そこで町の人間と交わらずにひっそりと暮らす、不気味な家族と使用人。自由を保障されているように見えて何かに囚われていく女性たち……。それらが古典的なゴシック小説からのモチーフの流用であることはもはや明らかだ。〈ハイ・プレイス〉へと続く荒れ果てた大地の描写やカタリーナが寄越した手紙の文体（ちなみに彼女の愛読書は『ジェーン・エア』や『嵐ヶ丘』）にも、その影響は色濃く現れている。そのいっぽう、ノエミは家父長制と男性優位社会に抗う現代的なヒロイン像を与えられており、古典的なゴシックの舞台装置との間に生み出されるギャップが、作品の目新しさであり大きな読みどころのひとつとなっている。

作中でノエミとカタリーナの間に立ちはだかる英国人一家（ドイル家の人々）が開陳する思想や行動様式は、まさに歪んだ家父長制が生んだ悪夢そのものだ。ノエミは彼らからのあらゆる種類の暴力に耐える中で、伝統的な〝家〟の呪縛がどれほど凶悪で怖ろしいものであるかを知る。

だがその「傷」は、歴史上書かれてきた数多のゴシック小説の中でヒロインが受けてきたのとまったく同じ性質のものだ。そもそもゴシック小説というジャンル自体、男性的な怪物（殺人者であったり吸血鬼であったり）に囚われた美女の受難を耽美的なモチーフとして取り上げてきたことは否めない。現代的なゴシック・ヒロインのありかたを考える上で、本作は大きな手がかりとなるだろう。（梟木）

ゴシック文学のミッシング・リンクを埋めるアンソロジー

幽霊綺譚
ドイツ・ロマン派幻想短篇集

ヨハン・アウグスト・アーペル、フリードリヒ・ラウンほか

識名章喜訳、国書刊行会、5800円

★ライン同盟が結ばれたことで、ナポレオン戦争期に束の間の平穏が訪れていた一八一〇年。怪奇小説アンソロジーの先駆作『幽霊の書』の第一巻が刊行された（本書の底本である）。だが、著者のアーペルやラウンも、同時代においては人気を博しながらも、いまや文学史からは抹消されかかっており、専門家ですらその名を記憶している者は稀である。

アーペルは『ウンディーネ』のフケー、ラウンは「砂男」のホフマンらと交流があり、紛うことなきドイツ・ロマン派の正嫡だ。だが、『青い花』のノヴァーリスらが求めた「無限への憧憬」よりも、市民生活の実際や、ペローとグリム童話を橋渡しするような創作メルヘンにより強い関心があった模様。その意味で、一八一五年のメッテルニヒによるウィーン体制から一八四八年革命に至るビーダーマイヤー期の精神性を、見事に先取りしているのだ。訳者の識名章喜の解説を参照しつつ、その特色を概観したい。

悪魔がもたらす銃弾、不吉な言葉を発する髑髏、吸血する花嫁、謎の双生児といったロマン派的モチーフをふんだんに織り交ぜながら、レトリックはほどほどに抑制されており、運命劇の悲哀よりも、雰囲気と筋書きの興趣によって読ませる仕掛けとなっている。幾重にもプロット上のどんでん返しや、メタフィクションじみた仕掛けが施された収録作も散見される。怪異の裏側には、えてして教訓が臭わされているが、なのに、しっかり怖い。シラー『招霊妖術師』やゲーテ「コリントの花嫁」の影響は露骨すぎるほどだし、逆にホフマンが影響を受けたというのもよくわかる。雰囲気たっぷりなのに、なんだか身近な感覚があるのも不思議なところ。そりゃあ人気も出ようし、生真面目な研究者が通俗的だと敬遠するのも必定だ。けれども、七里靴という魔法のアイテムが共通する、シャミッソーの『影をなくした男』ともまた違う。

本書はイギリス発のゴシック文学をドイツがどう受け止めたのか、具体的な回答を示す好例だ。もととなった『幽霊の書』が、翻訳を介してイギリス本国へと逆輸入されてもいるのだから、もう間違いない。日本語版では、全五巻本からフランス語版の編集方針に従って収録作が精選されたが、やはり特筆すべきは、メアリー・シェリー『フランケンシュタイン』やポリドリ『吸血鬼』を生んだ〝ディオダディ荘の怪奇談義〟において、本書の収録作が実際に言及されている事実だろう。また、巻頭の「魔弾の射手」は、ウェーバーの名高き同名の歌劇の着想源となっている。あくまでも不朽の名作群の産婆役に留まり、肝心の作品そのものが十全に記憶されてきたわけではないのがご愛嬌だが、文学史のミッシング・リンクを埋める作品とは、えてしてそういうものでもある。だからこそ一周まわって、この味わいは他に代えがたい。酸いも甘いも噛み分けた、現代を生きるすれっからしの読者こそ、どこまでも本書を愛せるはずなのだ。（岡和田晃）

無限に増殖を続ける部屋は、死への恐怖そのもの

ウィンチェスターハウス アメリカで最も呪われた屋敷

マイケル・スピリエッグ&ピーター・スピリエッグ

★あなたはアメリカにある「ウィンチェスター・ミステリー・ハウス」をご存じだろうか。かつて銃の製造で栄えたウィンチェスター家の当主サラ・ウィンチェスターによって一八八〇年代後半に建てられたその屋敷では以来三八年間、彼女が亡くなるまで一時も休むことなく増改築が行われ続けた。サラはその人生で娘と夫を立て続けに亡くしており、家の改築を止めれば霊障に祟られてしまうと本気で信じていたという。そんなウィンチェスター家にまつわる忌まわしい逸話をもとに、ゴシック的なホラー映画として仕立て上げたのが『ウィンチェスターハウス アメリカで最も呪われた屋敷』（二〇一八年）だ。

一九〇六年、アメリカ。精神科医のエリック・プライス（ジェイソン・クラーク）はウィンチェスター社の顧問を名乗る人間から、同社の筆頭株主であるサラ・ウィンチェスター（ヘレン・ミレン）の診察を依頼される。娘と夫を連続で失ったサラはそれを悪霊の仕業と考えるようになり、その怨念を鎮めるための屋敷の建設に異常な執念を燃やすようになっていた。もし正気でないと診断されれば、彼女はウィンチェスター社への影響力を失ってしまうのだろう。そう思いながらも高額な報酬と引き換えに依頼を引き受けることを決めたエリックは、カリフォルニア州サンノゼにあるサラの邸宅へと向かうのだが……。

黒いヴェールと喪服に身を包んだ不気味な老女。屋敷の中で起こる怪奇現象の数々。信用ならざる青白い顔をした使用人たち……。いかにもゴシック仕立てな見どころの多い作品だが、最大の特徴はなんといってもドラマの舞台となる屋敷の異様なヴィジュアルだ。基礎計画もなく突貫で工事が重ねられたその屋敷は（どこにも通じない階段の存在や廊下に向けて開くように設計された出窓など）非常に奇妙な構造になっており、人の住む家でありながら迷宮のような錯覚を視聴者に与えることに成功している。世界で最初のゴシック小説の作者として知られるホレス・ウォルポールもまた、自身がもつゴシック風の屋敷への偏愛を投影させて『オトラント城』という作品を書いた。本作の主役はゴシック小説に登場する迷路のような「屋敷」そのものだといって過言ではない。

サラの行いは明らかに正気を疑われるものだが、じつは医者であるエリックもまた、心に大きな闇を抱えている。自らの過ちによって妻を亡くした過去を持つエリックはアルコールと薬物に依存する生活を送るようになってしまっており、その意味では夫を失い霊媒に縋るようになったサラと、鏡映しの関係にある。作中では「屋敷」の存在によって、サラばかりではなくエリックが直面している問題も浮き彫りにされていく。

無限に増殖を続ける死者のための部屋。それはサラの心の影であり、抑圧された「死」への恐怖そのものだ。しかしその不安は同時に、私たちの誰もが持っているものでもある。ウィンチェスター・ミステリー・ハウスという題材がゴシック的想像力をかき立てるとしたら、もしかしたらそんなところに理由があるのかもしれない。（梟木）

1985年、ゴシック文化にハマっていく実体験

古屋兎丸
1985年のソドム

太田出版、1500円

★古谷兎丸が出していた個人誌は、でるたびに買っていた。銀座ヴァニラ画廊での個展の際だったり、中野のまんだらけだったり。そこで描かれた作品群と、コミック誌等に発表された短篇『ソーマキルの予告』、谷崎潤一郎原作の『少年』が、この度まとめて太田出版から刊行された。

個人誌として出たのは、『麻布十番に死す』に、太宰治原作の『女生徒』。そしてこの『1985年のソドム』。古屋兎丸の自伝的作品で、当時のゴシック文化の記憶がみごとにそこにあった。

山にかこまれた「穏やかな田舎町」。当時、中学生だった古屋兎丸にはその山々が、「まるで僕を監視し閉じ込めてる」ように感じられた。

けれどもそんなところにも、刺激的な出来事はある。昼休みの校内放送で、スネークマンショーが流れたり。描いたイラストを雑誌に送ったら、賞をとって掲載されたり。

お昼の放送で、かの楽曲を流した三年の小倉先輩は。美術でも前衛的な絵を描いて、麻布高校に進学していった。「僕はここに置いてけぼりをくらったような気がした…」。

この「閉ざされた地」にいたら「ダメになる」。「ここにいたら僕は死んでしまう」。そんな焦りもかかえつつ兎丸少年は、進学先の高校を吉祥寺の明星高校にえらぶ。

吉祥寺。中央線の西東京ではオシャレな街で、たしか「住みたい街ランキング」でも一位だった気がする。「行きかう人すべておしゃれだ!」、「空気まで違う」、「なんか…すべてが輝いてる」って感激しっぱなしである。

高校ではテニス部に入って、ちゃんと高校デビューするが、怪我をして学校をひと月やすんで、その間、家にあった夢野久作『ドグラ・マグラ』や三島由紀夫『美徳のよろめき』、太宰治『人間失格』を読みふける。

その後、ひょんなことから美術部に入る。ひそかに好意を抱いていた女先輩たちとライブに行って、帰り道、新宿ロフトの近くで、丸尾末広を仲間が見つける。そして『薔薇色ノ怪物』を読んだり、いよいよ東京グランギニョルの芝居に行く。もちろん『ライチ・光クラブ』だ。

下北沢の東演パラータで、丸尾末広も出演するその舞台を観終わったあと。女性の先輩とふたりで、「すごかったね…」、「うん すごかった…」と言葉少なになってる。そして「僕も何か表現したい」と決意する。

それが1985年。古屋兎丸が『ライチ☆光クラブ』を描くのは2006年、二〇年後だ。もちろん『ライチ☆光クラブ』は、その後もふたたび舞台になったり、映画化もされている。私が目にできたのはコミックと映画だけだけど、血と闇と気高さと、ゴシックな美学の頂点と感じた。

東京グランギニョルの、飴屋法水はまだ生きている。丸尾末広も新刊を出している。あの人もこの人も、思わぬ訃報もあいつぐなかで、こうしたレジェンドが健在でいてくださるのはありがたいことだ。願わくば、私自身も生きてたい。(日原雄一)

Gothic-R

時代を経てなお輝きを増す ゴシック・ジュブナイル

――ルイスと不思議の時計シリーズ

◉文＝水波流（作家・舞台制作者・FT新聞編集長）

1948年、ミシガン州のとある田舎町。事故で両親を亡くした少年は、初めて会う叔父の住む古びた屋敷に引き取られる。そこには秘密が隠されており、やがて少年は禁忌とされる死者を蘇らせる呪文によって、かつての屋敷の主である邪悪な霊魂を呼び出してしまう……。

ゴシックホラーの定番とも言える設定で始まるシリーズものだが、続刊には女性コンビが主人公のものや、クトゥルフ神話をモチーフにしたものもある。これが50年前に書かれた児童文学作品だと聞くと驚く方もおられるだろう。

『ルイスと不思議の時計（旧訳『ルイスと魔法使い協会』）シリーズ』は、ゴシックファンタジーの名手と称されるジョン・ベレアーズ（1938-91）によって書かれた、少年ルイスの10歳から14歳までの5年間を描いた物語だ。ベレアーズの死後もファンであったSF作家ブラッド・ストリックランドの手によって、遺稿やアイデアメモを元に書き継がれている。1973年から2008年にかけて全12巻が出版、8巻までが日本語訳され、2018年には映画化も成された。

★ジョン・ベレアーズ『ルイスと不思議の時計』（静山社ペガサス文庫）

作者のベレアーズは自らの生まれ育った町マーシャルをモデルに、アメリカの古き良き田舎町「ニュー・ゼベダイ」を生き生きと描いた。南北戦争時代の記念碑や閉鎖したオペラ座、郊外には恐ろしげな墓地の丘があり、手に入る情報はラジオと新聞、そして一軒のドラッグストアのみ……そんな小さな町を舞台にそれぞれの物語は展開していく。

ゴシック小説では主に古城や旧館、修道院などの中世ゴシック様式の閉鎖的な建物で起こる超自然的な恐怖や怪奇現象が描かれるが、そうした構成要素の中でも特に重要なのは、孤立した環境や隠された秘密といったものだ。本作ではそれを少年少女の抱える孤独感や立場的な孤立に置き換える事で、ゴシックでありつつ現代的なストーリーに見事に仕立てている。

少年ルイスは太っていて内向的で、病的なほどの怖がり。引き取り手である叔父に見放されることを何より恐れており、トラブルを引き起こしても打ち明けることが出来ず、結果的に事態は混迷の度を深めてゆく。約70年前の保守的な時代、両親に死に別れた少年にとって、居場所を失う不安は生活の中で最たるものなのだ。

そしてルイスからすれば完全無欠に見える相棒の少女ローズ・リタもまた悩みを抱えている。活発で勇敢な彼女だが、周りの女の子からは浮いており、可愛いスカートをはいて男の子とデートしたりすることに全く興味を持てず、自分らしさとは何かと思い悩む。

★（右）エドワード・ゴーリー挿画による『ルイスと不思議の時計』のオリジナル版
（左）映画「ルイスと不思議の時計」

この二人の周りを固める大人が二人。幻術を使う心優しい魔法使い、叔父ジョナサンはルイスを一人の個人として尊重し温かく見守るが、男手ひとつで甥を育てる難しさに人知れず苦悩している。魔法大学の博士号を持つ優秀な魔女、ツィマーマン夫人は、葉巻を吸い、自動車を運転する自立した開明的な女性として描かれるが、町の住人からは再婚もせずに女らしくないと批判されている。夫人は2巻でルイスを邪悪な霊から守るため魔法の力を全て失ってしまう

時代が変わっても、闇への憧憬が形を変えて確かに存在している

が、弱った彼女を支え奮闘するのはローズ・リタである。3巻と4巻ではこの二人がバディを組んで女性だけで冒険を繰り広げる。本当の母親以上に優しく、時には厳しく教え導く夫人は、人生は人の真似ではなく自分で納得のいくものを選ぶべきだと語る。

　血の繋がりによる家族愛や既存の恋愛関係ではない、いわば擬似家族のような信頼関係の有り様や、男女ともに自分らしく生きることについて描く本作は、１９３８年アメリカ生まれの男性作家の手によって１９７０年代に書かれたことを考えれば、驚くほどに先鋭的な切り口の物語だ。

　一方、本作は児童文学でありつつも正統なゴシックホラーとして、怪奇現象については決して子供向けなあやふやなものにしていない。中世から伝わる魔女狩りの歴史や、登場する吸血鬼や亡霊などの怪物の持つ特性や法則、クトゥルフ神話の世界観についても、子供にもわかるように平易にしつつも、物語への没入感を削ぐことなく自然に知識を受け入れられるよう配慮されている。

　またオリジナル版イラストはかのエドワード・ゴーリーが手がけている。ゴシックホラーらしい闇を孕みつつ奇矯さに溢れ、本国では本作はゴーリーの絵と不可分と言われるほどだが、残念ながら二度にわたり出版された日本版ではゴーリーの絵は未採用である。

　本作の舞台である１９５０年代の田舎町は、1巻の執筆された１９７３年であればまだしも、現代から見れば70年以上昔であり、子供たちは勿論のこと、大人の読者にとってももはや遠い時代となりつつある。しかしそこには、ゴシックの根底に流れる、中世という時代やその抱える闇への憧憬が形を変えて確かに存在している。怪奇現象を切り口にしつつ、今も昔も変わらぬ少年少女の抱える悩みと向き合う、現代の目で見ても魅力的なゴシック・ジュブナイルだ。まさに古くて、新しい。ゴシックは何度でも甦り、そして永遠に不滅なのである。

山野浩一のネオゴシック論

——二十世紀の前衛文学を包括的に名ざすこと

●文＝岡和田晃・前田龍之祐

「聖性」の回復を求めて

「ゴシック」とは小説や映画、絵画やアニメ、さらにはゲームまで現代における様々な表現ジャンルで見られるカルチャーのひとつだが、その中心にある精神を考えようとする際、それはひとえに「近代的価値観」への反発だと言って差しつかえないように思われる。

たとえば、作家の高原英理は『ゴシックハート』のなかで、ゴシックを「過去の遺産の変奏」だと規定した上で、自由や進歩、あるいはヒューマニズムなどという「近代民主的価値観」に対する批判にその特徴を見ていた。ゴシックの起源といわれるホレス・ウォルポールの『オトラント城綺譚』は、十八世紀半ばに書かれた小説であるが、中世イタリアのゴシック式城壁を舞台に展開し、悪魔や吸血鬼が登場する、ある意味で時代錯誤的な趣を呈するものだった。

ウォルポールは、この小説を自らゴシック風に改築したストロベリー・ヒルという邸宅で書いていたが、興味深いのは、その執筆とほとんど同時期に出たのがエドマンド・バークの『崇高と美の観念の起源』（一七五六）だったという事実である。同書は、人間の感覚把握を超え出るような不快感を伴う刺激に、「崇高」という価値を与えたが、それは理性では捉えられない不気味さの裏返しとして存在するものであっただろう。ウォルポールもまた「冷ややかな理性しか欲しない今の時代」を腐していたというが、そんな時代（近代）に不気味さと崇高さを宿す「自然の体験」を求めて、彼はゴシックに導かれていったように思われる。

実際、ゴシックの隆盛の裏には「自然崇拝」の念が強く作用していただろう。十二、十三世紀ごろ、異教の母神信仰を抱えながら、愛する大地を捨てて都市へと移住してきた農村出身の人間たちは、「聖性の体験の場」、「自分と自然との連帯」を求めて、ゴシック大聖堂の建築に乗り出した（酒井健『ゴシックとは何か——大聖堂の精神史』ちくま学芸文庫、参照）。〈故郷＝自然〉を喪った人々によるある種の「聖性」の回復——おそらく、ここにわれわれが、ゴシックに引きつけられる理由がある。

このようなゴシックの精神は、中世騎士道物語が体現するような「聖性」と軌を一にするものである。『オトラント城綺譚』第二版でウォルポールは、中世と現代の二つのロマンスの融合を目指したと高らかに存在した。現代のロマンスとは同時代のリアリズム長編小説すなわち「新奇なもの（ノヴェル）」のことを指していたが、そこにウォルポールは非現実的かつ非合理とみなされてきた超自然的な奔放さを持ち込もうとしたわけだ（中島晶也『ゴシック・怪奇・ホラー』）。懐かしくも「崇高」で新奇（ノヴェル）な超自然のロマンス、それがゴシック小説（ロマン）の出発点だったわけである。

『V.』、『アルゴオルの城』の「底部」

ゴシックロマンの魅力を、地下室・墓・堀といったモチーフに代表される中世的な混沌とした暗闇、そして闇に連なる「底部」に宿るとしたのが作家の山野浩一だ（「サイエンスフィクションとネオゴシック」、一九八二）。山野はゴシックロマンを「今日の通俗小説の全ての原点」だと論じている。山野によれば、ゴシックロマンの暗黒性は、魅惑と恐怖をともにもたらすものとして、犯罪・恋愛・冒険・戦争といったテーマにも変化し、それらはスリルやサスペンスをエネルギー源としつつも、「底部」から直接的に解放と平安へ向けて推進する点が共通する。

曰く、とりわけ英語圏の小説にはゴシックロマンの直接的な影響を受けた作品が少なからず存在する。ポーやホーソーン、何よりメアリー・シェリーの『フランケンシュタイン』だ。現代小説においては、マーヴィン・ピークの〈ゴーメンガースト〉シリーズは、こうしたゴシックの設定や手法をそのまま用いながらも、カフカ的なアイデンティティの追究、そしてジュリアン・グラック『アルゴオルの城』（『アルゴールの城にて』）のようなシュルレアリスムや、J・G・バラード『沈んだ世界』のようなSFとも響き合うものが多い。

山野がユニークなのは、こうしたシュ

ルレアリスムやＳＦのみならず、カフカ以降の二十世紀小説に見受けられる――実存主義的な〝不条理〟とも呼ばれる――現代人の無意識的な不安を総括して、アイデンティティの「底部」として位置づけ、中世の「闇」に見られる「底部」と重ね合わせた点にある。曰く、中世的な不安をあたえる城や僧院のイメージは、トマス・ピンチョンの『Ｖ．』では現代都市のありように生まれ変わりながらも、同様に人間へ不安と呪縛、そしてある種の安寧を与える、と。

むろん、『オトラント城綺譚』にあるような原点としてのゴシック性と、『Ｖ．』がもたらす感興が奇妙な一致をもたらすとしても、相互に直接的な連関性があるわけではない。にもかかわらず、「底部」を指向する「中世」的な感覚が共通する。『Ｖ．』は「Ｖの字型世界を想定し、底には重力的な安定性を与えて恒常的な安息（エントロピーのない世界）」を認める点に「聖性」があるというわけだ。山野はそうした小説を「ネオゴシック」と名づけた。

山野の思想の根底には、ベルジャーエフの提唱した「新しい中世」（「あたらしき中世」）概念からの強い影響があった。現代を西洋的な進歩主義ではなく、非合理な「中世」の再来とみなす見方のことである。それが、カトリックや近代科学が体現する、男性的な進歩概念と対置される「恒常的世界」としての女性性への関心に繋がっていたわけだ。

例えば、山野はゴシックロマンにおいて、迫害者は常に――Ｍ・Ｇ・ルイスが描く悪徳に手を染めた修道僧（マンク）のように――中世的な存在として登場し、多くの場合、受難者は女性として描かれている。けれども『フランケンシュタイン』の場合は、迫害するのは社会で、受難者は怪物という転倒があり、そこに「弱くて美しいもの」を女性とするステレオタイプへのラディカルな批評意識が宿っていた。

山野は「迫害小説」としてのゴシックロマンの原型的ムードが、ブロンテ姉妹からアンナ・カヴァンに至る女性作家たちの作風として受け継がれながら、メアリー・シェリーのラディカルさはジョアナ・ラスやＵ・Ｋ・ル＝グインらのフェミニズムＳＦの登場まで、引き継がれなかったと論じている。ゴシックロマンの「底」から近代へと「飛翔」する過程で、シェリーはサイエンスの意義を重要視した。ゆえに、フランケンシュタイン博士の生み出した怪物は女性のアレゴリーであると同時に文明のアレゴリーという二重性を帯びるわけだし、怪物は閉鎖的な「城」ではなく現実の社会へと引きずり出されるに至ったというわけだ。フェミニズムＳＦは、バラードらが提唱した思弁小説（スペキュレイティヴフィクション）としてのＳＦを目指す革新運動たるニューウェーヴとも一つの連動を見せていた。つまりシェリーのラディカリズムは、ＳＦの自己批判によって再発見されたとみなすことができよう。

興味深いのが、山野が提唱した「ネオゴシック」小説のなかには、『失われた足跡』や『バロック協奏曲』をものしたカルペンティエールのようなラテンアメリカ文学も含まれていたことだ。その底にある土着性から、「城や劇場を通じてヨーロッパ文化が二重露出の画面のような文明を現出している」。こうした二重性は、『アルゴオルの城』の場合、「何度も現実へ戻りかけたり、底へ降りたりという彷徨をくりかえ」す形で立ち現れる。かような系譜を、山野は図式化する形で整理している（図を参照）。現代社会に遍在するゴシック性を、「ネオゴシック」という観点から系譜的にまとめ直しているわけだ。

「聖性」への希求を「底部」に対する批評意識へと読み替えることで、革新的なＳＦと共振する二十世紀の前衛文学に包括的な名を与えようとしたこと。それが山野浩一のゴシック論が斬新で、今なお参照に堪える理由にほかならない。

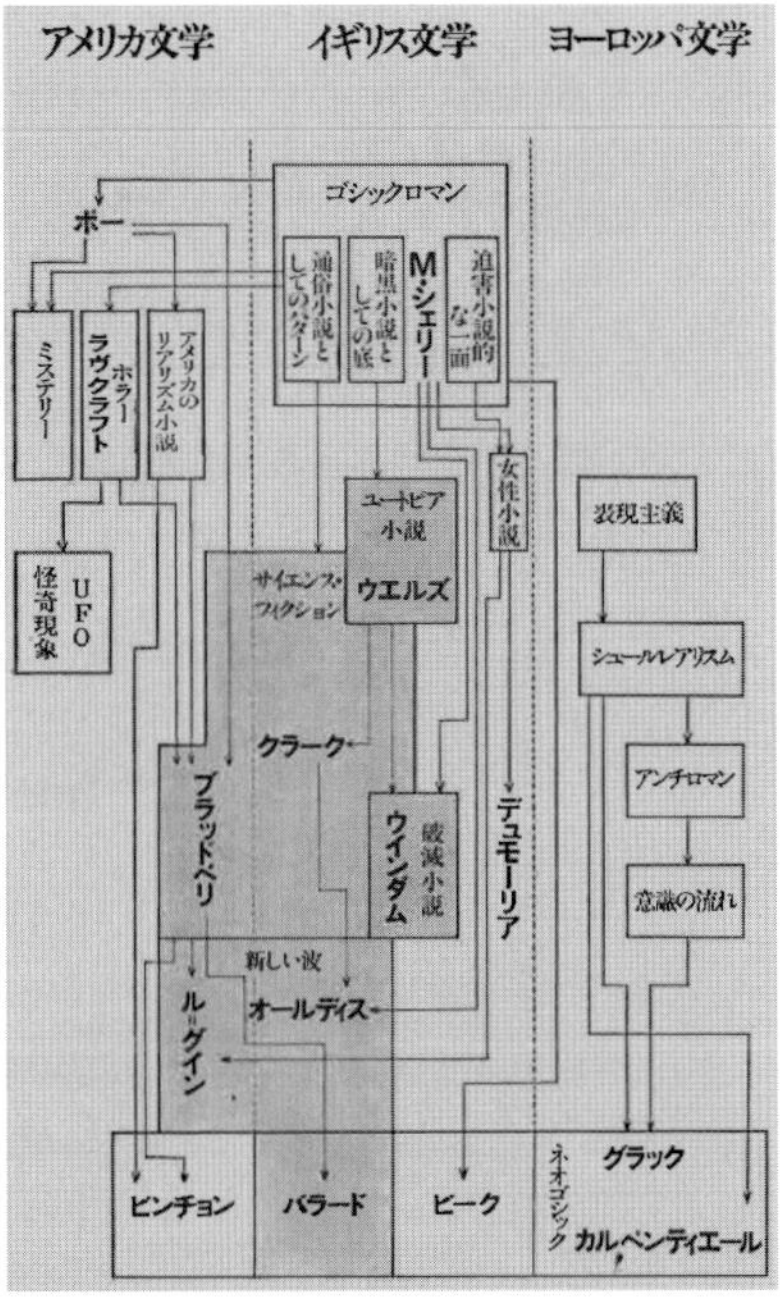

★山野浩一「サイエンスフィクションとネオゴシック」（小池滋＋志村正雄＋富山太佳夫編『城と眩暈 ゴシックを読む』所収、国書刊行会、1982）より

岸田尚一コマ漫画 ◉コラージュ＆文＝岸田尚

22号棟505号室

◉文＝本橋牛乳（物書き）

特別募集住宅

おそらく、元は畳敷だったのだろう、その居間はフローリングにリフォームされ、狭かったキッチンと一体化し、リビングダイニングとして使えるようになっていた。

エレベーターのない建物の5階まで上がった先、古い鉄のドアを開けると、築60年を超える団地とは思えないほどのリフォームがほどこされており、壁はクリーム色、天井は白っぽく、見晴らしの良い窓と共に、明るい部屋をつくっていた。

西の端にあるその号棟からは、高い建物はほとんど見えず、それどころか遠くには山の影すら見えた。

そうはいっても、窓枠はアルミサッシの一重窓で、夏の暑さ、それ以上に冬の寒さはこたえるかもしれない。浴室なども、浴槽こそ新しいものに入れ替えられているものの、冬でも外気浴ができそうな窓になっていた。さらに、浴槽に新たな電源をひき、あるいは洗濯機の排水も浴室に流すため、パイプやケーブルカバーがはりめぐらされている。それは浴室だけではない。エアコン設置を可能にするための窓枠の改造も行われているし、その電源ケーブルは玄関の配電盤から直接引かれている。

私と妻がその部屋を選んだのは、いくつか理由がある。テレビのコマーシャルで男女の人気俳優が、礼金も更新料もないことを宣伝していたから。そして、特別募集住宅にしたのは、それは事故物件と一般に言われるものだが、2年間は家賃が半分になるからだ。

私たちはまだ20代で収入はそれほど多くない。結婚したばかりで、将来のためにお金を貯めなくてはいけない。そうであれば、2年間とはいえ、家賃が半額になることは大きい。

まだ若い私たちにとって、エレベーターのない5階は、さして問題ではなかった。むしろ、見晴らしの持つ魅力の方が大きかった。

事故物件というのは、この部屋で誰かが亡くなったということだ。妻によると、事故物件を気にしていたら、年を取った時に高齢者専用住宅に住むことなんてできないという。最近は看取りまで行われているのだから、そこで人が死ぬのは特別なことではない。それに、これまで生きていて、幽霊を見たことも怪奇現象に出会ったこともないのだから、これからもないと考えていい、ということだった。

私はその通りだと妻に伝えた。

階段世話人

団地の建物の構造は、階段を間にはさみ、2室ずつが向い合せになって5階まで続くというものだ。22号棟の場合、1つの階に10室あるので、階段は5つあるということになる。

階段と廊下という組み合わせであれば、階段は1つですむと思う。それに、その方がエレベーターも後付けしやすかっただろう。今の構造では、エレベーターを後付けするにしても、5基も設置しなくてはいけない。このことが、エレベーターの設置の障害になっているのではないか。

引っ越してきて最初にすることの1つが、妻との挨拶回りである。向かいの５０６号室に住んでいるのは、30代くらいの独身の女性だった。まだ越してきて間もないらしい。向かいが空室なのがずっと不安だったという。そのため、なぜ５０５号室が事故物件だったのかは知らないということだ。

３０５号室に住んでいる中年夫婦が階段世話人ということだった。団地の住人は団地の自治会に加入することになっており、自治会費の集金や連絡事項の周知などは、それぞれの階段にいる階段世話人が行うことになっている。階段世話人の話好きの女性には、早速自治会費を徴収された。しかし、５０５号室が事故物件である理由については、まあ、何かあったみたいね、ということしか言われなかった。

階段世話人の女性以外は、あまり愛想がいいとはいえない。引っ越しの挨拶でうかがっても、「ああそうですか」くらいの反応しかなく、挨拶の品を受け取ると、短くお礼を言い、すぐに扉を閉めてしまう。特に４０５号室の比較的若い夫婦はとても神経質そうだ。妻はフローリングの床を歩くときは気をつけなきゃいけない、とぼくに注意をした。

他には、１０５号室のベトナム人の夫婦と１０６号室の単身男性高齢者、２０５号室の小学生の子供がいる世帯と２０６号室の男性二人暮らし、３０６号室には中学生の男子がいる母子家庭、２階にはまだ小学生の子供がいる世帯とベトナム人だという夫婦の世帯、４０６号室の単身女性高齢者の部屋ではよく中年の息子が来るのを見かけるという。こうした話も、一部は階段世話人から得られたものだ。

会えば挨拶はするが、そもそも会うことが少ない。ただ、誰もがひっそりと暮らしている。５階まで続く階段の空気だけが、外から切り離されて、じっと動かないでいる。

地上からベランダを見たときに、人の暮らしのモザイクが見える。その中には空室も含まれている。

マーケット

団地の中央部には、商店街がある。といっても、実質的に買い物ができるのは、初めて聞く名前のスーパーマーケットだけだ。他には、訪問介護事業所、電気工事店、平日限定のオーガニック系のカフェと高齢者向けのフィットネス教室がある。

元々は八百屋も魚屋も肉屋も酒屋も牛乳屋も床屋もあったようだ。しかしそれらの看板は裏返しにされ、使われていない店舗はシャッターが閉まったままである。

スーパーマーケットの開店時には、屋外に多様な安売り商品が積まれている。清涼飲料水や缶詰、トイレットペーパーなどが多く、価格は半額以下のものもある。ほとんどは、いわゆる賞味期限切れに近い商品で、中には高麗人参入りのビールのような、これはちょっと売れそうもないのではないか、というようなものもある。

入り口近くにあるのは、ごくありふれた野菜だ。大根や人参、白菜に玉ねぎに馬鈴薯。比較的安いが、サイズはそろっていない。これは果物も同じだ。引っ越した季節にはまだ苺が並んでいたが、それらは小粒で安かった。お金のないぼくたちにとっては、小さくても苺だというのがありがたかった。規格外の野菜や果物を安く仕入れてくるのだろう。一度だけ、片栗の花がお浸し用に売られていた。

鮮魚コーナーは野菜とは対照的に、他の魚屋やスーパーマーケットでは目にすることの少ない魚が目立った。刺身では、鮪はもちろんあったが、変わったところでは鯔や馬面剥、太刀魚など。温泉鯛の刺身もあったが、どんな魚なのか、想像つかない。フライなどにする魚では、毛鹿鮫が安かった。ベトナム産キャットフィッシュというのもあったが、これはようするに鯰である。鯵や鯖の干物に混じって、☒や翻車魚の腸の干物もあった。

それから、生きた泥鰌や沢蟹を見るのも楽しかった。

藤壷や亀の手が味噌汁用に売られており、どちらも食べてみたが、藤壷の方がおいしいということで、ぼくと妻の意見は一致した。

精肉部門では、いわゆるもつ焼き用の部位が充実している。豚の頭を丸ごと売っていることもあった。確かに豚耳などはおいしいのだが。それにしても買う人がいるのだろうか。もちろん、豚も牛も鶏も、肉の部分は普通にある。ただ、○○黒豚や××地鶏などのブランド品がないだけだ。むしろカナダ産の豚肉とブラジル産の鶏肉の方が目立つ。

焼却炉

階段の横には、ダストシュートの跡がある。しっかりと塞がれており、二度と開くことはないだろう。ダストシュートの先には、ごみ置き場がある。そこでごみをうけとめていたはずだ。

60年前は、団地は人々にとってあこがれの文化住宅だった。モダンな建物の中で、テレビや扇風機や冷蔵庫がある生活をする。地方から出てきて、核家族の世帯を持てば、当時としては最新の住まいに住みたくなる。テレビや電気炊飯器などの家電製品に囲まれた暮らしが、新しい時代そのものだった。

そして、ごみが出ればダストシュートに投げ入れればいい、ということも、その頃は未来的だったはずだ。室内にごみを溜めることはない。その頃は、ごみを分別する習慣はなかった。だから、どんなものでも投げ入れていたのだろうか。

ごみが投げ込まれていた先には、ごみバケツのようなものを入れるスペースがあったはずだ。バケツの中身は、ごみ収集車が回収し、住民は交代でバケツを洗うことになる。今、そのスペースには山法師が植えられている。

団地の建物の歴史を感じさせるものの一つが、焼却炉の跡だ。

22号棟の脇には、長い煙突が残っている。しかし地上にあるのはコンクリートの土台だけだ。焼却炉があったが、とうの昔に撤去された。

ごみは回収されるだけではなく、焼却されていた。生ごみこそ焼却に向かないが、紙ごみはたやすく燃える。

いらないものは燃やしてなくしてしまうというのが、それもまた現代的な生活だった。

焼却炉があれば、どんなものでもこっそりと燃やしてしまうことができる。人に知られたくないものも、燃やされていたことだろう。どのようなものがダストシュートから捨てられ、どのようなものが焼却炉で燃やされてきたのか、想像をすることはできる。モダンな暮らしの中で、切り捨てられてきたものたちのことを、想像することはできる。

欅、桜、銀杏など

団地には公園があり、また、棟と棟の間にも広いスペースがある。その一部には、樹木が植えられている。

団地の敷地内には、巨木は少なくない。巨木として目立つのは欅だ。団地が完成した当時に植樹されたものなのだろう。60年もたてば、大きな木になっている。団地に住む人たちが成長し、あるいは老い、入れ替わっていく一方で、欅はただひたすら、幹を空に向けて伸ばし続け、あるいは幹を太くし続けた。

欅以外には、桜や鈴懸木、樫、柳などもある。特に桜の場合は、染井吉野という品種に限るのかもしれないが、老木の域に入っている。根が周囲に張り出し、舗装されたコンクリートを持ち上げ、ひびを入れている。そして、一部の桜の幹には、固い茸が生えているし、あるいは苔に覆われている。樫は秋になるとたくさんの団栗を落とす。小さな子どもにとって、団栗を拾うのはとても楽しい。椎の団栗であれば食べられるのだが、椎は団地から少し離れた神社の薄暗い境内にしかない。

銀杏の木が並ぶ一角もある。後から植えられたのだろうか、巨木ではない。それとも、成長が遅いからだろうか。銀杏は虫がほとんどつかないので、団地の風景を清潔なものにする。秋の終わりには黄色く色づくが、それは団地の影の当たり具合によって時期が変わってくる。銀杏の何本かは雌で、秋には銀杏が落ちてくる。これは住民の誰かが拾い集めて持っていく。妻はそれを見て、自分も拾えば良かった、と言う。

箱柳の大きな木は、団地の敷地のうち外れに何本かが生えている。欅が木陰をもたらしてくれるものだとしたら、箱柳の直立した姿は日差しをもたらしてくれる。

団地の棟と棟の間の空き地は、草地となっている。ベランダが近いので公園にすることはない。この草地は、年に何度か、草刈が行われる。刈られた草はそのまま放置されるが、その香りは、干し草のような香りになっていく。その草の下で、蟋蟀などが育ち、秋には声を聴かせてくれる。

牛蛙

22号棟の目の前には、川が流れている。小さな川だが、川岸が草地になるように、きれいに整備されている。このあたりの川としてはコンクリートで護岸されていないというのは、とてもめずらしいだろう。

団地がモダンだった時代に、多くの川が浚渫され、護岸工事が行われ、生活排水が流されてどぶになっていった。排水だけではなく、不要になったあらゆるものがこっそりと捨てられてきた。清潔な暮らしとは対照的だった。田や畑の水源として使われていた小さな川や用水路は、生活の中からあふれ出た汚物を引き受け、あるいは暗渠となって目に見えないようにふたをされる。それもまた、モダンな暮らしの中で切り捨てられてきたものだ。

流れ込む汚物が少なくなったものの、もはや田や畑はなく、ただ海に向かって水が流されていくだけの存在だ。

そうした中にあって、ぼくたちが住む場所の、そのベランダから見える川は例外的に修復された川だ。子どもたちが川に入って魚や小海老を捕まえることができる川だ。青鷺や小鷺、大鷺、軽鴨をいつでも見ることができるし、運が良ければ翡翠を見ることもできる川だ。

鯉のような大きな魚だけではなく、追河もたくさん住んでいる。身体の青灰色が美しい魚だ。ときどき、毛鉤で魚を釣ろうとしている人がいる。

暖かくなってくると、牛蛙が鳴くようになる。夜、窓を開けていると、一晩中その声が聞こえてくる。妻はうるさいとは言うものの、受け入れている。夏の蝉の声、秋の蟋蟀の声のように、慣れているものなのだろう。

汚れていた川の流れが回復したときに、牛蛙はどこからやってきたのだろうか。そもそも、牛蛙も赤耳亀も遠い昔はいなかったはずだ。

昔、川の流れは大水のたびに流路を変えていた。昔、川だったところがあちこちにある。いくつかは緑道として整備されている。そこでは、やはり昔はいなかったはずの、黄緑色の鸚哥の群れを見ることができる。

今では、大雨のときには濁流となるが、今のところあふれ出たことはないそうだ。かつては、濁流に流される人もいただろう。もし、洪水が起きたならば、団地の住人は孤立してしまうだろう。

寝巻

毎朝、出勤時に隣の21号棟の前を通ると、厚手の化繊でできた花柄の寝巻を着た高齢の女性が立っている。通りかかる人たちに、おはようと声をかけている。ほとんどの人は無視して通り過ぎているが、ぼくは無視することができずに、おはようございます、と挨拶を返している。そうすると、あいさつしてくれてありがとね、という声が返ってくる。

彼女は、よほどのことがなければ、雨の日でも団地の建物の入り口に立って挨拶をしている。灰色の長くまとめられていない髪も花柄の寝巻も変わることはない。同じような寝巻を何着も持っているのだろうか。パジャマ以外の衣類があるのだろうか。そう思うこともある。

おはようという声をかける先には、誰もいないときもある。それとも、誰かいるのが彼女にだけ見えているのだろうか。そちらに向かって手を振っている姿も何度か見かけている。

彼女にも若かった時代があったはずだ。そのときからここに住んでいるのかもしれない。毎朝、子どもを見送り、そのときに近所の人たちにもおはようという声をかけていたのかもしれない。あるいは、それは子どもではなく夫だったのかもしれない。子どもがいないから、近所の人に声をかけていたのかもしれない。

そうした若い時代の影に向かって、今でもおはようという挨拶をしているのだろうか。そして、そうしている限りは、孤独でいられずにすむ。

でも、本当に寝巻の女性は孤独などではなく、夕方になると、彼女が近所の女子中学生と話し込む姿を何度も見ている。どれほどの過去が蓄積し、澱むようになったとしても、それでもその先に今の姿がある。

団地には、犬や猫を飼う人も少なくない。独居高齢者にとって、小型の犬は生活に必要な伴侶なのだろう。団地では犬や猫を飼えない、というポスターが掲示板に貼ってあるが、誰も気にしない。妻は、犬や猫を飼えないということは、意味がわからないという。同じ生き物なのだから、同じように住んでいるだけなのだと。ただ、独居高齢者が死んだとき、犬や猫はどうなるのか、それだけが心配らしい。

団地の前の小さな緑地には、住民がいろいろな植物を植えている。青紫蘇やラベンダー、バジルなどのハーブから、秋桜や百合などの花々まで。中には、野菜を植えて収穫を楽しむ住人すらいる。

それから、太陽電池を利用してLEDのイルミネーションを楽しむ住民もいる。ささやかなガーデニングもまた、住民の楽しみとなっているし、ぼくも妻も夜の帰宅時にイルミネーションを見るとほっとする。

公園

団地にはいくつもの公園がある。ちょっと大きめの広場が一つ、幼児向けの遊具がある公園や、サッカーの舅練習やテニスの壁打ちとか一人キャッチボールのための金網で囲まれた広場、バスケットのゴールも1つだけある。

放課後や休日の日中にはたくさんの子どもたちが遊んでいるのを見ることができる。夕方近くまで、子どもたちの姿がある。団地にはまだたくさんの子どもが住んでいる、ということではないらしい。むしろ、近所に住む子どもたちにとって、もはや遊べる公園が団地の中にしかないということだ。

それでも、にぎやかでいい。

平日の午前中は、大人がテニスの壁打ちをしている。あるいは高齢者がベンチで日差しをあびている。子どものいない公園は、静止画のようだ。

日没後の暗くなった公園からは、ときどき子どもの大きな歌声が聞こえてくることがある。学習塾からの帰りで、歌声はそのまま走りすぎていく。なぜ、大きな声で歌うのかといえば、暗闇が怖いから、ということらしい。

確かに、暗い夜道では犯罪者に気をつけろと言われることがある。でも、住民がたくさんいる団地の中の公園を横切るときはどうなのだろうか。むしろ、子どもにとって怖いのは、幽霊や妖怪なのではないか。樹齢60年のケヤキの木の近くに、何かがいてもおかしくはない。そのように考えてみる。

その一方で、暗くなってもサッカーの練習をしている子どもを見ることもある。人が少なくなるので、広場を独占できる。思う存分、壁に向かってシュートできる。

図書館

団地のすぐ近くに図書館がある。団地が建てられた当時、急激に増えた住民に向けて建てられたものだ。

一階建ての建物で、決して蔵書は多くない。入口の脇にはリサイクルコーナーがあり、除籍処分になった本や住民が不要になって置いていった本がある。その先のカウンターには若い女性の職員がパソコンを眺めながら仕事をしている。貸出カウンターでもあるのだが、ほとんどの人は無人貸出機を利用しているため、仕事はむしろネットによる貸し出し予約の処理などなのだろうか。返却された本を書棚に戻す男性職員を見ることもある。

新聞を読む高齢者、週刊誌を読む高齢者などの姿が目立つ。空調が効いていて静かな空間は、得難いものなのだろう。毎日届けられる新聞、毎週、あるいは毎月届けられる雑誌は、間違いなく現在のものである。

書庫は、雑誌コーナーがあり、その先に大活字本が並ぶ。文芸書には古い本が数多くある。60年前から残っている本もあるのだろうか。多くの人が手に取った本なのかもしれないし、損傷が少なくて除籍を免れているだけなのかもしれない。新刊書店では見ることができないような、見たことも聞いたこともない作家の古い本は、図書館の時間の止まっている場所でもある。妻は新刊を借りようとすると、待っている人が多すぎて、その間に文庫本になりそうだと話していた。

所蔵されているたくさんの本の間には、それを読んだ人たちの影が堆積している。かつてそれを読んだ誰かの痕跡がある。いつも決まった場所で決まった本を読んでいる人の姿もある。

児童書のコーナーには、さらに古い、損傷した本が目立つ。幼児にとって絵本はおもちゃでもある。それらの絵本は損傷しながら子どもたちを育ててきた。そしてこれからも育てるのかもしれない。ただ、午前中は子どものいない空間となっている。子どもが来るのをひっそりと待っている。

盆踊り

夏の終わりに近づくと、広場で盆踊りが開催される。

前日までに櫓が組み立てられ、提灯がぶら下げられる。提灯には近所の商店の名前が書かれている。中には、もう営業していない団地のマーケットの商店名もある。

出店も準備を進めている。たこ焼きやお好み焼き、焼き鳥など。生ビールも用意されている。

夕方、薄暗くなってくると、ようやく盆踊りの音楽が流れだす。何度も聞いたことのある曲もあれば、この地域ならではの曲もある。櫓の上で太鼓が叩かれ、足元で鐘が鳴らされる。お揃いの浴衣を着た高齢の女性たちが輪になって踊る。この日のために、ずっと練習をしてきた人たちだ。一方、子どもたちは踊ることよりも、出店の方が気になっている。

団地とはいえ、普段はそれほど人を見かけることがないのに、この夜だけは広場にはぎっしりと人が押し寄せている。

こんなにたくさんの人が住んでいたのだろうか。あるいは、近所からも来ているのだろうか。

ベンチで盆踊りを眺めていた高齢の男性は、今年は帰ってくるのが多いという。どこから帰ってくるのだろうか。何人もの人が、ぶつかることなく通り過ぎていく。

妻によると、人はたくさんいるものの、ぎっしりといるわけじゃないという。そこまで多くない、ぶつからない程度に多いという。

盆踊りが終わると、翌日には櫓は解体される。放課後には、盆踊りなどなかったかのように、子どもたちが広場に集まってくる。

集会所

団地の敷地のほぼ中央に集会所がある。いつもは、空手教室やヨガ教室などにも使われている。

そこでは年に何回か、自治会の会議が開かれる。

階段世話人から、代わりに出席してほしいとお願いされて、集会所に行くと、高齢者が多いものの、中年世代やもう少し若い世代の人もいる。

団地でずっと住み続けるために、家賃の値下げや改修などをお願いしていかなきゃいけない、ということが話し合われる。

見ない顔ね、と高齢の女性に声を掛けられる。最近、ここに越してきたんです、と応える。

あたしなんかね、ここができたときからずっといるのよ、もう90歳なのよ、と話す。年齢のわりには、かなり元気そうに見える。

60年前、この団地には若い夫婦がたくさん住んでいた。今でも住んでいる人もいる。でも、今は若い夫婦だけじゃない、いろいろな人が住むようになった、という。放置されている空き室も少なくない。

でもね、ほんとうはそうじゃない、という。60年も前に建てられた団地に住んでいるのは幽霊だけ。そもそも、もうこの団地はここに建っていない。建っているように見えるけれども、それは幽霊でしかない。何なら、建っているのは墓場だけなのだと。

そして幽霊が住んでいることを、ときどき集会所に集まって確認しているの。彼女はそう話す。

もう、ここには生きた人は誰もいないし、ただ止まった時間があるだけなのだと。

四方山幻影話56

◎写真&文＝堀江ケニー
●モデル：沙夜
◎カラー→1頁

本当に久しぶりにゴシックな撮影をした。

ゴシックな撮影をよくしていた頃は、ゴシックやらゴスロリやらをメインに扱っていた雑誌もショップも多くあったし、街でもそういう姿の子をよく見かけた。そう言えば、渋谷にかなりこだわった作りのゴシックなカフェがあったり、新宿にはビルごとほぼゴス、ロリータのショップが集まる商業施設もあった。

ところがそれらは徐々に減っていき、盛大に行われていたゴシックのイベントも聞かなくなって久しい。

しかし、しかしですよ、歴史は繰り返すのか最近徐々にではあるが、ゴシックがカムバックして来ているような気配を感じる。例えばゴシックの要素を取り入れて日本から世界へと羽ばたいたバンド、BABYMETAL。衣装もなんとなくそうだが、舞台で使うクリスタルの十字架やらコフィン、巨大なマリア像だったりと、モチーフは完璧にゴシック。

それと昨今流行りのY2Kファッション。昔流行ったファッションのリバイバルだそうで、ゴシック、ロリータもその中に含まれていると聞く。それに合わせたように、有名ブランドもヴィンテージラインと称して当時の服を復活させたりしている。

ちなみに最近高円寺を歩いていると、確かにチラホラとゴスロリやらを着た子達を見かけて、お、最近また戻って来てるんだぁ〜と感じ、さらに友達の娘も最近突如ゴス、ロリータにハマったとか。そして大阪のアメ村でも、そういうファッションの子やらショップを見かけた。

新たにゴシックが流行ることになるかも。

久しぶりにこんな撮影をしてみて、一昔前を思い出して、実に懐かしくも楽しい撮影だった。

ROCK'N'ROLL

愚か者たちへ花束を

——THE FOOLS の生と死、そして……

八本正幸

映画は、一人の男の出所シーンからはじまる。と言っても、ヤクザ映画ではない。高橋慎一監督による音楽ドキュメンタリー『THE FOOLS 愚か者たちの歌』である。

一九八〇年代から、アンダーグラウンド・シーンで活躍し、カルト的な人気を誇るバンド THE FOOLS、そのフロントマンであるヴォーカリスト&ソングライターの伊藤耕は、麻薬や覚醒剤の不法所持によって、数度にわたって逮捕・服役・出所を繰り返し、そのたびにバンドの活動は中断したが、ファンの熱い支持もあり、不死鳥のように蘇っては、力強いサウンドを奏でたのだ。こんなバンド、滅多にない。いや、この日本においては唯一無二と言っても過言ではないだろう。

バンドの中核となるのは、ヴォーカルの耕と、ギタリストの川田良。まるで水と油のように個性の異なる二人が、時には対立しつつ、独特のグルーヴを形成して行くところは、大げさに言えばジョン・レノンとポール・マッカートニーやミック・ジャガーとキース・リチャーズのようでもある。

いわゆるニューミュージック、Jポップと呼称されるようになる日本のメジャーな音楽シーンには服従せず、無骨なまでにロックの王道を貫きつつ、ブルースやファンク、レゲエ等のブラック・ミュージックのエッセンスを吸収しながら、時代を駆け抜けた姿は、映画の疾走感とともに胸に迫ってくる。

僕は、彼等がSEXというバンドで活動していた一九七〇年代末に、耕と良、ドラマーのマーチン（高安正文）、一時期 THE FOOLS に参加したこともあるギタリストのクリ（栗原正明）と若干のつき合いがあり、また、創設メンバーの一人、ギタリスト青木真一の演奏もライヴで聴いたことがあるので、この映画は、古い友人たちとの再会であり、あの頃の自分と対峙する契機でもあった。

一九七〇年代後半、ニューヨークとロンドンを中心に盛り上がったパンク・ロックのムーヴメントに呼応するかのように日本でも後に東京ロッカーズ、東京ニューウェイヴと呼ばれるようになる数多くのバンドが登場し、活況を呈するようになる。THE FOOLS の前身となる SEX もまた、そうした時代の流れの中で登場し、活躍していた。当時、友人とミニコミ誌を発行し、彼らのライヴにも接していた僕は、まさに時代とともに動いているという実感があった。そのヒリヒリするような皮膚感覚を、映画『THE FOOLS 愚か者たちの歌』は呼び醒ましてくれたのだ。これは、懐古趣味ではない。

時には見失いそうになる自らの原点と、何事にも誤魔化しのない覚悟を示してくれたのだ。

しかし、バンドはさらなる苦難に直面する。サウンドの要とも言うべき川田良が二〇一四年一月に五八歳で他界。後任のギタリスト大島一威も、同年九月に早逝。そしてとどめを刺すように、二〇一七年一〇月、北海道の月形刑務所に服役中だった伊藤耕が、適切な治療を受けられぬままに六二歳で病により獄死した。六週間後に出所を予定している矢先だった。

ザ・ビートルズやザ・ローリング・ストーンズをはじめとして、ドラッグがロック・ミュージックに与えた影響には、無視出来ないものがあることは確かだ。だが、それと同時に少なからぬ犠牲者も出している。耕の場合、直接的ではないにしろ、ドラッグに手を染めなければ服役することもなかったわけだし、結果的に彼の命を奪ったことは間違いない。

そのことを残念に思う。

オリジナル・メンバーでバンドの名付け親でもある青木真一も、ドラマーのマーチンも、もうこの世にはいない。

それでも、彼等の音楽は死んだわけではない。オリジナル・アルバムはリマスターされ、手に入りやすくなっているし、発掘音源によるライヴ・アルバムも発売されている。だから、彼等が評価されるのは、むしろこれからだ。

僕は常々、ロックというのは音楽ジャンルの名称などではないと思っている。それは、ライフスタイルを含む存在の総体である。

THE FOOLSの音楽には、彼等のなまなましい呼吸と鼓動がはちきれんばかりに詰まっている。

様々なトラブルをかかえながら、彼等の音楽はぶれることはなかった。

まさに、愚かなまでに真摯だったのだ、と。

二〇一〇年、東京地方裁判所で行われた裁判で、伊藤耕はこのように発言している。

「私は今の自分が社会のゴミのような立場に置かれていることをわかっています。(中略)でも私は今までずっと自分のやりたいことを全力でやってきました。ですからこれからの人生で、やり残したこと、いつか実現させたい〝夢〟なんて、もはやありません。今の私が、傍からどんなに無様に見えようと、やりたいことをやってきた結果が、この現実なんです。私はそれを誰かのせいにしたりするつもりはありません。この現実が私の〝夢〟なんです」(東京キララ社刊、志田歩著『THE FOOLS MR.ロックンロール・フリーダム』より)

彼の生前にリリースされた最後のアルバム『REBEL MUSIC』まで、その反骨精神は一貫していた(このアルバムは、耕が服役する前に、録れるだけのヴォーカル・トラックを録音し、残されたメンバーによって仕上げるという離れ業で完成した)。

伊藤耕がSEXの時代から歌い継いで来た曲に「無力のかけら」という歌がある。ひとりひとりは「無力のかけら」に過ぎないこの世界、「だけど諦めるな」と彼は歌う「最後までおまえを渡すな」と。

僕はずっとこの歌を心の中で口ずさんできた。そして今は弾き語りロックンローラーとして、ライヴで歌い継いでいる。

映画『THE FOOLS 愚か者たちの歌』を観たあと、「で、おまえは今、何をやってるんだい?」という耕の声が聴こえたような気がした。

もちろん僕はこう答える。

僕は今、自分なりのロックンロールを生きてるぜ! そう、この文章も、僕なりのロックンロールだ。

movie

カノウ・ナ・メ
——可能な限り、この眼で探求いたします

第53回 youたちはどう生きるのか？

加納星也

ようやくこの記事が皆さんのお目にかかる時は、さすがに秋めいて……などと枕詞がつけられる頃になっていると思われるのだが、現在この原稿を書いているときは、これで最後にしてくれよ！と叫びたいくらいに夏日がまだ続いている。

この夏はとにかく記録的な熱い日が続いた。日中家にいるのも大変なので、という絶好の口実が続いて、涼しい空気が循環する試写会や映画館に足しげく通った。コロナ禍で外食する習慣がなくなり、これのリカバリーはまだ完璧と言えないが、この映画館めぐりはすっかりコロナ以前に戻った。いや、それ以上に回数は増えているかもしれない。

そんな所で今回はいよいよ、アレの話をしよう。とにかく気にはなっていて、この数年毎回書くべきか迷っていて、その本筋になかなか入れなかった、アノ話題だ。

と言っても、アイドルの「あの」ちゃんが出演した最新作『鯨の骨』（2023）について語る訳ではない。ちなみにコレ、ARと拡張現実アプリをモチーフにリアルとバーチャルが混濁する時代の寄る辺なき姿を描いた作品。ともあれ、また前振りはこの辺にして、さっそく本題に入ろう。

■『映画はアリスから始まった』（2018）

このアリスというのは、ディズニーの不思議な国のアリスでないことは明白だ。彼女の名前はアリス・ギイ。この名前はよほどの映画研究家やマニアでない限り知っている人は少ないだろう。

アリス・ギイはハリウッドの映画システムの原型を作った世界初の映画監督。そして『映画はアリスから始まった』は、その彼女の生涯に迫るドキュメンタリー映画。監督はパメラ・B・グリーン。彼女は今まで映画史から（意図的に）抹消されてきたこの才能をこの作品で再び蘇らせた。

今までの映画史では、19世紀末にリュミエール兄弟がシネマトグラフを発明し、20世紀初頭にメリエスが初めて劇映画を開発した、とされてきた。

ところがアリスは、このメリエスより早く、映画が発明されたとされるリュミエールの上映会に参加し、その翌年に既に劇映画を制作していたというのだ。しかも、当時のメリエスの映画は工場労働者の出社や機関車の動きを記録したドキュメンタリー。一方、アリスは自らストーリーをつくり演出した『キャベツ畑の妖精』を制作していたのだ。このフィルムは現在は一分ほどの断片だが、YouTubeでも視聴可能だ。

しかも、彼女はそれ以後、クローズアップやスローモーションという映画技法やサウンドやカラー映画にも挑戦し、生涯にわたり1000本を超える劇映画を制作している。

その偉大な劇映画の生みの母が、なぜ今の正史に名を残していないのか？ それはアリスが女だったからである。むろんパリジェンヌである彼女が後にアメリカにわたり、夫と映画産業の中で奮闘するも、離婚し再びパリに戻ったため、作品が余り残存していないこともある。ただし、彼女が作ったはずの作品が後に、男性の監督の名前でクレジットされて記録に残るなど、現在の研究では、忘却されたというより、意図的に消されてきたという事が、このドキュメンタリー映画を観るとわかるだろう。

ちなみに、このドキュメンタリー、一部の映画研究家やマニアだけでなく、一般の人が見ても、映画の隠れた歴史を楽しくコンパクトに辿れるのでとっつきやすい。

映画の中で「ヌーベルバーグの祖母」と呼ばれるアニエス・ヴァルダ（配偶者はあ

の『シェルブールの雨傘』のジャック・ドゥミ）の証言もあり、ナレーションはジョディ・フォスターと中々の布陣。この日本では夫の名前の陰に隠れていたアニエス・ヴァルダ監督についても近年、特集上映が行われたので機会を改めて語っていきたい。

ともかく、この監督であるパメラ・B・グリーンも、残念ながら他の作品は未見だが、なかなかの才人と見た。

■『ファイブ・デビルズ』(2021)

ジャック・オディアール監督『パリ13区』(2021)という作品があった。文字通りパリ最大の中華街があり、アジア系移民が多く暮らす13区でミレニアム世代の男女4人が織りなす現代のリアルな恋愛模様をモノクロで描いたみずみずしい映像だった。この脚本に『燃ゆる女の肖像』(2020)『秘密の森の、その向こう』(2021)のセリーヌ・シアマらと共に参加していたのが若手のレア・ミシウス。

このフランス映画の新鋭の監督デビュー作『アヴァ』に続いて撮ったのが、この『ファイブ・デビルズ』。『アデル、ブルーは熱い色』のアデル・エグザルコプレスが、この物語の秘密を抱える母親を演じた。

物語は監督の子供のころの記憶をもとに書かれたというが、かなり独特。匂いに対してとびぬけた能力を持つ少女が主人公で、その少女は大好きな母親の香りをこっそりと集めている。ある日、父親の妹が訪ねてくる時から彼女の能力が大きく開花する。

舞台はタイトルにあるファイブ・デビルズという架空の町。監督がリスペクトしているというデヴィッド・リンチの『ツイン・ピークス』を想起させる命名でもある。テーマは「継承」「魔力」「家族」で、ジャンル的にはタイムリープをメインにしたSFではあるが、ホラーテイストの中にもあたたかな愛や人のぬくもりを感じさせる一言では表現できない一風変わった映画である。

前半の物語では、匂いをかぐことによって、過去の映像が浮かびあがりそれを体験することになるが、後半では母親の高校生時代に戻り、母親が主人公になる。そして、様々な人々達の過去が明らかに。

この物語をいちいち説明していくと、いくら時間があっても足りないような気がする。それもそのはず、この映画には様々な映画へのオマージュであふれている。前述した『ツイン・ピークス』のほか、スタンリー・キューブリック監督『シャイニング』(1980)、ジョーダン・ピール監督『アス』(2019)と作品名を挙げていっても、謎は深まるだけの様な気がする。

そして、メインビジュアルにもあるように、炎につつまれた状況にいる少女たち。この状況がまた謎であり、本編を観ていちおう状況的には理解できるのだが、この映画をみてもう一年以上は経つが、もうひとつしっくりこない。残るのは終盤において提示される、通常ではない、もう一つの「家族」の可能性だ。これはお互いぬくもりと未来への希望に満ちていて、これを感じられるか、感じられないかがこの映画の評価の分かれ目となる。

因みにこの物語で、最後まで文字通り不気味な存在である母親の高校時代からの仲間役を演じるギリシャ出身のベルギー女優ダフネ・パタキアは憶えておいて損はない。彼女は後にポール・バーホーベン『ベネデッタ』(2021)の重要なヒロインの侍女役。現在公開されているアルジェ出身でロマの人々をテーマに制作しているトニー・ガトリフ監督の音楽映画『ジャム DJAM』では主人公を演じ、見事なダンスと唄を披露している。

■ウルリケ・オッティンガー
ベルリン三部作

「ニュー・ジャーマン・シネマ」と言えば、ヴィム・ベンダースの名前は知っていても、このウルリケ・オッティンガー監督の名前はなかなか出てこない。このベルリン三部作は名前を知っていても、今まで日本で一般公開はされず、その全貌も謎に包まれていた。

その監督の特集がようやく日本で公開された。ラインナップは『アル中女

の肖像』(1979)、『フリーク・オーランド』(1981)、『タブロイド紙が映したドリアン・グレイ』(1984)の三本。

その作品は、最近は再評価の機運が高まり、主にフェミニズム映画やクイア映画の文脈で語られることも多いが、実際に観てみて感じるのはその先進性。

舞台は冷戦下の西ベルリン、〈壁〉に分断された荒廃した風景の中で行われる独特で奇妙な行為と眼差しは、現在の因習的な歴史観を揺さぶる。

この三部作も、「ヴェンダース、ファスビンダー、ヘルツォークの不機嫌そうな男性メロドラマに対する」と評される作風で、どれも物語の解体が行われている。わかりやすく言えば、日本では寺山修司のような主に屋外で行われる奇妙な人々のパフォーマンスが多く挿入されているのが特徴なのだが。

その中でも映画的なわかりやすさ、つまり解説しやすさをとれば、『アル中女の肖像』が一番に挙げられるだろう。

この映画のあらすじを述べれば、片道切符でベルリンへやってきた名もないブルジョアの女が、毎日、街に繰り出し、ただひたすら酒を飲み続ける。ただ、それだけの話である。

冒頭、ガラガラの空港で真っ赤なブランド物のコートを羽織り、颯爽と歩く主人公。そのあまりにもスタイリッシュな登場から、彼女の破滅的な酒場放浪記が始まる。途中、ホームレスの中年女性と出会い仲間になり、さらにその放浪具合は激しくなっていく。

その放浪の行く先々で彼女らを監視するのが、「正確な統計」「社会問題」「常識」と名付けられたトリオの女性。三人は主人公の女性の行動と背景を画面に向かって説明する。

ファッション的にはパーフェクトな女性が泥酔するこのシュールな風景。泥酔女のセリフはほとんどなく、また会話やドラマもほとんどない。それがなくとも映画として成立し、なおかつ独創的である。どこが凄いとかと言われても説明ができない。ちなみにある酒場のシーンでは若きニナ・ハーゲンの姿も拝める。これは大傑作と言ってしまいたい誘惑にかられる。これもアル中女の毒気にあたったせいだろうか？

とりあえず、今夜は酒を慎もうという効果がある映画ではある。

■『あしたの少女』(2022)

日本でも『リンダ リンダ リンダ』(2005)、『空気人形』(2009)で人気を博し、現在では国際的な女優と飛躍したペ・デゥナ。その彼女が主演した『私の少女』(2014)は、第67回カンヌ映画祭「ある視点」部門に出品され話題となった。同作は韓国の映画監督イチャン・ドンがプロデュースしチョン・ジョリ監督の長編デ

ビューともなった。

『私の少女』はヒロインのペ・デゥナ演じる女性警察官と虐待された少女の出会いと社会背景を描く一編。主人公の女性警察官がレズビアンであり、男権社会の象徴でもある警察署での孤立感。対する少女は父親に虐待を受け主人公に助けを求めるという、二重にも三重にも迫害を受ける社会状況をバックに必死に生きる姿が描写される。

その『私の少女』から8年ぶり、チョン・ジョリ監督の長編第二作は、ヒロインに再びペ・デゥナを抜擢する。それが『あしたの少女』(原題：次のソヒ)だ。

今回の彼女の役は、自殺したとされる女子高校生の捜査を担当する刑事で、主に物語の後半の主人公として登場する。

一方、前半は職業高校でブラックな体験実習を続けざるを得ないソヒ役のキム・シオンの物語。冒頭、ダンススタジオで一人個人練習を続けるソヒの長いショット

には等身大の若者の汗と息遣いが感じられる。学校の教師から推薦され学校の就職率を高めるため、彼女は毎日、大手通信会社の下請けのコールセンターの苛酷な業務を遅くまで励む。恋人ともすれ違い、親にも実態を言えず、ブラックな業務に神経をすり減らしていく。それがある日、上司である社員が自殺。その原因を隠蔽する会社、警察、学校、教育機関。そんな中、真冬の貯水池でソヒの遺体が発見される。

後半は、この事件の担当刑事になったペ・デゥナの登場。警察署内部でもはみだしである彼女によって、前作より、よりハードに克明に現実の韓国社会に巣くう暗部が暴かれていく。この物語は実際にあった少女の事件をもとにしているだけに、その、どうしようもない、持っていき場のない感情がにじみ出ている。

おそらく、このハードボイルな女刑事が時に怒りをこの男権社会にぶつけようとも、現実の結末は大きくかわらないだろう。

このことを暗示しつつ映画は終わるが、この映画は韓国映画特有の感情の盛り上がりの視覚化にすぐれている。一方、前半と後半で主人公が変わり、彼女たちが生前に、ただ一度ダンススタジオですれ違う。そんな時間差のメロドラマともいえる。

かなり多重的な構成で、最後に残されたものは前述したソヒが個人練習した映像だけ、というのが、また泣かせる。

■『ABITA』(2022)

ダンスを撮影したりダンサーをテーマに撮った映画は多いが、身体とオブジェと自然を等価に扱った映像作品は少ない。この映像はnonice（奥野美和、藤代洋平）の初映像作品。インスタレーション、映像、パフォーマンスと横断する活動を行っている。本作もゴミが浮かぶ川面のありふれた日常、日本家屋の襖が開き、女が布団から起き上がる身体の差異、広い廃墟のような空間で行われる身体行為、パフォーマンスやインスタレーション構築の断片、物と人間と遠くに見える背景と自然音。それらを互いに等値に配置することで、観客に体験したことのない時間を提示する。気が付くと、映像は朝を迎え、この感覚は跡形もなく消えている。なお、メンバーの奥野美和はダンサーであり、この作品でも優れたパフォーマンスを見せている。（『37回イメージ・フォーラム・フェスティバル』で上映）

■『バービー』(2023)

という訳で、今回は今まで取り残してきた〈女性監督〉の作品について語ってきた。これらの作品については、どれもがそれぞれの意味で傑作。ただ、その固有性を女性という視点以外に、どう語っていくか？まだまだ序章といったところだが、それもそのはず。圧倒的に彼女たちの作品を観る機会が少ないのだ。

ちなみに日本映画を統計でみると、「2021年に劇場公開された映画465作品のうち、女性監督は57人で12％」「過去21年間に制作されたヒット作で、監督の延べ数796人中、女性監督は25人、わずか3・1％」。

ハリウッドに目を移しても、「興行収入100作品中に雇われた監督111人のうち、女性監督は2022年で僅か9％」また、同時に「黒人、アジア人、ヒスパニック／ラテン系、多人種・他民族系の映画監督も20・7％」しかないという報告がある。

これでは、〈女性監督〉の映画がよほど傑作でなければ、まず公開できないわけである。その意味でまだインディーズ系や過去のレジェンド発掘できないよ！という人は、ひとまずインディーズ出身のグレダ・ガーヴィク『バービー』(2023)を観て、女性はバービー、男子はケンの生き方を考えてみてはいかがでしょうと。

movie

小林美恵子

よりぬき［中国語圏］映画日記

1秒先の彼女&彼
——陳玉勲喜劇の一生懸命だけど報われない暗さ

★1秒先の彼女／二〇二〇／監督＝陳玉勲

★1秒先の彼／二〇二三／監督＝山下敦弘

『1秒先の彼女』の男女を入れ替えた日本版リメイク『1秒先の彼』は宮藤官九郎の脚本によるもので、七月に劇場公開された。台湾版『彼女』のほうは恋するのが男だが、日本版『彼』のほうは逆になっている。台湾版もこの夏の特集『台湾巨匠傑作選』で後述の二作とともに劇場再上映されたので、あらためて見比べることにする。

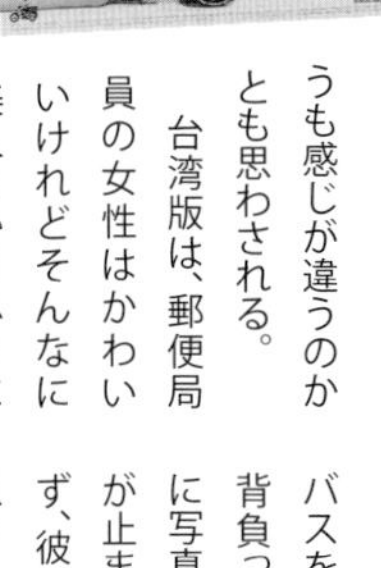

何事にも一秒速い郵便局員と幼い時にかかわりがあって、相手と再会したあと、気づかぬ相手にそのことを言わず、ただ私書箱あてに手紙を書き続ける一秒遅い内気な主人公という設定は同じなのだが、男女が入れ替わるとこうも感じが違うのかとも思わされる。

台湾版は、郵便局員の女性はかわいいけれどそんなに美人というふうには描かれない。父が失踪、母からも離れ、ラジオのDJを心の頼りに一人暮らしという、ちょっと寂しい境遇。彼女が恋し騙される男はどう見てもワルっぽく、ちょっと釣り合わない感じもあった。その彼女に恋し、止まった時間の中で嘉義・東石の海岸に連れ出す男は自身がバスの運転手で、彼女の乗ったバスを運転して海辺へと走り、彼女を背負って運んでポーズをとらせ、ともに写真を撮るだけの体力がある。時間が止まった陽光の明るさにもかかわらず、彼の彼女に対する関係は閉鎖的で、ストーカー的な執着さえも感じられて暗く共感しにくい。

日本版『彼』のほうは、郵便局員である皇一（すめらぎはじめ）はいつも人より一秒先走るおっちょこちょいだが、見かけだけはファンもいるようなイケメン。母や妹、そのパートナーとの掛け合いも明るい。彼に恋する一秒遅れのヒロイン麗華は、両親がなく大学の写真部室で暮らしているという設定がいささか非現実的にも見える七回生で、もちろん自分でバスの運転ができるわけではない。そこで郵便局員がデートに出かけるのに乗ったバスの運転手も「時間が止まらなかった」（その理由も台湾版にはないが、ふざけていながら納得させる—運転手は釈迦牟尼仏（みくるべ）、麗華は長曾我部というともに長い姓の持ち主であるところがミソ）ということになるが、これが麗華の恋の世界に解放性を与えている。体力的にも男に比べて非力な彼女が運転手を巻き込んでその助力を得たり、また京都の町を流す観光人力車の力を借りて大きな一（はじめ）を必死に運ぶのでストーカー的なイメージは感じられず、むしろ他者との関係を保ちつつ自立する麗華の健気さが強調されるしくみだ。

それにしても、二作を比べてみて、あらためて思うのは陳玉勲のコメディの底に流れる「暗さ」っていったい何なのだろうか…ということだ。

★熱帯魚／一九九五／監督＝陳玉勲

九〇年代、台湾で多発した誘拐事件を題材としたという作品。バス停で会う少女に恋している夢見がちな中学生の心を映したポップな海中風景から一変、誘拐事件に巻き込まれ自らも誘拐されてしまう彼の、受験前の思いがけないひと夏のいわば冒険譚である。誘拐従犯で中学生・小学生二人の被害者の世話をすることになる青年が意外にもお人好しで、『彼女』と同じ東石の海岸の家族のもとに子供達を連れて行き、家族は中学生の両親に身代金を要求しようとしながらなぜか果たせないまま、中学生の受験にむしろ本人よりも熱をいれてしまうという逆転的な展開がなんともおもしろい。

しかしなあ…、従犯青年が誘拐された子供たちをもてあますのは、主犯が初っ端であっけなく交通事故死してしまうからだし、一緒に誘拐される小学生はとぼけたあっけらかんとした子だが、実は身代金を払ってくれるような親もいない、いわば見捨てられた孤独な境遇であるという設定。さらに子どもたちが身を寄せることになる一家には、勉強好きなのに学校をやめさせられ牡蠣の殻剥きの仕事をしている従妹がいる。食事も、給仕はしても家族と一緒に食べることはないというこの娘の描かれ方は、この家族の誘拐された子供たちに対する遇し方から見ると、不可解なほどにかわいそうに思える。この少女は自分が使っていた教科書を誘拐された少年に与えられて怒るのだが、同時に外の世界への窓としてか、少年に心を寄せてこの海にはいないという熱帯魚を瓶に入れ与える—これが映画の題名になっており、最後は台北の街を泳ぐ大きな熱帯魚が少年の夢の成就を示しているかのようでもある。

というわけで、思いがけなくのどかで幸福感もある少年たちの夏休みの背景には、意外に暗い救いのない世界が広がっているという感じが否めない。幸福の成就の蔭にいくつもの「一生懸命だが報われない（この場合は「一所懸命」というより、やはり「一生懸命」と書きたいような…）」人々の世界が存在するようだ。

★ラブ・ゴーゴー／一九九七／監督＝陳玉勲

こちらもまさに「一生懸命だが報われない」人々の恋への直進ぶりを描いた映画である。

客としてきた小学生時代の初恋の相手に気づいてももらえず、彼女に向けて毎日ケーキを作り、のど自慢大会に出場して思いを込めた歌（調子っぱずれ）を歌うパン職人。彼女は美容師だが不倫中の相手に別れを告げられる。演じる堂娜は八〇年代後半ヒットした歌手だが交通事故で大怪我、後遺症も残ったとかで、この映画でも足を引きずり加減で歩く姿はぎこちなく、影が薄そうに見える。その彼女をひそかに恋するもうひとりが、同じパン屋の客というより、防犯ベルを売りに来て結局買い物だけをさせられてしまう若いセールスマン。彼女の美容院での大波乱ののち屋上での二人の場面は印象的だが、ここで彼が屋上に描くのが「ハッピー・バースデイ・トゥ・ミー」であるのがなんとも寂しい。

パン屋と同じ家に間借りする太目の女性は拾ったポケベル（懐かしい九〇年代アイテム）を介して電話でデートを繰り返す夢のような時間を持ち、やがて実際に会うことを約束するが…。この時彼女を一目見て、その手に想像で描いた彼女の可愛らしい画像を残して去る男（決してイケメンではない。こちらも妙な風体・行動）も実はパン屋に来ていたというわけで、少々入り組んだ複数の男女の報われない恋とその悲しい結末だが、どの恋にもちょっとじわっと来るようなステキなひと時を設けて、作者が登場人物の一生懸命さに寄り添っている感じがして、意外に後味は悪くない。

『1秒先の彼女』も、考えてみれば「彼女」も「彼」も一生懸命だが報われない人であるのは確かで、「彼」のストーカー性も彼女に通じない世界での一生懸命さとみればいじましく感じられる。なお、この映画は二〇年前にすでに発案されていたのだそうで、そうみるとこれらの三作品の男女関係の古めかしさもまあ、仕方がないというところか。初期陳玉勲の「暗さ」は、報われない人々への作者の目配りというところなのかもしれない。『祝宴シェフ』（二〇一三）あたりからは報われる人々も描かれ、『彼女』の「彼」も悲劇的な結末のあと「報われる」ともいえるが、そんな変化についてはまたいつかあらためて…。

DANCE

志賀信夫

ダンス評［2023年7月〜10月］

ダンスとパフォーマンスの間

川口隆夫、川村美紀子、三浦一壮 藤田真之助、三好彼流 立石裕美、木部与巴仁、小松亨 川村浪子、田辺知美

川口隆夫は、一九九一年からATAダンスを結成してポストモダンダンス作品を発表、一九九六年からダムタイプのメンバーとして国内外のツアーに参加。二〇一三年、大野一雄の「完全コピー」、『大野一雄について』を発表し、高く評価され、国内外でツアーを行った。二〇一二年からの『シックダンサー』は、土方巽の著書『病める舞姫』の英訳で、土方の語りが流れるなかパフォーマンス的な舞台をつくった。

そして今度は土方の初期作品『バラ色ダンス』に挑戦した。これは六〇年代の前衛美術グループ、ネオダダ・オルガナイザーズの赤瀬川原平らが協力した舞台でパフォーマンス寄りの作品だった。川口は土方の『バラ色ダンス』『あんま』などのモチーフの引用と自身のモチーフ、ゲイ映画祭に関わってきた経験などからドラァグクイーンの『キャンプ』という概念を合わせて舞台をつくった。これは、舞踏が女装を取り入れ、男と女の性的な境界、神と悪魔、倫理と逸脱などの二項対立を侵犯してきたこととも重なる。

二〇二二年十月、その『バラ色ダンス純粋性愛批判』序章として青山のドイツ文化会館で開催された公演が実にインパクトがあって、多くの観客に衝撃を与えた。中心は石膏による白塗り。白塗りは舞踏の代名詞の一つだが、初期土方巽は、それを石膏で行うことで異物感のある身体を生み出した。石膏はすぐに乾きパラパラ落ちる。すると小石のように裸足を苦しめる。川口隆夫は石膏塗りの過程も舞台に乗せ、かつ観客から石膏塗りの希望者を募った。この参加型も特徴で、観客を一人舞台に上げてお茶を振る舞い、ダンサーが物売りで観客席を回るなど、出演者と観客の境界侵犯の意図も感じられた。

そのなかで白いウエディングドレス、八十五歳の三浦一壮と二十代の藤田真之助のデュオ、巨大な赤い球体を頭にした川口隆夫、全裸も辞さず限りなくファンキーに踊り続けた川村美紀子、二十代の三好彼流、彼らの過激な大縄跳びと、性別と年齢を超えたアヴァンギャルドな舞台が展開した。また毎回豪華ゲストが登場。筆者が見た十六日はダムタイプの砂山典子、十四日は木部与巴仁、十五日は川村浪子だった。

そして二〇二三年八月の本公演は、東京から京都、沖縄を巡演した。全体に整理され、見たことのない舞台を期待していたため、かわされた感もあったが、プロデューサーがコロナで倒れ、出演者の一人が高熱、もう一人はケガなどで直前まで公演中止の可能性があったそうだ。またドイツ文化会館は自由がきき破天荒な舞台が許容されたが、二〇二三年の一般劇場は制限も多かったらしい。

ただピアノの下からの演奏者の登場や、ランウェイでのショースタイルなど、全体的に明解な舞台で、初めて見る観客には十分インパクトがあったはずだ。今回のゲストは筆者が見た九日は舞踏家吉本大輔、十日はジャンジ、十一日は大木裕之。京都では小倉笑、デカルコ・マリィ、大木裕之、沖縄では、狩集敦子、佐辺良和だったそうだ。この多彩な人々の協力もあり川口隆夫の『バラ色ダンス』は実現した。海外公演などさらなる展開を期待したい。

立石裕美(ゆみ)の企画により二〇二三年七月、成城学園のアトリエ第Q藝術で、「トーキョー・クライシス・プラン」が行われた。中西夏之のアトリエだった山梨県猿橋の倉庫を、土方巽とのつながりから「猿橋倉庫」としてスタジオ活用することから生まれたもの。

立石は、『シックダンサー』を見たことで一九六〇年代のパフォーマンスなどに関心を抱き、米国ジャドソン教会のポストモダンダンスとの関連から、「一九六〇年」をテーマに二〇一五年から活動を開始し、猿橋倉庫や中野テルプシコールで試演・公演を行い、今回の企画に至った。

公演は三日間で出演者は少しずつ違う。見た七月二十日は立石裕美のソロと木部与巴仁、芝崎健太のデュオだった。前半は土方巽の映像、『あんま』(一九六三)、『バラ色ダンス』(六五)、『肉体の叛乱』(六八)の上映と森下隆が話して質問を受け、後半が公演。

立石裕美は、前半の客入れ時から裸身をテープでぐるぐると頭から手足の指先まで完全に巻いていく。両手両足はそれぞれ交差して不自由な体勢のまま。テープは紫だが照明でピンクに見える。

この拘束で身体の変形と外観の変化、動きの制限が生じ、不自由な身体ゆえの表現が生まれる。一五時の客入れから拘束され、一七時から立石は徐々に動き始めた。交差した足で歩むのも困難で、ぴょんぴょん跳ねる。股間と尻の上にぶら下げた水袋がぶちゃぶちゃ音を立てる。土方の『あんま』からの引用だろう。音楽はなく、動きで荒くなった立石の息づかいと跳ねる音、水音とともに、不自由なまま三十分以上、空間を彷徨し、次第にテープがほどけてくる。尻に割れ目ができ、足の交差もなくなり、両手も次第に自由になる。閉じられた両腕で隠されていた乳房が見え、微妙なエロティシズムも生じさせる。静かなエネルギーに満ちた素晴らしい舞台だった。

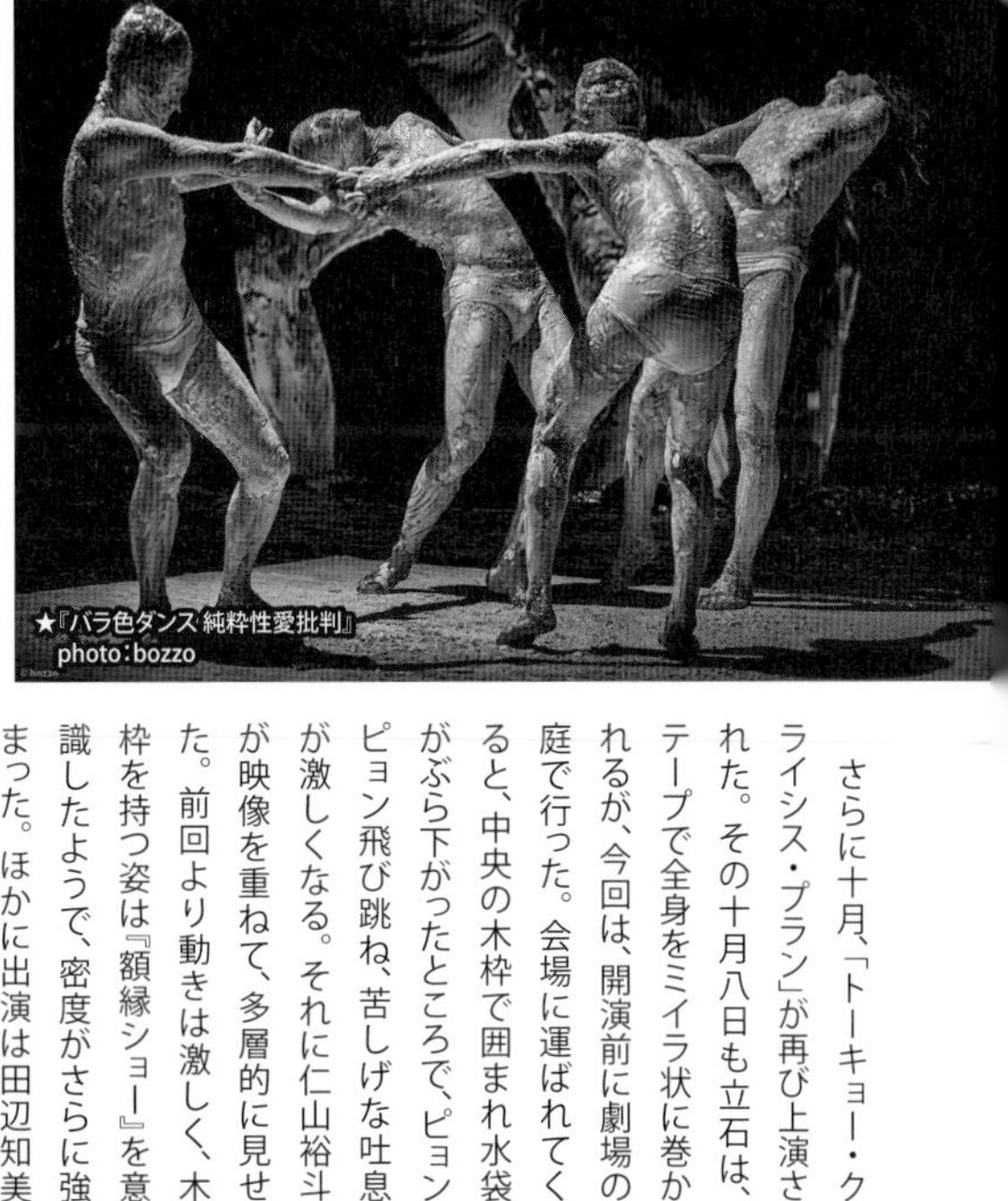
★『バラ色ダンス 純粋性愛批判』
photo：bozzo

さらに十月、「トーキョー・クライシス・プラン」が再び上演された。その十月八日も立石は、テープで全身をミイラ状に巻かれるが、今回は、開演前に劇場の庭で行った。会場に運ばれてくると、中央の木枠で囲まれ水袋がぶら下がったところで、ピョンピョン飛び跳ね、苦しげな吐息が激しくなる。それに仁山裕斗が映像を重ねて、多層的に見せた。前回より動きは激しく、木枠を持つ姿は『額縁ショー』を意識したようで、密度がさらに強まった。ほかに出演は田辺知美とダンシロウ、映像出演のメキシコのアウラ・アレオラとギプツィ・アルダライと木部与巴仁、小松亨、芝崎健太など。これらの公演が終わるまでピンクのミイラ状態で座る立石を見ていて、これは彼女にとっての「バラ色ダンス」かもしれないと思えた。

邦正美、邦千谷に師事した川村浪子については、本誌№84で書いたが、再び活動を活発化している。『バラ色ダンス』にも客演し、二〇二〇年に続き十月五日、アトリエ第Q藝術で、公演を行った。川村は六〇年代から野外などで全裸で踊ることで知られる。それは、ノンダンス、ポストモダンの流れにある。今回は二部構成。前半はジャズ歌手菊池リカと大熊啓のギターと「観客」として田辺知美。

第二部、馬場正基の謡による『隅田川』の声とともに川村浪子が踊る。下手の楽屋から黒い幕を体にかぶせるように登場。八十代、白髪交じり、全裸でゆっくり歩き、手を動かす。登場するやいなや、舞台の空気が変わり、空間が変容する。非日常だが自然な身体であることがわかる。日常は衣服で覆われているが、身体は自然そのもの。それは筋肉、筋、皺などを含めて実に表情深い。全裸でも、性と社会などの観念を超越して身体そのものがそこにある。背後の壁にそってゆっくりと動く。舞うのでもなく、動作でもない。きわめてゆっくりした歩行。歩くことを意識するのではなく、その空間を漂うようにして進む。それは川村の踊る意識。その踊る意識と踊る身体、踊りそのものが、静かに観客にしみこんでいく。そこに「長谷川六」としての田辺知美が静かに絡む、そういう特筆すべき舞台だった。

STAGE

「コミック・アニメ・ゲーム」×ステージ評

あの日みた花の名前を僕達は知らない。宇宙戦艦ティラミス アシガール 他

高 浩美

★舞台「あの日みた花の名前を僕達は知らない。」
©ANOHANA PROJECT ©舞台「あの花」製作委員会2023

人気作品の舞台化は王道だが、ミュージカル『テニスの王子様』に代表されるような部活物や、『刀剣乱舞』のような戦闘物が多いかと思う。

その中で異色なのが、舞台「あの日みた花の名前を僕達は知らない。」。その2023年版は、22年の初演とストーリーは一緒だが、描き方や演出を大きく変えた。22年版はアニメの風景のリアルさを感じさせ、「超平和バスターズ」の秘密基地、じんたんこと仁太の家、アニメと同様にちゃぶ台もあったし、ラーメンも作った。ところが、この23年版では、そういった〝リアル〟な小道具はない。ちゃぶ台もないし、ラーメンを作るシーンもない。だが、それでも、確かに「あの花」の世界が舞台上に広がる。

初演では子役も登場させ、それを成長した「超平和バスターズ」のメンバーが見ている、という場面もあったが、今回はそうした演出ではなく、抽象的だが、作品の世界と描こうとしているテーマをよりはっきりした形で提示。表現を変えても、「あの花」の空気感は十分伝わってくる。スタッフとキャスト陣が一丸となって作り上げた世界、表現を変えて繰り返し上演できるのは作品の底力。アニメを知らない観客はきっとアニメも観たいと思ったに違いない。

ナンセンス、くだらなさ全開の『宇宙戦艦ティラミス』舞台版が、ファイナルを迎えた。オープニングはいつも通り壮大な楽曲で始まるが、そのイメージとはほど遠いギャグ満載。次々と繰り出される面白シーン。宿敵・キャデラック（正木航平）に備えてイスズ・イチノセ（高本学）が、なぜかアプリでユニヴァース感覚のトレーニングを始めたり（笑）。四指団も登場。ラスト近く、エスカレド・キャデラックとスバル・イチノセ（校條拳太朗）の一騎打ち！ とにかく、もう数え切れないほどのキャラクターが登場し、これをキャスト陣が総力を上げて演じる、しかも9名で！ ラスト近く、スバル・イチノセが言うセリフ「俺はコックピットが好き！」の通り、誰しも「これは好き！」と言い切れる、絶対に譲れないものがあるはず。コックピットの精霊が登場（頭にコックピットかぶってるだけ）、ここはなんだかほっこり。そして気の合う座組み、終始楽しそうな雰囲気で、そういった空気感もティラミスらしい。とにかく敵も味方も全員、アホ！ その突き抜けた感覚が舞台『宇宙戦艦ティラミス』、笑いに笑っぱなしの2時間であった。

★舞台「宇宙戦艦ティラミス」
©宮川サトシ 伊藤亰・新潮社／「宇宙戦艦ティラミス」製作委員会
©舞台『宇宙戦艦ティラミス』完結編 製作委員会

朗読劇は2・5次元でなくても昨今多く上演されているが、累計440万部突破の人気コミック「アシガール」が、「音楽朗読劇 アシガール」として上演。弟の速川尊が語り部的な立ち位置で登場、取り柄と言えば無駄に足が速

★「音楽朗読劇 アシガール」
©森本梢子/集英社 ©Culture Entertainment Co.,Ltd.

い速川唯、この物語のヒロイン。おおよそのストーリーはわかっているのだが、それでも唯と若君こと羽木九八郎忠清がどうなるのか、ちょっとドキドキ。

　朗読劇は二人の恋愛を中心にスッキリとした構成、また、現代と戦国時代を行ったり来たりするので、服装は舞台上でチェンジ。その時に演奏される音楽はPOPで、早く着替え終わったキャストはちょこっと踊ってみせたり、なかなか楽しい。舞台上には特にセットはなく照明で表現され、光り輝く美しい満月に合わせて照明が変化する。音楽も多彩で生演奏ならではの迫力と演者との阿吽の呼吸。ラブコメなので、全体にPOPでキュートな舞台、上演時間も休憩なしのおよそ2時間とコンパクトに。カーテンコールでは大きな拍手。物語は二人が戦国の世で共に生きることを決意したところで終わる。朗読劇と聞くと『静』なイメージを持たれがちだが、演出いかんによってアクティブ感も。その『動』なイメージが作品世界とマッチ。また再演して欲しいと思う作品であった。本公演のBlu-rayは12月22日に発売となる。

　また、正確には2・5次元とは言い難いのだが、作詞家のうえのけいこデビュー25周年コンサート『風のうたコンサート』が催された。1999年、アニメ『HUNTER×HUNTER』(フジテレビ系)の主題歌を手がけ、作詞家デビューし、『HUNTER×HUNTER』『黒執事』『NARUTO』などのミュージカルを手がけている、アニメや2・5次元舞台には欠かせない存在だ。楽曲にゆかりのあるアーティストが集合し、歌だけでその作品が沸々と蘇ってくる。客席にはそれぞれの作品ファンが大勢つめかけ作品世界に没入、歌の力を再認識させられたコンサートであった。

CULTURE

身体改造の未来を予言！
――クローネンバーグ80歳の新作は ボディホラーの巨匠の勝利宣言

ケロッピー前田

デヴィッド・クローネンバーグ、8年ぶりの新作『クライムズ・オブ・ザ・フューチャー』公開に日本中が揺れた。全国の映画館や映画配信チャンネルでは過去作品の特別上映が組まれ、現在80歳を迎えるボディホラーの巨匠の過去作が身近なものとして蘇ったのだ。

それというのも、今回の新作がクローネンバーグ自身の作品の数々のオマージュを含んでおり、さらには特殊メイクや有機体デザインのメカニックなど、往年のクローネンバーグのファンを大いに喜ばせる内容となっているからだ。そればかりか、ギリシャのアテネをロケ地として怪しい雰囲気の近未来を描きながらも、レア・セドゥやクリステン・スチュワートといった魅惑の女優たちや老年のダンディズムを貫くヴィゴ・モーテンセンによって、倒錯的なエロティシズムの世界が際立つ大人の作品に仕上がっている。クローネンバーグならでは独特な作風はさらに研ぎ澄まされ、完成されているのだ。

身体改造ジャーナリストを自称する立場から言わせてもらえば、『クライムズ・オブ・ザ・フューチャー』は身体改造カルチャーの未来を予言している素晴らしい映画である。

モーテンセン演じる主人公ソール・テンサーは身体改造アーティストであり、公開手術が人気のアートパフォーマンスとなっている近未来が描かれている。パートナーのカプリース（レア・セドゥ）は、進化加速症候群という病に冒されたソールが体内に次々に生み出す臓器にタトゥーを施し、それを摘出する。そこは痛みや感染症がなくなった未来、だが当局は人類の進化が誤った方向に進むことを危惧して秘密捜査班を設け、「臓器登録所」として新たな臓器の誕生を管理&監視しようとする。それに対して、ソールは秘密捜査に協力すると同時に、当局の捜査官とも内通する。一方、反体制グループはプラスチックなどの産業廃棄物を消化する臓器を持つ新たな人類への進化を推進し、その消化器官を持つ少年の遺体解剖をソールに持ちかけるのだ。

ここでひとつ断っておくと、未来を描いた映画だが、本作にはスマートフォンもインターネットも人工知能も出てこない。その代わり、甲虫の内部をくり抜いたような「オーキッド・ベッド」で寝苦しい夜を過ごし、骨の骨格を持ちゆらゆらと左右に動く「ブレックファーストチェア」で食べにくそうに食事をする。また、公開手術で使われる解剖モジュール「サーク」は棺桶のような形をしており、いくつもの触手がコントローラの操作で主人公のお腹を切り開く。近未来映画としてみるより架空の未来を寓話的に描いた作品と思った方が楽しめるだろう。

公開手術は気持ちが悪い残酷行為のようにみえるかもしれないが、「公開手術は新しいセックス」というセリフにある通り、それは官能的な行為であり、パフォーマンスの鑑賞者たちにも言い知れぬ興奮を与えている。また、作中では顔面の所々に「傷をつけて皮膚を剥がす（スキンリムーバル）」のショーを行う女性が登場し、それに感化されてヒロインのカプリースは額に三日月状の素材をいくつもインプラントした。ちなみに筆者も2005年の自身の作品展にて、額の一部の皮膚を剥がし、皮膚標本作品を公開パフォーマンスとして制作している。それらは実際に行われていることなのである。

★『クライムズ・オブ・ザ・フューチャー 』©Serendipity Point Films 2021
配給:クロックワークス/STAR CHANNEL MOVIES

さらに作中には強い印象を残す「イヤーマン」こと、クリネックという存在がいる。ここですぐに連想されるのは、左腕に「第3の耳」を持つ現代アートのパフォーマー、ステラークである。彼が1976年に東京で行ったパフォーマンスでは目や口を縫い合わせており、それらが参照されているのは確実だろう。とはいえ、ステラークの「第3の耳」はバイオポリマーを素材とし、将来的には耳としての機能を持たせるように計画されており、「イヤーマン」とはそのコンセプトは大きく異なる。また90年代には、現代アートの作家オルランが、世界の名画の美女の要素を自らの顔面に施すべく、美容整形手術をパフォーマンスとして披露して一世を風靡した。その後、彼女は額に2つのインプラントを施して公開手術に終止符を打つと、主にCGを用いて、非西洋圏の民族的な彫刻に見られる身体装飾や加工を自らに施して、新たな美の基準に挑んでいる。本作に限らず、クローネンバーグはタトゥーやピアス、さらに過激な身体改造まで広くリサーチしていることだろう。

そして本作のクライマックスは少年の解剖ショーである。プラスチックを消化する臓器とはどんなものなのか。少年の父にして反体制グループのリーダー、ラングは「進化に抗うのではなく自然に従ってみてはどうか」とソールに忠告する。その問いは鑑賞者にも向けられたものである。あなたは未来の身体を受け入れる勇気はあるのかと。

ここで改めてクローネンバーグがボディホラーとして描いてきた身体と精神の変容は、その暴走による恐怖、悲劇、破滅でエンディングを迎えていたことが思い起こされる。それに対して、本作はクローネンバーグ自身の勝利宣言であったと思うのだ。ここから次なる未来への扉が開かれんことを願う。

LOMBROSO

「天才は狂気なり」という学説を唱え犯罪人類学を創始した奇矯な精神病理学者
チェーザレ・ロンブローゾの思想とその系譜〈50〉

村上裕徳

天才の自我意識

　ロンブローゾは続けて言う。

　すべての「狂天才」の大部分は自我の観念に強く支配されている。ときに彼ら（狂天才）は自分で自身の（精神的）病根を自覚して、それを（手記などに）告白し、執拗な（病的）発作より救われることを願うかのように見える。

　優れた知力を持ち、鋭い観察力を持つ天才は、遂には自分の（精神の）酷薄なる異常を認め、払っても（払っても）去ってはいかない自我意識に悩まされるのである。（多くの）人間は一般的に、自分を語ることを好むものである。しかし「狂人」においては、特にその傾向が著しい。この（自我の）問題に触れるとき、たちまち彼（「狂人」を指す）は雄弁になる。ことに狂的な発作に駆られる天才においては（その傾向が）顕著である。こうして我々は情熱と悲哀との驚くべき記録を得、（また）偉大にして不幸なる著者（狂詩人）の人格の反映を示す擾乱詩（Phrenopathic Poetry）の記念品を持つことが出来るのである。カルダンは自叙伝を書いただけでなく（そのことで）彼の落魄を歌った。「De Somnis」（カタロニア語で「夢の～」という意味）という作品は、全部が彼の幻覚と夢想とで成立している。ホイットマンの詩は自我に対する光り輝く称揚である。ルソーはその懺悔録でも対話篇でも、また幻想録の中においても、ことごとくが自己と自己の狂念を詳細に描出しているだけである。ミュッセの「告白」およびホフマンの「クライスラー」（小説「牡猫ムルの人生観」の中の作者を反映させた登場人物）のごときも同様である。（原註・クライスラーは彼自身〈ホフマンを指す〉のように奇矯な思想を持った人物で、現実と戦い、ついに、それに敗れ、狂気になって死んでしまったのである）

　ロンブローゾは続けて言う。

　またポーの場合も、ボードレールが言うように人生の例外ばかりを取材し小説化している。初めは疑わしいが、読み進めると（信憑性のある）充分な理屈に変貌するような妄想、知力の領域に潜みながら恐るべき論理によって、それ（知力）を支配する背離、（また）意志の力を奪い去るヒステリー、（また）悲痛が、ついには哄笑になって湧き出すような、神経と精神との（自己）矛盾。まったくもってポーは、こうしたものだけを抽出していたのである。

　パスカルは錯乱の結果、非常に謙遜するようになり、キリスト教が（パスカルの）自我の観念を絶滅させたと言ったほどだから、特別に自叙伝のようなものは書かなかったが、有名な「Amulet」（「お守り」「魔除け」の意味）や「パンセ」の中には、たくさんの幻想が記されている。そして他人について語る場合に、よく自分について語っている。「極端な天才は極端な〈痴呆〉に近い。天才でなく〈痴呆〉でもない者は、また新しい一種の〈狂人〉である。人間とは、すべての者が〈気狂〉じみたものである」と彼は言っているが、それは暗に、自分を指しているとも読めるのである。また彼は「疾患は我々の判断力や知覚に影響を与えるものである。大きな疾患は明らかに、それ（判断力や知覚）を変化させる。かりに、それ（疾患の程度を指す）が僅かであっても、何らかの影響を与えないではいない。」というようなことも言っている。また「天才は頭脳の点で（常人より）高く離れているが、その脚部では〈常人〉より、さらに低い位置にある。彼ら（天才）においても、（常人と）同一の水準にあって、凡人と幼児と〈獣類〉が踏む（同様の）地上に立つものである。（天才の頭脳は天にも届くほどだが、体力や生活力の点では凡人のみならず、幼児にも劣り、頭脳も、場合によっては野蛮な野獣のようであるという意味も、直訳ではないが、包含していると考えられる）」とも言っている。

　（生理学者の）ハルラー（ハラーのこと。連載49参照）は日記の中に彼自身の宗教的妄想を詳細に記している。そして二十四時間のうちに、彼の性格が一変したというようなことを記している。また彼は、神からの迫害や他人からの侮蔑と嘲弄を受けて眩暈を感じ、「狂念」に襲われたとも言っている。

最近に縊死したレスマン（不詳）は「憂鬱録」という諧謔的な著作を書いた。（詩人の）タッソはアルビノ公爵に送った書簡の中で明らかな自分の狂気を描写した。また彼は「フランシスコ、ああ、フランシスコ、私は弱い四肢の中に弱い霊魂を抱いている。」と言っている。彼は錯乱の発作に罹ってから、しばらくして「私は自分が狂人であることを拒むことが到底出来ない。というのも私は、この狂気が飲酒のためか恋愛の結果によるということを信じないわけにはいかない。私は自分が大酒飲みであることを、よく承知している。……」と言っているのは、奇妙な事実である（ロンブローゾの感じた「奇妙さ」は、ひとりの人格の中に別の人格がいて、それだけでなく、その事を俯瞰的に観ている自我が有り、その自我ですら、自分という欲望と肉体の檻から抜け出せないという、精神病者の心理の「奇妙さ」であろう）。

★チェーザレ・ロンブローゾ

ドストエフスキーは作品の中に絶えず「半狂的人物」を登場させている。「ベシ」（ロシア語の強引な読みから、「悪霊」のことであろうか?）と「白痴」の中にはライ病を描き、「罪と罰」では冒瀆狂者を描いている。

ネルヴァルは「オーレリア」の作者である。その詩は「熱病の歌の歌【ママ】」と呼ばれて韻律と「乱語」の「混成詩」である。バーバラ（十一世紀頃のペルシャの大詩人、バーバー・ターヒル・ウルヤーンのことか?）は「Les Detraques（無秩序）」を描いた。バートン（「アラビアンナイト」の紹介者のリチャード・バートン卿の可能性もあるが、牧師で『憂鬱の解剖学』という著作のあるロバート・バートン〈一五七七〜一六四〇〉が正解だろう。この著作は、憂鬱を狂気に近い病気とし、自身の憂鬱の治癒のために、その兆候や原因を探り、療法に至る構想で書かれたが、古代から近代までの膨大な著作からの引用に満ち、一大衒学引用集のような本だという）は自己の幻想を描写した。アリクス（不詳）は医者ではなかったが、精神病者の取り扱い方法の著作を書いた。（詩人の）レーナウは錯乱の十二年前に、すでに（狂気を）自覚してそれを描いた。彼の詩は、総てが苦痛の色彩にあふれている。そして、いずれもが、自殺を予感させる憂愁的な傾向を現わしている。読者は、その表題を見るだけで、すぐに（その事を）察することが出来るだろう。「憂鬱患者に」「狂人」「霊魂の病者」「夢の暴力」「憂愁の月光」（のように）彼の詩題はどれもが、このようであった。

ロンブローゾは続ける。

私は以下に（レーナウの）「Seelen-kranke〈病霊〉」から数節を引用するが、これほど鋭い生き生きとした色彩によって自殺願望を描写したものは、かのオルティス（不詳）が最も悲惨なページの中にすら見つからないものである。

（以下意訳）

「私は心に深い傷を持つ。私は静かに、それを墓まで持って行くしかあるまい。私の生命は刻々と削られていく。ただ一人、私を慰める者があるが……それさえ今では墓の中にいる………ああ、私のお母さん！　もし、あなたの愛が死後にも生きているなら、そして、なおも自分の子供を心配してくれるなら、どうか私の願いを聞いて下さい………ああ、私は少しでも早く、この生きていることから逃れたい！　私は死の夜が待ち遠しい！　ああ、お母さん、どうか、あなたの気の狂った息子の悲しみを取り去る御手伝いをしてください」

ロンブローゾは続ける。

彼の「夢の暴力」は私の見解では、自殺狂の初期発作にともなう幻覚の恐るべき真実の描出である。それを読むものは、その思想と文章の中に、錯乱した「麻痺狂患者」の、離れ離れになった「性格」を、容易に観察することが出来るのである。

その一例をあげると、

「それは実に恐ろしく、凶暴な身の毛もよだつような夢だった。私は実際、それを――確かに夢だ――ただ夢に過ぎないと、自分では考えたい……しかし私は、まだ泣きやまない。心臓は激しく鼓動している。目を醒ますとシーツと枕がぐっしょりと濡れている……私は夢中でそれをつかみ、自分の顔を拭ったのだろう……私が寝ている間、あの私の敵である客が、ここで騒がしい宴を開いていたに違いない……今は彼等は行ってしまった――あの野蛮な奴らは――のだけれど、私の涙には、まだその痕跡が残っている。彼らはどこかに去った。そしてテーブルの上に酒だけを残していった――」

ロンブローゾは続ける。

彼はこれより以前に（歴史を扱った詩作品？）「アルビゲンセス」（どうやらレーナウ以前の過去の歴史で、焚書にあった本のタイトルらしい）の中で恐ろしい夢の印象を語っている。

「夢の力というのは実に恐ろしい。夢は私を圧倒したり、威嚇したり、動揺させたりして、私を苦しめる。もし仮に、寝ている者が相応な機会を得ないで目を醒まさないと、彼は確実に死体となる」

ロンブローゾは、そのまま続けて言う。

精神病院に長期間入院していたナット・リイ（無名氏であろうが、印象的な患者には敬意をこめて、ロンブローゾはフルネームで記している）という患者が、彼のCaesar Borgia（チェーザレ・ボルジア〈収賄と独裁政治で知られる教皇アレクサンデル六世の妾腹の息子で、美貌の毒殺魔ルクレチアの兄。軍人としても政治家としても辣腕家で、マキャベリズムの典型的人物とされる〉を表題とした、精神病者による妄想の著作名だろう）の中で詳細に天才の狂気を描写している。今、その一説を抜粋する。

「呻き悲しむ憐れな狂人の如く暫時は、ものをわきまえ、見物を瞞着す。眼は、その物狂おしさを喪失し、自身の誤れる意識だけを、看守人に告白す。しかし、他人が、もしも彼の心を傷付けた原因を探りあてれば、急に彼は歯を食いしばり、泡を吹き、彼の鎖を振るうであろう」

ロンブローゾの記す、この長い一項目は、ここでも引用だけで唐突に終わっている。

この引用を観るとロンブローゾが、精神病者に限らず普通の人間においても、一人の自我の中に相反する人格が共存していることを、予感していることがわかる。自覚無自覚を問わず、日常的に、その多層化した多数の人格を統御できているのが健常者で、それに違和感を感じて人格が乖離していくのが精神病者だと、理論化はできていないがロンブローゾが感じていたことは確かであろう。その事は、ポーに対する批評にも克明に現れている。特にレーナウの批評においては「離れ離れになった性格」と明記している。現在は統合失調症と言われる、精神分裂病が発見される以前の記述であり、当時において先駆的ともいえる見解だった。

精神病患者のナット・リイは、自身の精神病を自覚しながら「彼の心を傷つけた原因」（現在ではトラウマと言うが、当時はこうした概念も言葉もなかった）に触れられると錯乱を起こすと、自分自身を自己分析している。この自分を他人化し認識する自我をメタレベルの「思考の外部」に置いた表現は、狂気の天才詩人レーナウの自己表現よりも、より正確にロンブローゾに感じられたのであろう。あきらかにロンブローゾは、この患者に天才詩人以上の天才を感じているのである。そのための敬意による名前の明記であったと推測できる。「天才論」はフロイト以前であるのは勿論のこと、ハヴロック・エリスの「夢の世界」よりも以前の著作である。またロンブローゾの活躍した一九世紀には、まだ「心理学」すら成立していなかった。後続の学者たちがロンブローゾを、いかに学習したかが想像される「天才論」の記述である。

山野浩一とその時代㉕
「遊びとしてのSF」の徹底と、だまし絵のアイデンティティ

岡和田晃

『SFと宇宙科学』への参画

山野浩一が遺した短編小説のなかでも、一筋縄では論じきれないのが、「M・C・エッシャーのふしぎ世界」(『GORO』一九七六年一月二六日号〜一二月二三日号)であろう。エッシャーのだまし絵をそのまま言語に落とし込んだような作品があれば、一見すると関係がないように思える作品もある。モチーフを発展させたような作品や、タイトルから着想したと思しきもの、さらにはユーモアたっぷりにエッシャーを批評するような作品もある。もともとは、雑誌の黄金時代にふさわしくフルカラーで掲載されたエッシャーのイラストレーションに文章が添えられる形となっており、レイアウトも趣向が凝らされていた。

けれども、誌面ではどうしても、イラストが主で文章は従、という印象は否めない。だから私が編集・解説を担当した『いかに終わるか 山野浩一発掘小説集』(小鳥遊書房、二〇二一年)へと収める際には、あえて本文のみの収録となっている。本連載の第一八回(本誌No.89)で触れているように、過去、エッシャーの版権料が異常に高額であったために単行本の収録が見送られてきたという経緯があるうえ、山野自身も小説単体で成立すると自負していたからだ。テクストそのものを提示することで、山野浩一のオリジナリティへしっかり目を向けていただきたいと考えたのである。「M・C・エッシャーのふしぎ世界」は、山野自身にも確かな手応えがあったようだ。二〇〇五年頃の自筆年譜では、一九七五年の項目にて当時の経験が振り返られている。

「GORO」という若者向けの総合エンターテイメント雑誌で、エッシャーの絵に組み合わせたショートショートを連載したり、ジャズやロックの評論とか、ドキュメントや社会評論的なものも多く手掛け、仕事の範囲はやたらと広くなっていた。いま考えれば、この頃の多忙さは尋常ではなく、創作活動でも、評論活動でも、競馬関係でも、私生活でも、すべての面で専業並みの仕事を続けていたと思う。

こうした多忙をきわめる時期に書かれた「M・C・エッシャーのふしぎ世界」であるが、幸い、同作の連載後、山野は自注のような仕事をなしており、またとない読解の助けとなる。一九七八年五月に刊行された、『産報デラックス99の謎 自然科学シリーズ13 SFと宇宙科学 タイムマシン・超宇宙・異次元に挑む』(サンポウジャーナル)への参画である。同時代の言及やSFファンがSNSで話題にしているような例を寡聞にして知らないが、同書は豊富なヴィジュアル素材を駆使し、キーワード形式でのSFでよく採られるテーマやガジェットの解説が切り口となっている優れた入門書だ。同じ叢書で《太陽系探検》シリーズや、『ブラックホール』等、SFと親和性が高そうなタイトルも少なからず存在するが、そうしたハード・サイエンスの成果をふまえながら、文学史で培われてきた文脈をも同等以上に重視している点が、本書の特徴となるだろうか。

巻頭言「想像力と科学の出合い」を担当しているのは天文学者の堀源一郎(東京大学教授・当時)。専門は天体力学で、後に石原藤夫の主宰するハードSF研究所へも参加する人物だ。堀は同書に、科学ジャーナリストで「宇宙

塵」会員でもあった草下英明との対談「因果律を破れるか タイム・マシンから出発!」を寄せ、そこでのトピックをコラム「時間旅行と親殺し」で深めるなどしており、同書のブレーン役を担っていたことが推察される。

同書では、石森章太郎が短文「イメージの宇宙　有限と無限ごちゃまぜの世界」やSFアート「にぎやかな宇宙」を寄せていたり、松本零士が糸川英夫(組織工学研究所長・当時)との対談「人間に未来はあるか――ばら色は何色か」を行っていたりと、人選においてはヴィジュアル・メディアにおけるSFの影響が、少なからず意識されている。ただし、言及されるSFコミックはせいぜい手塚治虫作品くらいで、全体の色調は、あくまでも活字のSFをベースとした抑制的な雰囲気をたたえていた。

Q&A形式でなされる欄外の解説では、スペース・オペラやヒロイック・ファンタジーについても言及があるし、デッキー・池森らによるパルプ・マガジンを意識したと思しき描き下ろしのSFアートも含まれてはいることからすると、ファンダム的にファニッシュな内輪ノリの狂騒ではなく、あくまでもサイエンスへの敬意を基体としたいという編集方針が伝わってくる。こうした硬質な出版物の感触は昨今では稀しく、だからこそ再評価の意義はあろう。

堀の巻頭言では、「遊びの文化としてのSF」のあり方が強調されている。それは「SF本来の飛躍するイメージのおもしろさを、すんなり受け入れる遊びの精神」であるという。本書は、黄金期(一九四〇年代~五〇年代)アメリカSFのアプローチが核として据えられてはいるが、反宇宙やバナールの球殻宇宙島論など、SFの革新運動たるニューウェーヴにも通じるアプローチは当たり前のように出てくるし、共産圏のSF動向もサポートされている。それこそ山野浩一の「X電車で行こう」を含む第一世代SF作家たちの主要作品は軒並みあらすじが解説され、田中光二やかんべむさしら、第二世代に位置づけられる書き手の紹介もある。同書で、主題的に目配りが足りていないものがあるとしたら、フェミニズムSFくらいのものだろう。

ただ、同書には画家の合田佐和子がSFアート「鏡の中」を寄せてはおり、第五章の「幻想と宇宙　SFのために」では、合田の短文「鏡の中の小宇宙――めまいのする空間」や三枝和子のエッセイ「暗闇から宇宙を覗く」が掲載されていて、女性の参加が皆無というわけではない。三枝は幼少期の墓場への恐怖から出発し、洋の東西を問わない黄泉の国や冥府の神話に見られる想像力の慨嘆へと話をつなげ、そのいずれもが、示し合わせたように「闇の国、夜の国の物語」であるところから、「私たちの宇宙は、何も地球から飛び離れる感覚によってだけ構成されるものではない。地球を底へ底へと闇をかいくぐって到達する死者たちの世界だって想像の宇宙である」と述べている。三枝のエッセイは、松山俊太郎「三千世界の宇宙体系」、横尾忠則「宇宙から出発して還る」と、仏教的な宇宙観で書かれた文章と併載されており、確かにその文脈でも読めるが、同時に三枝自身の言葉で「内宇宙」のあり方を記述したものともなっているのは間違いなく、そこに山野浩一からの影響が垣間見える。

深見弾と、共産圏SFの再評価

実際に山野の寄稿ぶんを論じる前に、同書で共産圏のSFがどう紹介されていたのかをいまいちど確認しておきたい。こと日本において、SF作家における「反共」意識は、なんとも根深いものがある。あまり知られていないが、それこそ小松左京からして反共文化人団体・日本文化会議のメンバーに名を連ねていたものだし、現在でも豊田有恒が嫌韓本を出版したり、石原藤夫がインターネット上で靖国神社を礼賛していたりする。こうした背景が体質として常態化しているためか、現在ではスタニスワフ・レムのような一部の作家を除いて、共産圏の書き手とみなされた作家たちは「SF文壇」においては批判の対象となるどころか、ほぼ黙殺に近い憂き目に遭っている。

『SFと宇宙科学』においては、ソ連の関係書を出版していたナウカ社に勤務していた頃の深見弾が「共産圏SFのすすめ」を寄せていた。深見は切り出す――日本で知られているソ連のSF作家といえば、一九五七年に雑誌連載され、早くに日本にも紹介されたうえ、児童向けのリライトが多数出版されたエフレーモフの『アンドロメダ星雲』が筆頭に来るが、それ以外は早川書房の《世界SF全集》シリーズの第八巻に収録されているベリャーエフ、第二四巻に収められているゴール、グロモワ、ストルガツキー兄弟のほか、ごく少数に留まるのだと。けれども、日本では「純文学」として紹介されたザミャーチン、ブルガーコフ、ブリューソフ、アレクサンドル・グリーン、マヤコフスキーらの作品は「立派にSFとしても通用する」と深見は太鼓判を捺す。こうした見方は、当然ながら山野浩一も初期から共有していた姿勢である。

　面白いのは、ここから深見が、「フランスではかなり前から、ソ連だけでなく東欧のSFにも注目し、それなりの紹介がされてきたが、最近はアメリカでその機運が見える」と、七〇年代にアメリカの出版社がレムの紹介を皮切りに、ソ連SFの翻訳にも熱を入れ始めたと述べていることだ。本連載の第二三回（本誌No.93）で触れた、ランダムハウス社のロシア・東欧SFアンソロジー『遥かな海 果てしなき世界』（一九七〇年）の文脈だと思われるが、注目されているのが、アメリカで「ストルガツキー兄弟の長編がたてつづけに八点も出ている」状況である。ソルジェニーツィンのようにソ連当局への批判を含むため、地方誌に掲載されたはいいが編集者の責任問題となったり、地下出版（サミズダート）で回し読みされたりしてきたストルガツキーの作品が、アメリカや西ドイツといった資本主義国で出版されているということは、作品としての水準の高さに加え、内部からの政権批判に相応の有効性が看取されているから、という謂いである。

　深見は加えて、ルーマニア、ハンガリー、さらにはユーゴスラビア、チェコスロバキアといった共産圏の各国の事情も解説していくが、こうした視点は「SF宝石」（一九七九〜八一年、「SF Prologue Wave」に採録）で連載されたロシア・東欧事情で、さらに深められていく。

「ごまかしとトリックの創造――だまし絵」

　山野浩一は、辻野タカオ（高等遊戯研究家）との共同クレジットで、『SFと宇宙科学』の掉尾を飾る第六章「幻想と遊戯 思索とイメージのために」を寄せている。堀が巻頭言で述べた「遊びの文化としてのSF」を、もっとも正面から扱った内容だ。とはいっても、具体的なゲーム作品が論じられるというわけではない。メビウスの帯やクラインの壺（つまり位相幾何学（トポロジー）の性質）、ケーニヒスベルグの橋（一筆書きの原理）、迷路と迷宮（エリアーデに由来する永劫回帰の思想から迷路パズルまで）、無限階段（見せかけの遠近法で示されたありえない構造）、ロバチェフスキー空間（曲率がマイナスの空間）といった項目が立てられており、それぞれに平明な解説がなされている。

　これらの解説は入門記事としては有用だが、山野にしか書けない独自性が発揮されているわけではない。もちろん、「M・C・エッシャーのふしぎ世界」に限らず――それこそ、原著が同じ一九七六年に出版されたロブ＝グリエの『幻影都市のトポロジー』のような――技巧的な仕掛けが凝らされた現代小説を読むうえでも、必須の知識といってよい。けれども、トポロジカルな遊戯性が、それ自体として閉じるのではなく、かといって幼生成熟（ネオテニー）めいた未熟さへの居直りに堕すのでもなく、どのあたりに主体的かつ積極的な価値を置くことができるのか、明快な回答を与えられる者は多くない。実際、現在の「SF文壇」がしばしば、内輪での馴れ合いに堕して恥じることがないのは、逆説的な言い方かもしれないが、「遊び」への取り組み方が不真面目だからというに尽きるだろう。

　だからこそ、末尾に添えられた山野の批評「ごまかしとトリックの創造――だまし絵」はユニークで、意義深いものとなっているのだ。

　実用性も発展性もないのに、それなりの論理性を持っているものを〝遊び〟と呼ぶが、実際にはそうしたものの大部分は実用化され、発展性という点では、むしろ〝遊び〟にこそ最大の発展性があるといえるほどで、本当に〝遊び〟と呼べるものは少ない。

　例えば、子供の頃に議論した「アキレスと亀の競走」の論理にしても、「ニワトリが先か卵が先か」の論理にしても、数学や遺伝学によって簡単に解決され、こうした論理の不条理を解くことで様々な科学の発展が促進されているといえるほどである。

　最大の発展性があるものとしての遊び。しかも山野は、そうした発展性による「科学的シチュエイション」を認めつつ、他方で「純粋に〝遊び〟を〝遊び〟として捉えたい」。それは「現代文明の進歩指向へのアンチ・テーゼ」であると同時に、永劫回帰という形而上学的・神学的テーマが人々に取り憑いているのだと喝破するのだ。こうした発想は、本連載の第七回（本誌№87）で扱った松岡正剛との連帯や、松岡が主宰していた工作舎の雑誌『遊』をも連想させる。

そして山野は、「いかに科学的な推論が進んでも、時間の始まりと終わりとか、宇宙の果てといったものは永久に納得される結論に到達するものではなく、結局は永遠回帰的な円環構造を複雑化して理解していくより方法はない」とまで述べている。進歩史観をしばしば大きく逸脱することのない日本SFの文脈においては、こうした達観は異質とも言える。けれども山野は、実際に「時間の始まりと終わり」や「宇宙の果て」を表現するのは不可能にせよ、人々にそうした存在を実感させられるだけの実在性としてのアイデンティティを付与することは可能だと告げ、その好例が、エッシャーのだまし絵だというのである。

ごまかしとトリックの創造――だまし絵

山野浩一　SF作家

実用性も発展性もないのに、それなりの論理性を持っているものを〝遊び〟と呼ぶが、実際にはそうしたものの大部分は実用化され、発展性という点では、むしろ〝遊び〟にこそ最大の発展性があるといえるほどで、本当に〝遊び〟と呼べるものは少ない。

例えば、子供の頃に議論した「アキレスと亀の競走」の論理にしても、「ニワトリが先か卵が先か」の論理にしても、数学や遺伝学によって簡単に解決され、こうした論理の不条理を解くことで様々な科学の発展が促進されているといえるほどである。「メビウスの帯」はトポロジーへの重要なヒントになるし、アインシュタインの「相対性理論」が生み出した様々な不思議が、物理学や天文学の[illegible]な発展へ駆りたてている。もし、[illegible]に別の〝遊び〟が発見されたら、それこそ新しい科学が次々と芽えていくことであろう。「UFO」や「バーミユダ・トライアングル」のような、かつては見向きもされなかったテーマすら、今では科学の発展への貴重な栄養源なのである。

しかし、こうした科学的シチュエイション

FRAME-TALE

Cut on dotted line.
Twist end once and fasten
AB to ab, CD to cd.

ONCE UPON A TIME THERE

WAS A STORY THAT BEGAN

(continued)

構造小説「むかしむかしのお話の始まりはむかしむかしの……」(左が表)　ジョン・バース作

▼ゴルゴエピコース教会外壁装飾　アテネの市中にあるこの小型の聖堂の建立はコムネノス朝末期(12世紀末)である　ロバチェフスキー技法の一例　角であるのに角でないようにみえる

★「ごまかしとトリックの創造」より、上部図版はジョン・バースの「構造小説」、下部はロバチェフスキー技法を用いたゴルゴエピコース教会外壁装飾。

例えばM・C・エッシャーの絵をみて、この絵にある物理的ごまかしを発見することは難しくないが、たとえそのごまかしがわかったとしても、エッシャーの絵の与える不思議な面白さというものは変わらない。それは物理的ごまかし以上に、どこか本物めいた存在感を与えているのである。カフカの『城』の主人公は永久に城へ到着できないが、測量士のKなら実際に測量して城の位置を地図上に設定すれば、この小説の状況の矛盾を解明できるはずである。しかし、わたしたちはむしろ、この城が永遠に行き着けないものであるところに本物のわたしたちの世界を表現したものであるようなアイデンティティをとらえることができる。

状況の矛盾に、実感的なアイデンティティを見出すこと。山野はこれを現代の前衛小説やアートにおいて繁栄しているテーマだとし、ジョン・バースのメビウスの帯を用いた「構造小説」を例に挙げる。帯の表に「むかしむかし」と書かれており、裏面に「そのお話の始まりは」とある。これでメビウスの帯を作ると、「むかしむかしのお話の始まりはむかしむかしの……」と再現なく続いていく。こうした極小と極大の連続というテーマは、それこそ山野浩一自身の「スペース・オペラ」（「SFマガジン」一九七二年二月号、『ザ・クライム』所収、冬樹社、一九七八年）でも描かれているものだ。同作での山野はSFでもっともバロック的なサブジャンルをパロディとすることで、矛盾した状況そのものの実在性を描き出そうと試みたわけだが、「M・C・エッシャーのふしぎ世界」では、様々なタイプのエッシャーの絵を下敷きとした小説ということで、より多角的・多元的な追究を行おうとしたのだろう。ここから山野は、モダニズムやマニエリスム、さらには古典への連続性までをも示唆する。こうした「遊び」の感覚を通して文学や芸術を総体的に再考する姿勢は、サンリオSF文庫の選書スタンスや、山野が監訳したブライアン・アッシュの『SF百科図鑑』（サンリオ、邦訳一九七八年）、松岡正剛や荒俣宏との鼎談『SFと気楽』（工作舎、一九七九年）のすべてに通底するものだったのである。

「イラストレビュー」◎絵と文＝三五千波
新作歌舞伎「刀剣乱舞 月乃剣縁桐」
脚本・松岡亮 演出・尾上菊之丞・尾上松也
新橋演舞場（5月11日・夜の部観劇）
尾上松也&右近で三日月&小狐丸
洋服より着物がかわいい源氏兄弟刀
同田貫の鷹之資 小烏丸の雪之丞
新派から上方若手までの配役が新鮮
2010年の「旭輝黄金鯱」で
音羽屋贔屓になって以来
ここの復活狂言を応援してて良かった
全体構成は
音羽屋復活狂言の作り
「小鍛冶」の型に倣い
三日月宗近鍛造から
厳かに始まる
いつもの
菊五郎劇団音楽部と
長唄と竹本に加え
琵琶歌に
邦楽アンサンブルと
音楽も新趣向
映画「絶唱浪曲ストーリー」
監督・川上アチカ
出演・港家小そめ・港家小柳・玉川祐子・他
ユーロスペース（5月15日鑑賞）
実は筆者は
幸いにも
2014年5月の木馬亭で
小柳師匠の独演会を目撃できた
最初に何を見るべきかと
SNSでつぶやいたら
通りすがりの浪曲ファンの人に
「今年いちばん楽しみな一席！」
と激推しされた
師匠の弱った姿を
見せまいという気持ちか
ぼかした映像での
病床見舞いシーンが
心に刺さった
「国立劇場さよなら公演」
「菅原伝授手習鑑」後半通し
（9月2日第一部・二部観劇）
二部の最初に「寿式三番叟」で厄払い
北嵯峨の段・大内天変の段は
51年ぶりの上演とのこと
歌舞伎の方の
「妹背山婦女庭訓」前半通し
（9月23日観劇）
道行〜お三輪〜
奥殿は何度も見てるけど
序幕〜吉野川は初めて
国立劇場でも23年ぶりの上演

オペラシアターこんにゃく座
「ルドルフとイッパイアッテナ」　作曲・信長貴富
原作・斉藤洋　演出・立山ひろみ
ピアノ・五味貴秋　出演・泉篤史・金村慎太郎・他
アルテリオ小劇場（5月16日観劇）

2022年の初演を
逃したので
今年のツアー初日に
たった4匹と
足場のセットで
風を感じる

ルドルフは
猫ものとしては
「綿の国星」を思わすが
「侠気」の物語だ
…今の子どもの世界に
「侠気」はあるのか？

サントリーホール　サマーフェスティバル
テーマ作曲家
オリガ・ノイヴィルト（8月24・28日）
芥川也寸志サントリー作曲賞
選考演奏会（8月26日）

正しいオルランド

「オルランド」の
抜粋組曲
「オルランド・ワールド」
元のオペラは
BSプレミアムで
日本語字幕で
放送してるから
知名度ありそうなのに

車引・寺子屋は歌舞伎で
茶筅酒～桜丸切腹は文楽で見てる
一段ごとにくるっと代わる
太夫と三味線が誰が誰だか…
これでは贔屓も定まらぬ
そしたら初の試みだと言う
「文楽名鑑2023」が出たばかりで
飛ぶように売れていた

ガムランEn-gawa
@ブルーローズから
音楽隊乱入！

ノイヴィルトは
15歳でイェリネクと出会い
「盟友」として数本の
ミニ・オペラを作るが
共作の大きなプロジェクトは
5つのヨーロッパの歌劇場に
次々拒否されてついえたという

踊れ、クィア！
We are not alone!

両花道で客席まで
川が流れているように見える
雛鳥姫はおひな様の前で
おすべらかしに結い直して
……
なんてこと
こんな残酷な
嫁入りはない

どんぶらこ

合間の25日「湯浅譲二の世界」では
サマフェスの別企画
「ありえるかもしれない、ガムラン」
のチームが幕間に演奏
ガムランの方は行かなかったけど
ほぼ満員御礼…この人気の差は？

芥川作曲賞は3月の個展
「ドラァグの身体」が記憶に新しい
向井航「ダンシング・クィア」に
金床の響きと拡声器でのスピーチ
音で描く「ドキュメンタリー演劇」
これがプロパガンダ音楽に堕さぬのは
「ダンシング」ゆえである

理性的な変人たち「海戦 2023」
原作・R・ゲーリング
翻訳・上演台本・演出・生田みゆき
アルネ543（7月7日観劇）
ガァーン
後方！前方！撃て！
築地小劇場
こけらおとし時の
演目「海戦」を
女だけの劇団で上演するんである
これは戦争の
悲惨さを
描いた反戦劇
なんかでは
もちろん
なく
ナンバーで呼ばれる
水兵たちが「戦い」「死」
「神」「性」「運命」などに
ついて観念的な台詞を
交わす対話劇である
兆しを見る者
不安を奏でる者
疑問を持つ者
ザモーア島で
欲望渦巻く者…
ヤシ
メッキ
築地版と変人版の
抜粋比較小冊子に
単純な男女入れ換えで
ない細かい加筆の
例文があげられている
「女々しい泣き言だ」→
「意気地なし！」など
築地小劇場
1924
June
ドイツ表現派演劇は
一度リアリズムに
圧されてすたれ
その後地下水脈で
戦後のアングラ演劇に
つながる印象がある
ずっと疑問だった
なぜに
おかっぱで踊っていた
マヴォの人たちや
アナーキストたちは
ボリシェヴィキに
なって
地下活動へと
身を投じたのだろうか
ゼラニューム
朝から夜中まで
ここ近年
伊藤野枝や
アナーキズムへの
関心がただならぬ
小説とドラマ
「風よあらしよ」に
野枝フェスティバル…
私の
野枝との
出会い本
松下竜一
そんな矢先
「乙女の儚夢ノエル」という
あがた森魚「乙女の儚夢」の
トリビュートアルバムを購入
（9月20日発売）
なぜノエル？どこに伊藤野枝？
大正ロマン以外の接点がない
ディスクユニオン特典の
1972年の復刻ブックレット
「花鳥風月號」には
一ページ大で
「ですおぶ・
ですでもおな」
野枝の肖像
彼女がヒロイン
だったのだ
儚の女て
「花鳥風月號」
巻頭文
「儚夢の國」への
「魔法百科辞典」序
これは「日本少年」「永遠の遠国」と続く冒険の始まり
表現者と共犯者（リスナー）へのマニフェストである
盟友はちみつぱい〜ムーンライダーズともども
昭和末から彼らの音盤世界に遊んで来た者としては
感慨を禁じ得ない
どのカバーも
「ろまん継承」を感じるけど
町あかりの赤色エレジー
郷拓郎の「♡のクィーン」と
ナレーションものがお気に入り
野ばら氏の小説はホームズ話で
上手くかわしたなという感

ウルリケ・オッティンガー「ベルリン三部作」
「アル中女の肖像」
「フリーク・オルランド」
「タブロイド紙が映したドリアン・グレイ」
ユーロスペース・他（8月20日他鑑賞）
Romeo
メイエルホリドの
失われた映画
「ドリアン・グレイの肖像」
スチール写真のみ
残されているが
主人公の青年は
女優が演じている
「フリーク・オルランド」
「小さな世界劇場」
デパートの靴売り場・ヒゲの聖女の修道院・
異端尋問・見世物小屋・醜いものフェスティバル
…性別も設定も違うが
違う角度からの「オルランド」の物語なのだ
原作は性別越境だけでなく
理想の伴侶「シェルマーダイン」を
得る物語の一面もあるのだが
こっちはそちらの面は欠けている
わるいオルランド
ぼっちゃま。
おめざ
Hollywood!
ヴェルーシュカの
ドリアンは
その映画の存在を
思い出させる
タブロイドと
テレビは
今なら
「ネットの噂」
「アル中女の肖像」は去年ドイツ文化会館で見た
前述のオペラ「オルランド」に欠けているもの
「キャンプ」「笑い」「暴力」「耽溺」「毒」
「まぬけ」「ダメ」などなど…
オッティンガーにはすべてがある
むしろそれだけで出来ている
（界隈のニュージャーマンシネマも）
バ
ジャ
なめんなよ
ガジャーン
怒ると
すぐ酒をぶちまけて
飲み屋出禁…
沸点の低い
アル中女に乾杯！
…なのだ
フランソワ・オゾン「苦い涙」（9月28日）
ファスビンダー
「ペトラ・フォン・カントの苦い涙」（9月23日）
アフタートーク・渋谷哲也（下高井戸シネマ）
旧作ペトラも私は初見
オゾンの新作では
女性デザイナーを
ファスビンダー
本人に寄せた
男性映画監督に
ジェンダーミラーリング
オゾン作では
旧作で
残酷な恋人役だった
ハンナ・シグラが
監督の老母として
子守唄を歌うシーンがあり
アジャーニも「ケレル」劇中歌
「人は愛するものを殺す」をカバー
…これがオスカー・ワイルドの詩なんだな
Marlene
お芝居
見る？
この夏は
ダニエル・シュミットも
上映さかん
「天使の影」だけでなく
「トスカの接吻」
「書かれた顔」も見られて嬉しい
GAME
BOY

東京の流刑地 Vol.4

from IZU-OSHIMA

●絵と文＝大黒堂ミロ

ジブリ・ゴシック

今のようなアニメグッズがなかった当時の記念品。

Wikiで『ゴシック』の解説を見てみると『ポピュラーカルチャーにおいてもゴシックという言葉は広く使われている。そこでゴシック的とみなされているものは、例えば闇、死、廃墟、神秘的、異端的、退廃的、色で言えば「黒」といったイメージである。そのような現在流布している多様なゴシックの表象は、歴史上ゴシックがもともと意味していたものとは必ずしも合致しない。総じてゴシックという言葉は多義的で曖昧であると言える。』とある。

で、ここからが本題。80年代にゲイ雑誌で漫画家デビューをする前の70年代はゴリゴリのアニメオタクをやっていた。77年の『宇宙戦艦ヤマト』劇場公開を皮切りに、78年に『ルパン三世vs複製人間』79年には『銀河鉄道999』が邦画の興行収入トップになり、そして80年12月に宮崎駿の劇場映画初監督作品『ルパン三世　カリオストロの城』が公開されたのだが、それが興行的にひどい大失敗だったのは一般にも周知の事実。

ちなみにこの時期のメジャーな映画には77年『未知との遭遇』（S・スピルバーグ）『STAR WARS』（J・ルーカス）79年『エイリアン』（R・スコット）80年『SW帝国の逆襲』（J・ルーカス）『E・T・』（S・スピルバーグ）『復活の日』（深作欣二）82年『ブレードランナー』（R・スコット）とSF映画が花ざかりの時期でもあった。

テレビでは78年から『愛は地球を救う』が始まりその中では天下の手塚治虫先生の新作2時間アニメが無料で見れるようになった。その背景もあり、子どもや家族連れの観客がわざわざお金を払ってスクリーンで観る映画は、派手なアクションが楽しめるSF映画が全盛となっていた。

オタクコレクションの一つ
『カリオストロ』の翌年の宮崎演出ルパン
『さらば愛しきルパンよ』の背景付き原画

80年代、富野由悠季さん
安彦良和さんのサイン

当時は様々な作風の模写をしていたのはもちろん、セル画等も買い漁り収集していた

81年になるとご存知『機動戦士ガンダム』三部作が大ヒットするのだが、この時代のヒット映画の宣伝ポスターに共通しているのが『作家性の高い宣伝美術』である。ルパン一作目は原作者モンキーパンチ描き下ろしポスターだったり、ヤマトと999は言うまでもなく松本零士イラスト（上右）、案外知られていないが『さらば宇宙戦艦ヤマト　愛の戦士たち』の主人公イラスト（上左）はガンダムと同じ安彦良和さんが手掛けている。

そして余談になるが『STAR WARS』も最初のポスターはアメリカ人イラストレーターのトム・ユング、それに続いてヒルデブラント兄弟によるイラストだったが評判が良くなく、『帝国の逆襲』で初めて日本人画家の生頼範義（おうらいのりよし）さんのイラストが起用されて世界的ヒットに拍車をかけた。『復活の日』の海外版宣伝ポスターも生頼さんのイラストを使って成功している（ちなみに72年のハヤカワ文庫版『復活の日』裏表紙にはスパイク型ウイルスが描かれている）。

…が長い前置きで、実は第一作『ルパンvs複製人間』の冒頭でもかなりゴシックな演出をやっているのだが『カリオストロ』ではより具体的に『闇、死、廃墟、神秘的、異端的、退廃的…な城を舞台にゴート人とゴート札を巡る物語』を描いている。もしも作風を変えて宣伝美術を生頼範義さんがゴシックテイスト全開で手掛けていたら興行成績は変わったんじゃないかと個人的には思うのだ。今回の『ジブリ・ゴシック』と言うタイトルに違和感をもった人が多いと思うがそれは正解だろう。今でもしっかりしたゴシック演出のルパンを見たい。

原作物については思うことがいっぱいあるが今回はここまで。ちなみに作家性の強い宮崎さんや押井守さんの漫画

78年公開の第一作ルパンには当時生きていたサルバドール・ダリのシュルレアリスム絵画を背景に使っていたのだが、ここはゴシック時代の作家ヒエロニムス・ボスの代表作『快楽の園』を使って欲しかった。

TH特選品レビュー

(イ)イガラシ文章
(市)市川純
(岡)岡和田晃
(高)高浩美
(清)清水悠正
(シ)シン上田
(日)日原雄一
(並)並木誠
(水)水波流
(村)村上裕徳
(M)本橋牛乳
(八)八本正幸
(樋)樋口ヒロユキ
(二)二葉亭二丁目
(穂)穂積宇理
(吉)吉田悠樹彦

春日武彦
恐怖の正体
トラウマ・恐怖症からホラーまで

中公新書

★驚いたことにこの書物はその冒頭で、拙著『恐怖の美学』（アトリエサード、二〇二二）を引用している。私の本をわざわざ引用する人がいるだけで驚きだが、それがかの春日武彦、私も若い頃から愛読してきた精神科医にしてエッセイの名手なのだから驚く。

そして春日はこの引用にすぐ続けて、自分は全く違うアプローチで書くのだ、と宣言する。実際、拙著とは驚くほど違う。まず、恐れる対象が全く違う。拙著では虚構に登場する亡霊や悪魔の類が数多く登場したが、精神科医だけあって、同書では恐怖症が数多く取り上げられる。恐怖症というのは日常にあるものへの恐れが引き起こす病気だ。したがって私のように幽霊だの宇宙人だの怪物だのでなく、日常生活に普通に存在するものが、本書では多数登場してくる。

ムカデやゴキブリ、甲殻類などのグロテスクな生物。集合恐怖を引き起こす、無数のカエルの卵やフジツボの類、餌を求めて寄ってくる無数の鯉の生々しい口。高所への恐怖、墜落する恐怖。尖端恐怖、なかでもそれが目に刺さる恐怖。さらには人形恐怖など、いずれも現実にある存在であり、それらへの恐怖がこの達人の筆で描かれるから、背筋がゾワゾワしてしょうがない。

また同書では、グロテスクなものがしばしば俎上に上げられる。拙著ではごく簡単に済ませたカテゴリーだが、著者のグロテスクへの強い関心はただ事ではない。死体から胎児が飛び出してきた事件、飛行機事故で想像し難い惨状を呈した遺体。崩壊した家族関係が示す異様な状況や、寄生虫がもとで死んでしまった男の話、などなど。逆に、不思議なくらい亡霊、心霊実話が出てこない。著者はお化けが怖くないのだろうか。

もう一つ本書が描く恐怖の特徴は、閉所恐怖にまつわるモチーフがたびたび取り上げられる点だ。電車の下に挟まれて、じりじりと電車に轢かれる恐怖。早すぎた埋葬のモチーフ。人間魚雷回天の悲劇、などだ。これも私が見落としていた恐怖である。

著者は「自分が何を恐れているかを分析すれば、それは自己分析になる」という説を同書で唱えている。自分自身が思うセルフイメージのいわば影の部分を、恐怖の対象は物語るわけである。そして著者は実際に、この本を執筆しながら、自身がそうした恐怖を抱くに至った理由に肉薄していく。そこで明かされていくのは著者の驚くべき過去、記憶の盲点なのである。

著者は同書を書くことで、それまで封印していた記憶の闇と出会った。実を言えば、私も拙著執筆中、妙な出来事が立て続けにいくつも起きた。誰が言ったか「怪を語れば怪来たる」という言葉があるが、怪、恐怖にはどうもそうした性質があるらしい。おそらくあなたも同書を読めば、きっと何かに出くわすだろう。恐怖を求め考える読者なら、必ず手許に置きたい一冊である。（樋）

イエス玉川独演会

浅草木馬亭、23年7月8日

★五街道雲助師匠が人間国宝に決まった。本当にめでたいことだ。東京落語界からは五代目柳家小さん、小さんの弟子の柳家小三治につづいて三人目。しかも古今亭・金原亭の一門から。個人的には十代目金原亭馬生一門なら伯楽師匠のほうが好きだけど、めでたいことだ。本人も行ってるが、「雲助」なんて名前の芸人が国宝である。

なら「イエス」師匠が人間国宝でいいでしょう。三年半ぶりである。木馬亭での、イエス玉川独演会。いやホントめちゃめちゃ楽しかった。予約者がちゃんと来てるかどうか、ふだん着のイエス師匠による出欠確認からはじまる。「××さん来てる？　ああ、いつもありがとう。お客さんは私のこと観に来てくださるけど、私はお客さんのこともちゃんと観てる」って。他人ごとでわらってたら「日原先生？」って僕も呼ばれた。「お顔みるのは初めてですよね。精神科の先生でね。精神科の医者が俺に興味あるって……」ってネタにしつつ紹介までしてくれてうれしい。

そしてゲスト、ポンちゃん一座のあと、神父姿の漫談。いつ聴いても新しいネタが挟み込まれていて、めちゃめちゃたのしい。

最後はいよいよ、イエス師匠の浪曲。『忠治山形屋』。すごかった。木馬亭でかつて聴いたときより、NHK浪曲大会でテレビ放送があったときよりも声が若々しくて伸びやかで、ずっとこの時間が終わらなければいいのにとおもった。「忠治の行くさきや、日本晴れ」という締めのフレーズに、「最高！」という掛け声もかかった。イエス玉川の師匠の大名人・三代目玉川勝太郎の高座も、聴いていらっしゃるおひとだそうだ。

「今回でこういう独演会は、やめようと思ってたんですけれど……」というイエス師匠。なんでだ。澤孝子師匠もいない今、イエス玉川師匠はまちがいなく浪曲界最高の宝である。（日）

シーボルト父子伝
～蒼い目のサムライ～新たなる船出

博品館劇場、23年8月31日～9月3日

★好評につき何度か上演されたこの舞台、今年はシーボルト来航から200年、ウィーン万博150周年であり、それを記念して上演された。

フィリップ・フランツ・フォン・シーボルトは幕末に来日し、長崎出島の地より多くの弟子を育て日本に西洋医学を広めたが、業績はこれだけではない。日本に初めてピアノを持ち込んだのもシーボルトで、山口県萩市今魚店町の熊谷（くまや）美術館に大切に保管されている。そのピアノには内部に「我が友クマヤへ」とシーボルトがオランダ語で書いたサインが残る。日本を離れる際、親交があった長州藩御用商人の熊谷家4代五右衛門義比（よしかず）に贈ったものだそう。

シーボルトの業績は医学に留まることなく、世界に広がるシーボルトコレクションと共に様々な研究分野で活かされた。その研究とコレクションをもとに記された大著『日本』はベストセラーになり、ジャポニズムブームを引き起こした。日本を愛する蒼い目のサムライの遺志は2人の息子、兄アレキサンデル、弟ハインリッヒに引き継がれ、ウィーン万博参加など、新時代に漕ぎ出たばかりの日本を世界の一等国にすべく、維新志士たちと共に数々の危機を乗り越えていったことはあまり知られていない。

この舞台は、木村ひさしを総合演出、主演脚本も担う鳳恵弥を演出に、辰巳琢朗、山崎裕太、国生さゆり、劇中音楽も担当するパッパラー河合などの新キャストを迎えての公演。

前説、賑やかに登場し、わちゃわちゃと楽しく！

物語の主要人物フィリップ・フランツ・フォン・シーボルトの息子で弟のハインリッヒ・シーボルトは、研究分野において父との区別のため「小シーボルト」とも呼ばれる。兄アレクサンダー・フォン・シーボルトは外交官で、井上馨外務卿の秘書となった。

異母姉に日本人女性として初の産婦人科医となる楠本イネがいるが、もちろん、この物語でも登場する。彼らの功績は研究中だが、次々と様々なことが明らかになっている。ウィーン万博は明治政府がはじめて正式に参加した万博だ。新しい日本を全世界にアピールする貴重な機会で、さまざまなものが出品されたが、これらの選定は、実はハインリッヒが深く関わっている。

語り部は、花（国生さゆり）とひ孫の忠志（佐藤茜）。好奇心旺盛な弟ハインリッヒ（鳳恵弥）としっかり者の兄アレクサンダー（山崎裕太）が初めて日本にやってくるところから始まる。兄が見た夢に父シーボルト（辰巳琢郎）が出てきて、「父さん！」と言った途端に目覚め、船は無事に日本に到着する。それから賑やかなオープニング。パッパラー河合のギター生演奏がなんとも贅沢！

調べれば調べるほど、彼らの功績は多岐にわたる。様々なエピソードが発掘されるので、上演されるごとにアップデートされている。好奇心の赴くままに行動し、恋をしたら一直線のハインリッヒ・

シーボルトを初演から演じている鳳恵弥は、当たり役。冒頭でのアクションシーンがかっこいい。ちなみにハインリッヒはフェンシングが得意だったとか。まさに文武両道。また結婚を申し込む場面では、この頃の日本では恋愛結婚の方が珍しいのだが、ハインリッヒは家や身分の違いよりも自分たちの気持ちを大事にする。ましてや当時の日本人が日本人以外と結婚することは想定外、よってハインリッヒはソッコーで父親から拒否される。だが、そこで諦めるハインリッヒではなく、超前向き。この恋愛がどうなったかは言わずもがな。2男1女を授かるも、長男はハインリヒがウィーン万国博覧会帯同中に夭折。そういったエピソードを織り交ぜて物語は進行し、日本を愛し、家族を愛したハインリッヒの半生を描く。

　テーマソングは、鳳恵弥作詞・パッパラー河合作曲『ジパングにやって来たヤァ!・ヤァ!・ヤァ!』。この作品はミュージカルではないが、いわゆるライトモチーフのように用いられる。そして同じ作詞作曲による挿入歌『愛しき君よ』はシーボルトの愛に満ち溢れた歌。また、兄のアレクサンダーを演じた山崎裕太は、落ち着いた雰囲気が弟とは対照的、だが志は同じで、日本のために尽力したい気持ちは弟に引けをとらず熱い思いをほとばしらせる。また、国生さゆりが演じた花は、めがねをかけておっとりとした空気感をまとい、孫と話すシーンは微笑ましい。

　明治なので教科書に登場する人物がたくさん登場。伊藤博文（佐藤豪）や渋沢栄一（足立浩大）はもちろん、パッパラー河合も佐野常民役で出演（日本赤十字創始者）、なぜかギター弾いてたり（笑）。

　上演時間はおよそ2時間ほどだが、歴史上の人物が登場するからと言ってお勉強にはならず、小難しくもない。ただ、日本が好きすぎた1人の人物の生き様が描かれているだけ。シンプルだが、多くのことが詰まっている。（高）

坂井恵理

シジュウカラ

双葉社、全10巻

★ドラマ化もされているけれど、主人公は40代女性で夫も子どももいる。マンガ家をやっていて、そのアシスタントである18歳年下の男性と不倫をする。とまあ、そういう建付けではあるけれど、そこにはいろいろな想いがある。

　そもそも、子供のいる中年女性にとって、自分の人生とはどういうものなのか。まして、愛のない夫との暮らしがどれほどのものなのか。40歳をすぎても、恋をする女性でいられるのか。そして、夫はいわゆる家父長制的な存在として描かれる。「俺のかせぎで食わしてやっているんだ」的なもの。だから、恋だけではなく、マンガ家としての自分も同時に問われてしまう。そして、中高年男性と少女という組み合わせはよく描かれるけど、その逆は少ない。あえて18歳年下との恋という形で、女性の魅力は若いだけがすべてではないことを際立たせる。

　「シジュウカラ」というタイトルには、40歳からでも自分の人生を取り戻せるというメッセージがあるのだろう。

　全10巻のうち、前半の5巻くらいまでは、主人公の忍、夫と恋人の千秋との三角関係を中心に描かれていく。結局は、夫は捨てられるし、息子が忍の背中を押してくれる。マンガ家として自立し、自分の人生を取り戻していく。

　後半は、だからといってすんなりと千秋と結ばれるわけではなく、学生時代の漫画研究会の仲間でマンガ編集者の岡野とバツイチ同士ちょっとよりを戻しかけてみたりもする。でもそれ以上に、千秋の母親をはじめ、千秋が同棲を受け入れた自傷壁のある女性などが登場し、DVなどが広く描かれていく。作品として焦点がずれていくのだけれど、連載を続けるという点で、読者を引き付けるための選択なのだろうな、とも思う。でもまあ、そうしたことも含め、坂井が描いているのは家父長制に対する異議申し立てであり、家父長制における特権的な地位にとどまろうとする男性への告発なのだとも思う。そうした中で、そうではない男性として千秋や息子の悠太が描かれるし、反省する男性として岡野が描かれる。それは、「ひだまり保育園おとな組」や「ヒヤマケンタロウの妊娠」の延長にある。

　坂井恵理の初期の作品はSFだった。「ビューティフルピープル・パーフェクトワールド」は自由に美容整形ができるようになった社会の話だった。まあそれを言えば、「ヒヤマケンタロウの妊娠」もそうなのだけれど。それで、フェミニズムという文脈で坂井の作品が好きなのは、単純に家父長制を告発するわけではなく、むしろ自分自身を取り戻すことに焦点が当てられていること。美容整形で奇怪な姿になったとしても、それがあるべき自分だし、だから忍もあるべき40代の自分というのを取り戻す。微妙なことなのだけれど、忍は少し太めに描かれている。どこかで若くなさを認めつつも、それもまた自分自身であることを受け入れている。

という事とは別に、この作品はドラマ化されるわけだけれど、作品そのものの中でも、千秋の作品がドラマ化されたりするということが平行して描かれている。主人公がマンガ家ということもあって、そういった遊び心もちょっと楽しかったりする。（M）

FORMOSAコンサート・第40回 Taiwan Grand Concert 台湾と日本のハーモニー

豊洲シビックセンターホール、23年9月2日

★FORMOSAコンサートは優れた台湾人音楽家を招聘して日本人音楽家との交流コンサートを行っている。今回はヴァイオリンのRay ChangとピアノのJoanna Tingが来日し日本側と台湾歌謡、日本や欧米の近現代の名曲、そして映画音楽などを共演してみせた。

バレエで参加をしているのがロシア国立リムスキー＝コルサコフ記念オペラ劇場・元プリンシパルの緒方麻衣である。かつて谷桃子バレエ団で「白鳥の湖」、「ジゼル」、「ラ・バヤデール」で活躍したことを覚えている関係者も多いだろう。私は特に「ジゼル」を覚えている。その後、ロシアを中心に世界各地で踊り、現在は東京で活動をしている。本当に久々に緒方のクラシックバレエを楽しむことができた。「瀕死の白鳥」はチェロ（荒庸子）の生演奏と共に見事に描き、「韃靼人の踊り」は名シーンを抜粋しながら踊りの音楽性から楽しませてくれた。本当に久々に東京でみることができた緒方のクラシックは懐かしくもありながら現在進行形であり感慨深かった。緒方は何度でもみたいとおもえるような優れたバレリーナである。（吉）

甲斐荘楠音の全貌

東京ステーションギャラリー、23年7月1日〜8月27日

★妖艶、という言葉がまず浮かんだ。しかも、窒息しそうなほどの圧倒的な妖艶さだ。

甲斐荘楠音の名は、大正時代に活躍したデカダンスな画家という程度の知識しかなく、実物に接するのはこれが初めて。ほぼ等身大で描かれた遊女や芸妓からは白粉の匂いが漂って来そうだし、ふと眼が合いそうになって、あわてて逸らしたりする。気がついたら、画面から抜け出して、傍らに立ってしなだれかかって来るのではないかとさえ思えるほどだ。

そういえば、そんな特撮ドラマがあったけっけなと思う。『怪奇大作戦』第二〇話「殺人回路」というエピソードだ。額縁の中のローマ神話の狩猟の女神ダイアナ（ディアーナ）が、絵から抜け出して殺人をするという物語で、ダイアナを演じたキャシー・ホーランの美しさとともに、深く心に残っている。

そのことを思い出して慄然とした。特に「幻覚（踊る女）」という作品が凄まじく、煉瓦造りの美術館という場所柄とも相俟って、真夜中になると本当に絵から抜け出して踊り狂うのではないかと思えるほどだった。写実と様式美の境を浮遊するようなタッチも素晴らしい。

この妖艶さはどこから来るのか?

その回答のひとつが、展示された作者の写真に示されていた。

歌舞伎の女形に扮したり、女物の着物を纏って絵のポーズをとったりする楠音は、今風に言えば、トランスジェンダー、あるいはトランスヴェスタイトであったらしい。

彼の描く女性像には、対象としての女性に重なるようにして、自分自身が映り込んでいる。そんなことを言ったら、すべての画家の人物像は自画像だと言えてしまうかも知れないが、楠音の場合、屈折した感情が対象となった女性本来の美しさと化学反応を起こして、壮絶な妖艶さを醸し出しているのに違いない。（八）

★甲斐荘楠音は演芸界に関心を持っている日本画家だった。彼の人間の闇をみつめたような作風は話題となったが、私は日本画のアーティストの創作とその背景がわかる展示に関心させられた。当時のメディアや舞台芸術にアンテナを張り、芸者や演芸界の様子を描いた作品たちにつなげていく様子が良くわかる展示は興味深かった。この画家は後年に映画に転向する。その中には「旗本退屈男」や溝口健二の「雨月物語」も含まれる。絵画から映画への転身、その背後にある演芸への関心という構図もまた興味深い。最後に未完の絵画が2点残される。演芸界の

光の如く美しい「虹のかけ橋」と肉体的にも金銭的にも搾取され死を迎えるようなむごたらしい「畜生塚」である。前者は1915年頃から晩年まで描かれた完成形もイメージできそうな内容であり、後者は同じごろに描きはじめられながら未完成の様相をはっきりと示している。このコントラストも興味深い。演芸と向かい合う姿勢や距離は芸術評論の一環として舞踊批評を20年近く続けてきた私にも訴えかけるものがある。(吉)

劇団印象-indian elephant-

犬と独裁者

下北沢駅前劇場、23年7月21日〜30日

★近年、「国家と芸術家シリーズ」として、1940年前後の作家とその背景としての戦争を描く作品を続けて上演している劇団印象、今回取り上げたのは、ミハイル・ブルガーコフだ。「巨匠とマルガリータ」が有名だけれど、タイトルに犬が出てくるのは、「犬の心臓」という作品からとっている。

過去には、カレル・チャペックやエーリッヒ・ケストナーなどを取り上げている。それぞれ舞台はチェコであり、ドイツである。作家は戦争に直面し、戦争を進める政府の圧力を受けながら、それぞれのスタイルで作品に自分を捧げていく。例えば、ケストナーを取り上げた「消された名前」では、レニ・リーフェンシュタールも登場し、政府のプロパガンダに協力する映画監督と抵抗しようとする作家が対比される。

「犬と独裁者」でも、こうした構図は踏襲されている。むしろ、ウクライナ出身の作家を中心に置くことで、現在とのつながりがいっそう鮮明になっている。

スターリン政権下のソビエト連邦。ミハイルは政府を批判する内容を含む戯曲や小説を書いており、上演も出版もできないという状況にある。そこに、スターリン生誕60年を祝う評伝劇を書くよう依頼が来る。依頼通りの作品は凡庸なものになるだろう、自分らしい作品を描けばスターリンを批判することになる。かといって断ることもできない。

そこに現れるのが、彼にしか見えない、犬でありスターリンでもあるソソ。その幻視をもとに、スターリンの若い日々、革命での戦いを戯曲化しようと考える。ブルガーコフ自身も、白軍(革命軍である赤軍に敵対する反革命軍)の軍医として戦争の従事した経験がある。

しかし、そこで明らかになるのは、スターリンの出身地がグルジア(現ジョージア)であるということ。そして、若き日のスターリンが詩人でもあったこと。そこからスターリンの闘争が始まったが、現在はロシアにおいてグルジアを支配する立場にある。結局のところ、何等かの批判を含まないわけにはいかない。

こうした葛藤の背後で、今でもミハイルを愛している元妻のリュボフィが編集者としてこの戯曲に関わらざるを得ない、それによって引き戻される三角関係がアクセントとなる。

途中、プーシキンの詩を読む場面が何度かあるが、あえてプーチンと読み間違える。そこには、スターリンと現在のロシアのプーチン大統領が重なることが示されている。

1940年代のロシア・ウクライナのことは、チェコやドイツのそれと同様に、現在につながっているものがある、というのが底流にあるのだろうし、実際にそうなのだと思う。そして、そのことが現在において演じられる意味なのだと思う。それは言葉にできるメッセージではなく、ただそのこととして受け取るしかないものでもある。

今回は、登場人物はわずか6人、対象となる時間はわずか2年間という、比較的こじんまりした作品となった。その分だけわかりやすいし、妻のエレーナと元妻のリュボフィとの三角関係や、最終的にエレーナとともに「巨匠とマルガリータ」の執筆に向かっていく芸術家としての姿が引き立つことにもなる。同時に、ソソが登場する幻想的なシーンが、スターリンもまた人間であること、そのどうしようもなさが描かれている。(M)

稲田和浩

師弟論 伝統芸能とパワハラ

彩流社

★あなたには師匠はいますか? と、帯で問われる。ドキッとさせられる問いである。

私にはいる。張賢徳先生という、溝口病院で長年、精神科科長をつとめられた先生である。『人はなぜ自殺するのか』という名著があり、自殺予防学会の理事長でもある。ずいぶん迷惑をおかけした。自分は末端の不肖の弟子だけど、でも弟

子は弟子だ。

稲田和浩は「師匠」というものについて、こう書く。「技芸、遊芸の師匠、あるいは先生でも、先輩でも、人生の指針を示してくれたような人や、その道の道標になってくれた人を『師匠』として考えてみたい」。

稲田和浩の師匠は、永井啓夫だそうだ。著書を多く出している、大学の教授だ。

師匠としての永井啓夫に、「木馬亭に行って浪曲を聞いて来なさい」と言われた。のちに、浪曲台本を書くように勧められ、稲田氏は演芸台本作家になる。

四代目三遊亭圓歌、歌之介の圓歌が、弟子の天歌さんを殴ったそうだ。三遊亭天歌。あとで師匠である圓歌をパワーハラスメントで訴え、いまは「元・天歌」として活動してる。

天歌さん、そこそこ好きな新作をやっていた二つ目さんだったので、おどろいた。『カーテン騒動』、『スマホにサイン』などの新作落語が、天歌さんのYoutubeチャンネルにあげられている。このちょっと前には、快楽亭ブラックが、元・弟子のブラ坊さんに訴えられるお笑いがあった。

稲田和浩は永井啓夫に、怒鳴られたりしている。私の師匠・張賢徳先生は優しいから、怒鳴られたことはないが、ほかのひとに怒鳴っている現場はみたことがある。何度もある。とっても恐かった。けれど。

学生時代の実習で、張先生の診察を見学させていただいた。張先生がひとこと言葉をかけるだけで、患者さんが涙される場面を何度も見た。ひとを言葉で動かし癒し、こんなすごい先生がいるのかとおもった。だから師匠の目の前に立つと、もう十年近く医者をやっているが、学生時代の自分に戻る。めちゃめちゃ緊張して、ふだんは医者だから「日原先生」と呼びかけてくれるが、ときどき「日原くん」と呼ばれると、とっても嬉しくなる。

稲田和浩は永井啓夫に、「いろいろと薫陶は与えてもらったと思っている。感謝している」。

中井久夫いわく。「不遇とは、師に遇わざることを言う」。

私も、張賢徳先生に出会えたことを、めちゃめちゃ感謝している。(日)

宮沢章夫
きょうはそういう感じじゃない

河出書房新社

★「それにしても眠い。さよなら。宮沢章夫」

このSNS投稿を最後に、2022年、宮沢章夫はこの世を去った。すでに「学問の人」になっており、ネット界隈ではリベラルな言動から「クソ左翼」と揶揄されることもあったという。80年代サブカルの名残りをかろうじて知っている者からすれば隔世の感だ。

本書は著者の死後に公刊されたもので、エッセイと音楽評、そしてインタビューから構成される。ボリュームの半分以上を占めるエッセイ群は、纏めるにはちょっと扱いづらい、言ってしまえば寄せ集め的な内容だが、一つの様式美として完成された「良質なマンネリズム」がここにある。

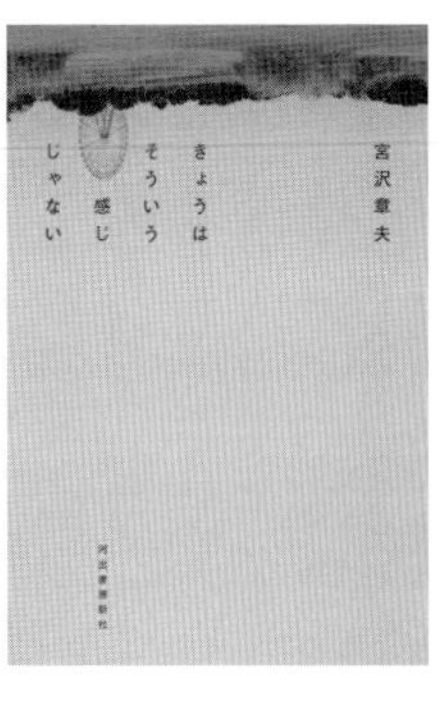

初めて宮沢章夫の本を読んだ時の驚き「文字だけでこんなに面白い」といった類ではない、事物に投げかける視線のすべてが作品になるといった、悟りの如き境地である。

大学で教鞭を取り出した2000年以降、仕事の中心は東京文化論へと移行して行った。後期の著作で重要になるのは(小説や戯曲を別にすれば)大学の講義をまとめたものだろう。

この本から新たに見いだされるものはほとんどない。死の前年に書かれた「私的シティ・ポップ論」は70年代の音楽シーンを俯瞰したものだが、特に斬新な視点が提供されるわけでもない。本書はただただ読む者に心地良さを与えるのみである。(二)

石井漠没後60周年記念公演

森岳、22年11月13日

★石井漠の生地の秋田・森岳で2022年11月12日に漠の没後60周年を記念する公演が行われた。石井登が中心となり、石井漠に関係するダンサーたちが出演した。会場は三種町「山本ふるさと文化館」である。石井漠の代表作がその生地で上演された。公演にはこの地域の関係者が集まり60周年を記念した。公演は東京でもみることができないぐらい充実したものだった。

オープニングは石井咲と登による「山を登る」（1925）が飾った。人生の山を登るということをシンプルな振り付けを通じて描く名作で、表現力が求められる。石井漠が学んだのは下岩川小学校で、この学校は前年に森岳小学校と合併された。この森岳小学校の子どもたち有志が踊る。郷土の色が見える「案山子」と「森の小人」（共に初演年不明）を披露する。

「影」（1930）という作品は門下の石井みどりによる映像から今日に伝わった。修道女のような女がやがて白い衣裳で踊っていく。打楽器を用いるコミックで人気の「食欲をそそる」（1925）と東郷青児の衣装で男女の機敏を描いたとされる「白い手袋」（1939）は見事だ。前者は子どもの客たちの笑い声が客席にあふれた。

漠は子どもが好きでユーモラスな作品を上演し男の子と女の子の情景を描いた「怖がらせる」（1925）や山田耕作の曲に振り付けた「赤とんぼ」（初演年不明）も描いた。「ハンガリアン舞曲5番」（初演年不明）はユーモラスな演出も加わる子供たちの表情豊かな作品となった。

最後を飾った舞踊劇「明暗」（1916）は舞踊詩運動の代表作とされる。清水寺での笛法師と破戒僧の物語だ。破戒僧が法師の荷物を盗むと失明し悟りを開き、法師の側は目がみえるようになり物欲に目覚めるという物語である。

石井の現代舞踊は日本社会へ浸透しさらに発達をした。弟子たちの作品はその特色をそれぞれ継承している。たなはしあゆこバレエスクールによる「スーホの白い馬」や「折り鶴の詩」は自由な発想の舞踊劇だ。石井みどり・折田克子舞踊研究所の藤田恭子「かしの木にきいてみる」は象徴的な表現、クラーラ・ダンス・カンパニーの宮田幸による「鼓動」はシンプルな動きに基づく作風を披露した。

石井漠の一家は秋田と関係が深い。秋田杉の名付け親として知られるのが父の石井龍吉だ。息子の石井歓による「大いなる秋田」は秋田県民にとって重要な曲だ。石井登は秋田で石井漠の踊りを継承するということを続け今回の公演に至った。

秋田は近現代に優れた舞踊家を多く輩出している。石井漠や初代五條珠実だ。そして漠の踊る姿に憧れ踊りを選んだダンサーも多い。秋田出身の黒沢輝夫はこの舞踊団の戦後の代表的な男性ダンサーになる。後に舞踏で知られることになる若き日の土方巽もみていた。

漠は親戚の東海道太郎をはじめ秋田の音楽人たちとの連携があった。漠に学んだ崔承喜は応援してくれた人々が多い秋田で踊ってから全世界へ旅立った。1つ1つが大事な漠に関するエピソードだ。

そんな〝石井漠〟という存在は時代や社会の変化とも向かい合っている。石井登は浅草寺にある石井漠記念碑ができたときはまだ子供だった。石井漠は東京の自由が丘の名付け親でもある。東京でも時代や社会、大都市の構造の変化の中でこの芸術家の存在を未来へ伝える活動が行われている。漠を巡る1つ1つのエピソードと地域をリンクし、地域を活性化するコンテクストを生みだすことが求められている。今回の公演の成功は地域と一体になりながら様々な逸話や物語を、プロデュースを通じてシンプルにみせたことにある。

秋田には日本で唯一の現代舞踊のコンクールとしてあきた全国舞踊祭モダンダンスコンクールがある。舞踏やコンテンポラリーダンスのフェスティバルの芸術祭も行われている。これらのフェスティバルもこの地域の歴史や文化・芸術とリンクをさせることで広く県や国の内外へ発信できるコンセプトを持つと良い。

（吉）

川口隆夫

バラ色ダンス 純粋性愛批判

両国シアターカイ、23年8月9日～11日

★昨年の序章の上演を経た本作の完成版が上演された。初日に川村美紀子にアクシデントがあったとSNSに情報が流れていたが、本日も出演していた。昨年5月に序章を上演することなく、完成版のみで一気に勝負をした方が良かったかもしれない。3日目の内容は序章をなぞりながら、川村がコアになる場面が少なくなっていた。臨機応変なパフォーマンス的な要素もあるのかもしれない。上演空間も序章はスペースだったが、今回は客席と舞台を分けてやっていた。その為、まだ大野慶人や及川廣信、ヨネヤマママコがでていた「All About Zero」（2019）を思い出させた。さらに出演者が大縄跳びをする場面はこの同じ劇場の山野博大・長谷川六追悼公演（2022）などが原点といえるため懐かしい思い出と共にみた。

三浦一壮論をまとめていたときに、ダンスワークにも当時の業界紙にも誰も三

浦論をまとめていないことに気がつき、本人にきいてみたところ、そうだとお返事をいただき、であるならば、まずは最初にまとめてみようと思い自分の評論集に三浦論を収録することにした。三浦は市川雅プロデュースの「現代舞踊の異形」公演（1972）に出演し武満徹の音楽で天井などに張り付くパフォーマンスを行っている。笠井叡の大野一雄が客演した「丘の麓」もこの公演で上演された。藤井友子もまたこの公演で活躍をした。土方巽主義者だった合田成男や市川雅は三浦の作品に強い関心を示していない。80年代前半になると市川を疑わない國吉和子でさえ三浦作品をなで斬りをしているので、可哀そうに思ったぐらいだ。それにもめげず三浦は舞台活動を続け、門下からヌーヴェルダンスに影響を与えた矢野英征や市川が熱烈なファンだった藤井友子を輩出している。どんなに批判をされても、無視をされても、海外へ出ていき「フランスへ舞踏を紹介した」と語られたり1978年に南米に舞踏をもたらした三浦の偉業は素晴らしい。今日では復活劇を経て遂に全国区どころか再び世界進出を達成している。こういう重要な舞台にもしっかりと出演をしている。川口もマーケットの過剰なプロデュースにのっかるだけではなくアンチ・エスタブリッシュメント的な芸も欲しくある。市川シンパの國吉や石井達郎に理解を求めているようではいけない。及川廣信は「All about Zero」の頃に〝舞踏と心中するな〟と語っていたのが懐かしい。市川雅が郡司正勝・松本千代栄夫妻と連なりカルト的な熱狂の中で市場をコントロールしていた20世紀末の日本のダンス界はかなり奇妙な状況にあった。

2000年代に及川廣信を訪れたことをふと思い出した。及川から「最近の笠井君はどうかね」と尋ねてきたため、「澁澤龍彦のような2時代ぐらい前の昔の仏文学者はああいうダンスを愛好していたのですね」と返事をしたところ「彼は『ゲスラー・テル群論』で世間に知られるようになったのだけれども、それはもう〝骨董品〟になったということなんだ。土方も大野慶人も石井満隆も笠井も4人そろって自分で全部やったような顔をしやがって～」と語ってくださった。骨董品というこのジャンルのレトリックを知った時でもあった。舞踏を見に行くという事は骨董品をみることではない。この作品もそうで何か新しいものが必要である。大野舞踏にも土方舞踏にもない、ノイズのような川口の言語がある。

突然変異のような身体表現はでてくるのであろうか。アダム・ブロイノウスキーは土方舞踏と現代日本を重ねた論考を2010年代に発表している。今更、大野舞踏でも土方舞踏でも、日本と一体化して舞踏の本流がどうのでもない。舞踏は歴史のあるジャンルであり、学ぶダンサーもテクニックの上でヒントとして学ぶことも少なくなくなり、舞踏家になるだけが目的でなくなってきている。より自由な発想も求められている。（吉）

めいびい

かつて神だった獣たちへ

講談社、全15巻

★戦後処理がテーマのファンタジーといえばいいだろうか。暗く地味な作品なので、最初は不安だった。同時に「結婚指輪物語」というアップテンポなファンタジーを描いているので、バランスがとれていたのかもしれない。そう思いつつ、こちらが無事に完結した。

大陸の南と北で起きた内戦で、北部では擬神兵をつくりだし、戦場に送っていた。人間にソムニウムという物質を埋め込み、驚異的な力を持つ怪物（たとえば、ケンタウロス、あるいはフェアウルフ、アラクネ、ヴァンパイアなどなど）に変身させ、戦力とするものだ。これにより、北は戦況を好転させ、停戦となる。

しかし、擬神兵は容姿だけではなく、精神もいずれ怪物化していくとされ、戦後はその駆除が必要となる。平和に共存できない戦争の英雄を殺してまわる話が展開される。

擬神兵がどのように、誰によって作り出されたのか、志願した人間がいかに騙されていたのか、本当に擬神兵との共存は不可能なのか、そういったことが語られていく。

戦争を描いた作品（それが現実であれファンタジーであれ）は数多いが、戦後処理を描いた作品はさほど多くないのではないだろうか。それは、戦争の別の悲しみを描くことになる。めいびいは意識的ではなかったかもしれないが、何等かの形で戦後を生きている人々にとっても、それが決して平和なだけではない、残されてしまった傷を思い起こさせるのではないだろうか。という点では、ユニークなファンタジーなのだと思う。（M）

ロットン瑠唯 個展
LIFE AIN'T EASY

呑み処 AJIRO、23年8月1日～14日（16日まで延長）

★シンガーソングライターとして音楽活動も行っているロットン瑠唯の個展。会場の居酒屋は地下がライブハウスになっており、モニタから流れるライブ演奏をBGMに作品を鑑賞することができる。彼女のキャッチフレーズ「あなたを退屈させない」の通り、長時間滞在して楽しめる個展となっている。

ロットン瑠唯と初めて対面したのは4、5年前。当時彼女はライブハウスのスタッフとしてライブブッキングを行っており、筆者も演者として何度か出演させてもらった縁がある。しばらくはイベンター兼ミュージシャンと思っていたが、話すうちに元々はアートスクールで絵画を専攻しており、音楽活動はそれより後ということを知った。

今回は絵画の展示ということで会場を訪れた。キルヒナーあたりの表現主義やフォービスムを連想させるようなタッチで、何も考えていないような、不思議な表情を浮かべる女性のポートレートが並んでいる。家の玄関にこういう絵が飾ってあっても良いと思う。

ライブハウススタッフ当時、「ノイズたこ焼き※」という狂ったイベントを企画していた彼女を思い返すに、おそらく絵のほうは音楽よりも自然体で向き合っているのだろうと感じる個展だった。（二）

※たこ焼きを焼く音と複数のミュージシャンがノイズセッションを繰り広げるイベント

蔡國強
宇宙遊
〈原初火球〉から始まる

国立新美術館、23年6月29日～8月21日

★蔡國強に最初に接したのは90年代のP3 art and environmentでの事。当時、彼は福島・いわきに住んでいたしそのことを語っていたことは記憶にある。そんな彼の作品を初期から紹介する展示が行われた。中国語圏ならではのコスモロジーや世界観の根源にはビックバンや宇宙芸術への関心が横たわっている。その発想の原点は1980年代の彼の東京滞在にあったことも知ることができた。蔡は福島への関心も震災後も持ち続け、福島で活動を行ったり、アメリカに「磐城庭園」という庭園をつくったりしている。その様子を楽しむことができる展示だった。

90年代は遠くなった。この時代に佐賀町エキジビットスペースへ行ったら野又穫の作品があったり、仲間たちと東京都現代美術館やICCが始まった時にも行った記憶がある。当時はメディアアートのギャラリーが限られており、P3 art and environmentやICCぐらいだった。

環境芸術を論じていた詩人・美術批評家の岡田隆彦によれば60年代の銀座には現代美術を扱うギャラリーは数少なかったという。同じように90年代の日本にはメディアアートを扱うギャラリーは少なかった。評論家の坂根厳夫のようなメディアアート・テクノロジーアート・サイエンスアートの台頭が際立つ中、蔡の芸術は異色で主張があり、当時から多くの人から愛されていた。

私はP3 art and environmentによるmetaTokyoプロジェクトにグループアーティストmeta都民cafeのメンバーとして参加した。蔡の活動はその真横にあった。震災後に気になるアーティストの一人だった、彼がDont Follow the Wind展などに出品していたことは知っていたが彼の作品をしっかりとみることはできていなかった。1つのまとめとしてみることができた展覧会だった。

この日に限らずなのかもしれないが、中国からの観光客や留学生たちが多く見に来ており、会場には中国語が飛び交っていたことも印象的だった。これからの日本社会は留学生が増えるとされるが、彼はその1つのモデルになっているのかもしれない。（吉）

舞踊作家協会
七月の風

ティアラこうとう小ホール、23年7月1日

★江原朋子（芸術監督）による公演が行われた。高田静流「ライオンに助けられて」は寓話による舞踊劇である。日常的

な空間の行為からはじまり、次第に神話世界が混じっていく。大きな一歩と言える。江原朋子も加藤みや子と「空き家の家の秘密」を踊った。空間の向こうにみえてくるファンタジーをテーマにしている。二人の交差は大きなみどころであった。他4組のベテランや新人の小品も舞台を彩っていたが、いずれも舞踊と詩情の交差する情景であったことも興味深い。ダンスとポエトリーの四景といったところであろうか。

　このところの不景気で合同公演のボルテージが上がってきている。世界の不安定さを示すように平常時の作品と比べてみるとまた異なる作品も少なくない。舞踊作家協会はアンデパンダン的に様々なジャンルのアーティストが作品を上演できる場として継続してきている。今回は雑賀淑子と新井雅子が協会への長年の貢献から表彰された。雑賀は6月30日の新宿芸術家協会の公演で谷川俊太郎の詩を舞台化した作品（「『道』～谷川俊太郎の詩による」）を上演していたが、この協会の舞台に谷川が参加したことも2000年代にあったのも思い出だ。新井のパートナーの横井茂の作品にも良く接することができた。ここでしかみれない作品や、ピリリとした作品があるため足を運ぶことが多いのがこの協会の公演といえる。（吉）

宮田珠己

明日ロト7が私を救う

本の雑誌社

★ロト7。一等で当たれば、最高額十億円だという。「100万や1000万が当たったところでたいして人生は変わらないが、10億当たれば人生が変わる。人生を変えたいなら志は高く持つべきであろう」。確かにそうだ。

　私は志は低いから、貰えるなら100万でもほしい。ほしいけど、タカラクジを買ってまでほしい気にはなれない。絶対当たるなら並ぶし待つけど、たぶんそういう仕掛けになってない。

　宮田珠己さん。日記も愛読しているけれど、こんなにロト7に費やして。そしてその歳月の記録が、このコロナ禍の不況な状態をみごとにあらわしている。「気持ちはもはや、ロトよりコロナである」。息子さんが志望校合格という慶事もあったが、仕事場を整理することになったり、それにあたって大量の本を処分せざるを得なくなったり。

　ロト7。当たればそんな必要はないのに、どうにも当たってくれないんだ。かなしい世のなかだとおもう。（日）

柳家喬太郎

雉子政談

文春落語オンライン、23年7月13日～20日

★毎年やっている、上野鈴本演芸場夜席の、柳家喬太郎特別興行。超人気者落語家の喬太郎師匠が十日間、仕事をあけて挑む興行だ。『ハイテンション喬太郎』、『柳家喬太郎三題噺地獄』には、私も十日間通った。今年で十一年め。初年度はいけなかったが二年目から毎年、一日でも通っていた。

　そして今年。『重暗い喬太郎』の十日間。気候変動がひどく身にこたえて、病院の当直だった日も多く、ってこれぜんぶ言い訳デス。行けなかった。

　オンライン配信の落語会『文春落語 柳家喬太郎独演会』で、「その興行から、わすれないうちに一席……」と、『雉子政談』を演ってくれた。

　噺自体は、CD『柳家喬太郎アナザーサイド』に入ってる。田中泯とのコラボ公演でも披露され、そのDVDもある。

　でもあれから時がたった。どっちも、コロナ禍以前の公演収録だ。柳家喬太郎も還暦の年になり、若白髪だったのが、ホントに真っ白の髪になった。なにより、膝を痛めて、釈台を前においての高座姿になった。

　なのに、どんどん自由になっていく、という。ちょうど『東京かわら版』でのインタビューで、「最近のネタで、落語喋るのが楽しくなってきた」と話していた。あんなに落語が好きで好きで、好きだからこその苦悩を、観ていてつらいほどしてきた柳家喬太郎が。

　そして後半は、その言葉どおりの新作、というか古典改作『すなっくらんどぞめき』。池袋駅にかつてあった、ジャンクフード街をモデルにした新作だ。ネタおろしのときから聴いていているが、聴くたびに面白くなっていく。こんなふうに老い

たいな、とおもった。とりあえず来年は、鈴本演芸場に観に行けるよう、体調を立て直したい。(日)

岡田菜美
VOID

MAKI Gallery、23年8月4日〜26日

★美しい波打ち際の浜辺、そこに浮かぶ円。抽象と具象が入り混じり、どこか永遠を感じさせる「Void」シリーズ。作家は「観た人によって、その人それぞれの中に蓄積された記憶が、はっと呼び起こされるような風景」を目指し活動を続けてきた。そんな中岡田は、その風景は時間が停止したような静止画的なものではなく、映像のように常にループを続けていることに気が付く。そして生み出した作品が、海に浮かび上がらせるように描いた円である。

なぜ、海と円で、憧憬や永遠を呼び起こすのだろうか。円は時間や記憶の輪を示すと岡田は言う。そこで思い出されるのは、鈴木大拙の『○△□(The Universe)』である。これは、紙面にそのまま○△□という形が記されているものである。鈴木はその中で、円形を無限と表現する。もしくは、円は宇宙の要素である地、水、火、風、空、識のうち水や識を示すものとされる。

それを踏まえると、岡田の作品から受ける印象も分かる気がする。時間と記憶の輪廻の円、そして海つまり水、だからこそ、永遠や憧憬を感じるのだろう。ひとそれぞれの蓄積された記憶、その、個々人に宿る小さな宇宙が、海と円によって呼び起こされるのであろう。(清)

ふしぎ駄菓子屋 銭天堂へようこそ 番外編 たたりめ堂へようこそ

さいたま文学館、23年7月26日〜9月24日

★令和の小学生に大人気の『ふしぎ駄菓子屋 銭天堂へようこそ』の企画展。山梨県立文学館とのコラボで、さいたま文学館では番外編の〈たたりめ堂へようこそ〉が催される。

不案内な人のために説明すると、銭天堂はEテレでアニメ化もされている児童小説で、内容的には笑ゥせぇるすまんとドラえもんを足して2で割ったような、藤子不二雄のAとFを良いとこ取りしたような作品です。

jyajyaの挿絵も人気要素の一つだが、ここで注目したいのはたたりめ堂の女主人「よどみ」のキャラ造形である。よどみはひざ上まで脚が見えるつんつるてんの浴衣を着た、目つきの悪いおかっぱ少女で、ロリータのナボコフよろしくど真ん中のニンフェットが、年上の男たちをそそのかし翻弄、破滅へと導いてゆく。その光景は子供向けアニメとは思えぬ、如何とも難い倒錯した感覚を覚えさせる。

ビジュアル的にはつげ義春の『沼』や『赤い花』に出てくるおかっぱ少女のオマージュであろうよどみは、しかしながらオリジナルにある被虐的倒錯をサディズムに反転させることで大衆性を獲得するに至り、本企画展につながる人気を博すのである。

確かに少女がマゾヒストではコンプラ的にあれだが、ここに見られるおかっぱ少女の内的転換は、男性優位の時代から現在のフェミニズム隆盛へと移行した類型に見えなくもない。(一)

有坂ゆかり展
野原に眠る

Steps Gallery、23年9月6日〜16日

★『ExtrART』file.21でも筆者の文章で紹介した画家有坂ゆかりの個展である。油彩画から木炭、水彩などの幅広い展示。有坂ゆかり、幻視者のヴィジョンともいうべきノワールな絵画。霊的な啓示に満ちたイマージュの亡霊、『野原』の作品群。未分化な形象の紡ぐ浮遊感『雨にとけて流れていく』の連作。マックス・エルンストの『雨後のヨーロッパ』を想起させる退嬰的な雰囲気を持ち、古代の惑星のようなイメージの『真夏』。重層する黒のテクスチャーは、冥い生命の息吹を思わせる。その清新さとその陰翳を湛えた特異なる風景の生々しさとある種の痛み。真夏のミラージュのような懐かしさに揺れる、不可思議な光景。紙に木炭の若い夏

の面影を湛えた『声』。黒い紙にインク・水彩が美妙で装飾的な結晶のように軽やかな『水晶』と『夢魔』の連作などが冷たく清潔に響く。有坂の内的イマージュが、冥界を潜る地下水脈のように滾滾と人知れず湧出する、始原的なアルケーへの静かな遡及であるのだ。（並）

清水崇

ミンナのウタ

★所詮アイドル映画とは思うなかれ。今をときめくGENERATIONS from EXILE TRIBEの楽曲やメンバーの魅力を十分引き出しておきながら、近年のJホラーの中でも良質な恐怖を提供する。そのあたり、ベテラン清水崇の技巧が光る。実は私自身GENERATIONSはあまり知らなかったのだが、そんな人でも楽しめる。

おおまかなストーリーは、GENERATIONSメンバーがカセットテープから流れる呪いのメロディーを聴いてしまったことをきっかけに、彼らの周囲に不可解な少女が現れる。そして、次第にその少女に隠された秘密が明らかになっていくというもの。

この作品は、怖いしストーリーも面白い。そしてなにより上手い。ホラー映画としての質を高く保ちつつ、GENERATIONSを前面に押し出す。しかも自然に。呪いのメロディーはメンバーの頭を侵食し、彼らはそれを大音量の音楽でかき消そうとする。GENERATIONSの楽曲で。そこに強引さ、不自然さはない。そのおかげで、ファン以外が見ても抵抗なく楽しめる。

もちろん恐怖も一級品だ。最初は神出鬼没に不気味な恐怖を振りまいた少女。そんな彼女に秘められた謎や過去が明らかになるにつれて、恐怖の性質は変わっていく。幽霊的な怖さが人間的な怖さにシフトする。そのおかげで、飽きることなく恐怖は持続する。その他にも、清水崇の傑作「呪怨」のオマージュなど、ホラー映画としての価値も高い。

そんな今作、アイドル映画だと敬遠している人にこそ、見てほしい。（清）

丸尾末広大博覧会 地下的丸尾劇場

スパンアートギャラリー、23年6月24日～7月9日

★もはや説明の必要もないであろう、日本が誇るアンダーグラウンド界の巨匠であり、今や手塚治虫文化賞や日本漫画家協会賞の受賞作家でもある丸尾末広の大博覧会。

丸尾末広の原画展を訪れたのは今回が初めてだが、エログロ漫画のオーソリティといったイメージとは異なり、非常に楽しく、そしてためになる展覧会であった。

原画の展示もあるが、メインはペン入れ前の下書きと、彩色まで終えたイラストレーションを並べて比較できるようにしたセット展示であり、ただの漫画原画展とは一線を画している。下書き段階ですでに完成品といっていいクオリティを見せる作品群も相まって、手の内を見せる作者のサービス精神を強く感じさせるものだ。

グロテスクな世界や退廃的なパノラマの創造は自分勝手な妄想では決してない。その世界に触れる者、求める観客をもてなしたいという気持ちが原動力になっていることは疑いようがなく、その点でも丸尾末広は異端とは対極の、王道を行くにふさわしい作家なのである。

ところでこの個展では三千円以上のグッズ購入者は福引きを引くことができ、筆者はそれで見事一等を当てたのだが、景品の直筆イラスト入りサイン色紙を見るに、やはり大して金にならないことにサービス精神を発揮するのは難しいのだろうなと思うのであった。（二）

赤松利市

救い難き人

徳間書店

★赤松利市は大手金融会社勤務を経て、関西で起業したゴルフ関連事業で成功するが、バブルの崩壊や家庭の問題で破綻し、東日本大震災後に除染作業員や土木作業員の生活を経験したのちにわずかな所持金で上京、住所不定のまま漫画喫茶で書き上げた小説『藻屑蟹』が第一回大藪春彦賞を受賞、62歳で新人作家となった異色の作家である。また、SNSでもトランスジェンダーへの共感を示すなど、積極的に発信をおこなっている。

　自身がモデルの愛欲にまみれた男の転落劇を得意とする著者が、パチンコをテーマに小説を書くと公表していたので単行本化を楽しみにしていた。「アサヒ芸能」での連載時期（2021〜）を見ると、米国のミン・ジン・リーの小説『パチンコ』（日本版は2017年刊）を意識したのではないだろうか。『パチンコ』を読んで私が不満に感じたパチンコ産業や在日コリアンに関する描写の粗さは、この作品では丹念に描かれることで払拭されており、重厚な取材の跡を感じさせる。様々な人生経験を重ねてきた著者ゆえの生々しい描写も多く、在日コリアン文学やパチンコ業界に明るい人なら、「元ネタ」は何だろうと考えながら読むのも楽しいだろう。

　この小説は主人公の朴マンスの父、ヨンスクが15歳の若さで、戦後に密航船で日本へ渡る場面から始まる。貧困と差別にあえぐ中で同胞のパチンコ屋に拾われ、のちに独立して姫路に数店舗を構えるオーナーとなり、帰化同胞であるスナックの女性との間にマンスが生まれる。マンスは幼少期には両親の愛を受けて育つが、やがてヨンスクが本国から本妻を迎えたために絶縁状態となり、母はその寂しさゆえか、マンスを溺愛する。母の下で世間知らずに育ったマンスは70年代の姫路の小中学校で凄絶ないじめを体験し、やがて作品のもう一人の主人公である井尻に出会う。この井尻の出自について作者は注意深く言及を避けているが、井尻は市内の貧困地区にある「団地」の出身で、マンスに「お前とは違う理由で差別を受けている者だ」と名乗り、多額の上納金と引き換えにマンスの庇護者となる。井尻は中学校を裏から支配し、貧困地区の住民たちからの信頼も厚い一方で、周囲の大人たちから「団地の子らとは付き合うたらあかんよ」と露骨な差別を受ける存在でもある。著者は被差別部落を念頭に置いているのだと思うが、断定はできない。

　この二人の関係はマンスが中学三年生のある日、父ヨンスクとよりを戻した母が、性交中の不慮の事故で死んだことにより激変する。マンスは恨（ハン）を胸に押し殺して母を散骨し、井尻の助言により、ヨンスクのパチンコ店でアルバイトをしながら定時制高校に通う。その間、井尻は裏稼業の道に進み、着々と実力を蓄えていく。韓国から来た本妻との関係がうまくいかず子どもができなかったヨンスクは、夜学を卒業したマンスを後継者にしたいと考えるようになるが、全てはマンスと井尻の姦計である。父を破滅させて母の無念を晴らすことがマンスの願いであり、そのマンスから根こそぎ全てを奪うことが井尻の隠された狙いである。殺人を含めあらゆる手段を厭わないマンスと、死体処理をはじめとする裏稼業に通暁した井尻のタッグによって、マンスが任せられた支店は驚くほどに業績を伸ばしていく。やがてグループ全体の経営権をマンスが握り、マンスは願い通りヨンスクの人生を破滅させるが、それは井尻との蜜月の終りをも意味しており、マンスの人生は急速に破滅へ向かってアクセルを踏みこんでいく。

　この作品は（少なくとも在日コリアンであると公表していない）日本人によって在日コリアンの人生を描いた小説であり、そのような作品は決して多くはない。在日コリアンの生活や心情は、これまで多くの優れた「在日コリアン文学」の担い手たちによって書かれてきており、当事者である彼らと伍するほどの作品を日本人の書き手が書くことは非常に難しいからだ。例外の一つに、戦前の九州の朝鮮人炭鉱労働者の悲哀を描いた帚木蓬生の『三たびの海峡』があり、この作品は在日コリアンからも高い評価を受けていると感じる。例えばイトマン事件で知られる許永中は、自伝の中でこの本を座右の書として挙げているし、私の在日コリアンの友人も愛読書として私に紹介してくれた。『救い難き人』はまだ出版されて間もない作品で、今後在日コリアンによってどう評価されるかは分からないが、そういった評価を得るのは難しいのではないだろうか。当事者が不快に思うであろう描写も少なくないからだ。だが、在日コリアンの金融史の表裏を書いたノンフィクション、朴一の『在日マネー戦争』のような壮絶な世界も歴史の一面であり、裏面史に惹かれる人には格好の作品であるのかも知れない。なお、父を自らの手で破滅させるという作品は、儒教的な家父長制の影響が感じられる在日コリアン文学では珍しい。例えば梁石日『血と骨』でも、主人公は直接父に手を下していない。こうした点は、日本人の著者だからこそ書けた作品だったのかも知れない。

一方で、次の点には疑問を感じた。日本に渡ってきた若き日のヨンスクは一人で「朝鮮進駐軍」を名乗り闇市を荒らして回るが、この名称は山野車輪の『嫌韓流』で有名になったネットミームである。それ以前は山口組の田岡組長の著書などに書かれているようだ。恐らく日本の裏社会で用いられていた符丁の類ではないかと思うのだが、この名称を自称していた組織や個人は実在したのだろうか？

著者本人に問い合わせたところ、「梶山季之のノンフィクションで読んだことがあるが作品名は失念した」という趣旨の回答を頂いた。梶山季之も朝鮮生まれの日本人として朝鮮文化の探求を生涯のテーマの一つに置いた作家であり、韓国でも『族譜』が映画化されるなど一定の評価を受けている。梶山との関係から本作を読むのも面白そうだ。

在日コリアンという隣人の歴史について、私が知らないことは余りにも多いし、私自身も「在日コリアンとはこういうものだ」というステレオタイプにとらわれていると感じさせられる貴重な読書体験だった。（穂）

Dance Company Arche
52ヘルツのうた

神奈川県立青少年センター スタジオHIKARI、23年7月14日～16日

★井田亜彩実は独自なムーヴメントや動きなボキャブラリーを追求する事から注目されている。新作では鯨の歌から得たイマジネーションを作品にした。

コミュニケーションを郵便ポストやメールアートの舞台美術から示唆しながら、6人の男女が動物たちの動きを軸に展開していく。抽象的な動きは近作に通じていて非常にユニークである。神話やロマンが情景にうっすらと立ち上がる。照明や上演空間の制約がある中とはいえしっかりとした上演となった。広がりがあるスペースがあると良い良作である。

井田はイスラエルのマリア・コングの下を経て自身の地平を開花させつつある。環境を視野にいれた現代美術との接点も感じさせる現代の神話だ。井田の舞踊には荒野を生きてきた者のロマネスクがある。現代イスラエルの芸術との交差も楽しみな才能といえる。（吉）

★写真：大洞博靖

ユージーン・スタジオ／寒川裕人
想像の力 Part1/3

MAKI Gallery、23年6月2日～8月5日

★真っ暗闇な部屋の中、手を前に伸ばしながら、すり足でゆっくり進む。すると、指先に何かが触れる。そっと指を添わせていくと、それは人型の像だ。前も後ろも、自分がどこにいるのか分からなくなりそうな不安と恐怖を癒すように、像はそこに、動かずに立っていた。

この「想像#1 man」とは、製作のはじめから終わりまですべての工程が一貫して完全な暗闇の中で行われ、そして展示も暗闇の中で行われる。スマホなど光を出すものは全て没収され、かつ一人ずつしか展示部屋に入れない。その名前の通り、人の想像力を掻き立てようと徹底している。

ところでこの作品をはじめ今展覧会は、評論家菅原伸也によって徹底的に批判され、それがX（Twitter）で話題になっていた。氏曰く、『実際にその彫像を暗闇の中で触ってみると、拍子抜けするほど形としては変わったところのない人物像であ』り、想像も掻き立てられず、ただの「箱の中身当てゲーム」となってしまっているという。

しかし私が思うに作家は、像の形を想像させたいのではなく、孤独と暗闇の中で人の像と出会った時の、心の動きを呼び起こしたいのではないか。真っ暗闇な広い部屋の中に、光や通信を没収されたうえで一人ずつしか入れない。そこで感じる孤独と恐怖は大きい。そんな中で人の像に触れた時に感じた安心感、母性や

父性。像から手を離して部屋を後にするときの、かすかな喪失感。これは、像が人型だからこその想像力であったのではないか。（清）

市川沙央

ハンチバック

『文藝春秋』二〇二三年九月号

★ここ数年、芥川賞受賞作を『文藝春秋』誌で読んでいる。選評や作者のインタヴューも読めるし、雑誌なので、あんまり躊躇なく処分出来るからだ。

　正直、読むのが辛い作品もあったし、途中で投げ出した作品もあった。

　そんな中で、本作は出色の出来だった。誤解を恐れずに言えば、すごく面白かった。

　重度の身体障害者の視点で描かれた作品である。頻繁に登場する専門用語には、良く解らないものもあるが、まあ、スマホ片手に検索しながら読めば、だいたいの雰囲気は掴むことが出来る。

　一人称の語り手である主人公を、作者自身と重ねて読む人も多いだろうが、それを承知の上で、むしろ挑発的に読者に語りかけてくる。特にセクシャリティに関する記述は、露悪的ですらあるのだが、作者はそれを楽しんでいるかのように見える。われわれはその悪意を、しっかりと受け止めるべきだろう。そう、これは作者特有のユーモアでもあるのだ。

　紙の本と、それを偏愛する者に対する呪詛は、もはや悪意をはるかに越えて、痛快ですらある。常日頃から紙の本を愛好するこちとらとしては、読者罵倒の雨あられを全身で浴びることになる。だけどね、反省したりはしないよ。この紙の本が、あなたの寿命を縮めているとしても、僕も、あなたほどではないけれど、それなりに命を削るようにして紙の本を読んでいるのだからね。

　ラストに関しては、賛美両論あるようだが、あえて虚構であることを示して、読者の同情を笑い飛ばしているようにも感じられた。

　確実に、世界の見え方が変わる小説である。（八）

KARAS APPARATUS

月の砂漠

カラス・アパラタス、23年9月1日〜10日

★宇宙への移住やアルテミス計画という事が報道される昨今だが勅使川原三郎は新時代と新たな身体像を意識した作品を送り出した。

　月に対する様々な文化の神話や、どこにもない時空をイメージして創作されており、独自の照明やバレエ・ダンスでも彫刻でも美術でもない先端表現が模索される。佐東利穂子はバレエをイメージさせたり、トルソのようになったりする。SNSで流れてくるアルス・エレクトロニカのライブパフォーマンスより美しく審美的な構成の世界が展開する。演出でSinéad O'Connor「Thank You For Hearing Me」が登場するのだが近未来的なメッセージのように聞こえてくる。無機質なイメージが登場する振付や構成と月面のイメージが歩み寄る。漆黒の空間にSF的なシーンが立ち上がる。しばらく文学や美術にちなんだ作品が多かったが、本作は異色な内容である。芸術人類学やテクノロジーではなく、勅使川原三郎なりの未来像の発明と考えても良い。

　人類の火星や月への移住がメディア芸術で描かれる昨今である。未来の現実と本作が重なりあう地平が気になるところだ。勅使川原はダンス界の重要なアーティストだが、それ以前に絵画や彫刻を学んだりいろいろなアートの勉強をしている。多面的なこの才能を感じ取れる作品といえる。（吉）

★風が砂の城を崩していく、妖美な月光に映える美妙で怜悧なダンス。崩れて行く砂の城が風蝕に抗うような微細で構築的な趣き。勅使川原三郎氏も佐東利穂子氏も廃墟と風紋を紡ぐような繊細で大胆な動き。光の不穏さ。デヴィット・クロネンバーグのようなノワールな美学を感じた。冥闇に溶けていく、粒子の踊り。耽美的な風情の夢想が積層していく刹那の美しさが印象深い。（並）

KARAS APPARATUS

ビリティスの歌

カラス・アパラタス、23年9月22日〜10月1日

★いにしえの希臘への夢想と女流詩人の戀は馥郁に！ 希臘彫刻のようなチュニックを履いた古風な勅使川原三郎と怜悧なる佐東利穂子の妖美と官能を！ 清新なドビュッシーの音楽は、美妙なる夢想へと誘う。パンの笛に導かれた幻想耽美のアラベスク！ その夢魔の吐息に酩酊する妙なる響きが切実で美しい舞台であった。（並）

河合翔一郎作・演出
悪い仲間

早稲田小劇場どらま館、23年7月1日〜11日

★悪い仲間というのは、シェイクスピアの「ヘンリー四世」に登場するフォールスタッフ。といっても、「ヘンリー四世」は観たことも読んだこともなくって、映画「オーソン・ウェルズのフォルスタッフ」のスチール写真の印象が強いのだけども、これも映画を観たわけじゃないな。

まあでも、この作品の柱となっているのは、「ヘンリー四世」であり、主役はヘンリー四世の息子のハル王子、後のヘンリー五世。そして、ハル王子がつきあっているごろつきどもの中心にいるのが道化役はフォールスタッフ。

ヘンリー四世は自分の地位を守るために、戦争を引き起こす。その戦争は大きな犠牲を出しつつも、勝利する。フォールスタッフも徴兵され、ハル王子も戦場に向かう。

その後、ヘンリー四世は病死し、ハル王子がヘンリー五世として即位。フォールスタッフは親しいハル王子が即位したことを受けて、褒賞をもらおうと王宮に行くが、王からは知らないと言われ、逮捕される。

こうしたシェイクスピアの劇の場面をつなぎながらも、むしろそこで語られるのは、ウクライナで起きている戦争であり、地位を守るために戦争を引き起こしたプーチン大統領だ。あるいは、それ以外の現代の戦争も含む。戦争は兵士を含む多くの人を犠牲にするし、褒賞はその犠牲を回復することはない。

シェイクスピアの研究者でもある河合は、「ヘンリー四世」を使って、現代で演じられるべき劇を再構成した、ということになる。

それはわかるのだけれども、結果としてシェイクスピアに引きずられ過ぎていた。あまりに説明的というのかな。

例えば、劇の冒頭、登場人物の説明や、舞台上に装置が少ないことを想像で補ってもらうことなどの説明がなされる。元の劇が書かれた当時の上演スタイルを踏襲していることを示したものなのかもしれないけれど、現代の演劇においては、不要な説明なのではないか。次の場面、現代の戦場において、ハル王子役とフォールスタッフ役の2人の狙撃兵が何事も起こらないまま、会話するところから始まってもよかったのではないか。ハル王子による狙撃兵に毎日昼食を届けてくれる妻との会話はハングル語のように聞こえたけれど、そのことは、日本において朝鮮戦争が忘れられているということにもつながっている。

あるいは、この場面で「クラリネットをこわしちゃった」が歌われるが、劇の終盤では、その原曲「玉ねぎの歌」というナポレオン時代のフランス軍の行軍の歌が流れる。そういう要素を入れつつも、くどいほどシェイクスピアを引用し、ハル王子とフォールスタッフの場面が多いということが、かえって劇のダイナミックさを壊していたと思うのだが。

シェイクスピア研究者としては、いろいろ入れたいのだろうけど、もっと抑制した方が、劇として説得力あったと思う。（M）

角川文庫『新訳 ジュリアス・シーザー』刊行記念
2023年度早稲田大学演劇博物館「逍遙祭」関連公演
KAWAI PROJECT
Vol. 8
悪い仲間
作・演出：河合祥一郎
2023年7月1日(土)〜11日(火)
早稲田小劇場どらま館

根本敬 presents
蛭子能収 最後の展覧会

AKIO NAGASAWA GALLERY AOYAMA、23年9月7日〜30日

★テレビでもお馴染みの蛭子さん「最後の展覧会」に行ってきました。

周知の通り認知症がかなり進んでおり、描く作品が全て「現代アート」になる模様。去年あたりまではまだ4コマ漫画を描いていた覚えがあり、漫画は基本的に具象画が描けないと成り立たないが、全作品が抽象化された画面構成からなる本展覧会を観るに、病は着実に作家の身体を蝕んでいるのだった。

本展覧会に対峙するにはアール・ブリュットの文脈は無視できないと考えるのだが、それをおくびにも出さず、むしろ黙殺する姿勢で挑む根本敬のプロデュースは、芸術家・蛭子能収に対する大きな敬意を感じさせる。

ゴッホは幻視者だったという事実とは無関係に、ひまわりには高額な値段が付けられる。ゴッホと並べていいかは知らないが、蛭子さんも幻覚の症状が見られるといい、大きく作風を変えた作品群は今後、どのような評価がなされるのだろうか。

「最後の展覧会」で展示中の絵画には全て30万円からの値段が付けられ、それが会期終了を待たずに完売状態である。これらが今後、ラッセンの絵画より高騰するのは明らかと思われたが、投資目的の購入も不遜と感じ購入をためらった。

個人的には発症以降の「現代アート」作品が過大に評価されることには不満足であるのだが。（二）

劇団チョコレートケーキ

ブラウン管より愛をこめて
―異邦人と宇宙人―

シアタートラム、23年6月29日〜7月16日

★これまで、戦前から戦中を舞台とした芝居を公演してきた劇団チョコレートケーキだけど、今回の舞台は90年代である。

昨年は、「生き残った子孫たちへ―六編―」として再演と新作の「ガマ」を上演し、高い評価を得ている。これまで扱ってきたテーマといえば、大正天皇を中心とした天皇制であり、対米参戦であり、あるいは南京事件や朝鮮支配など。「ガマ」は沖縄戦だ。

というところから見ると、いきなり特撮番組が取り上げられるのは、かなりの飛躍を感じるところだけれども、実際のところ、どうなのか。

劇中ではみんな別の名前になっているけれど、めんどくさいので、モデルの方の名称で書いていくと、舞台は円谷プロ。かつて「ウルトラマン」や「ウルトラセブン」、「帰ってきたウルトラマン」を制作し、現在は「ワンダーマン」というこれだけは劇中の作品を制作している。人手が足りず、トレンディドラマから降ろされた脚本家の井川をよびよせ、予算が不足しているので怪獣もワンダーマンも登場しない脚本を要請される。子供向け番組を始めて執筆する井川は、スタッフから過去のウルトラシリーズのストーリーを紹介される。それが「ウルトラマン」におけるジャミラのエピソード「故郷は地球」であり、「ウルトラセブン」におけるガイロスのエピソード「ノンマルトよりの使者」であり、そしてこの劇の重要なストーリーとなる「帰ってきたウルトラマン」の「怪獣使いと少年」のエピソードだ。井川は「怪獣使いと少年」のストーリーをアレンジし、脚本を書いていく。

簡単に説明しておくと、「故郷は地球」は、灼熱の星から帰ってきた宇宙飛行士のジャミラは怪獣の姿になっていたという話で、元は人間なのに地球に適応できずにウルトラマンに倒されてしまう悲しい話。「ノンマルトよりの使者」は、人間以前に地球で文明を築いていたノンマルトが、侵略者である人間に追いやられて海底で暮らしていた。その海底にも人間がやってきて、海底都市が破壊されてしまうという話。「怪獣使いと少年」は、怪獣使いの老人である宇宙人と河原で暮らす少年の話。少年は宇宙人だと思われて人々からひどい差別を受ける。でも少年は老人を宇宙に返すために、毎日河原に埋まっている宇宙船を探す。宇宙人を排除したい暴徒と化した人々は、老人と少年に襲い掛かり、老人は射殺される。そこで封印していた怪獣が暴れだす。事情を知っている郷秀樹はウルトラマンに変身することをためらう。

井川が執筆する脚本「空から来た男」もまた、地球にやってきた、人間の姿に擬態しきれない宇宙人であるカスト星人が人間によって差別されるが、パン屋の女性だけが彼を恐れない。暴徒と化した人間が女性を射殺してしまい、カスト星人は巨大化しようとする。

子供向け番組にもかかわらず、差別をテーマとした作品をつくるメンバー。この差別について、しつこいほど語られる。でも、そもそも初期のウルトラシリーズを進めてきて、「ノンマルトよりの使者」を執筆した金城哲夫は沖縄出身であり、その作品には、沖縄を侵略した日本人の姿が投影されている。さらに言えば、勧善懲悪には陥らない子供向けのコンテンツが、現在でも視聴可能であり、子供が見る機会があるというのは、驚くべきことだとも思う。そうした点に、この作品を「ガマ」の延長として位置づけることもできるし、戦後の重要な文化的資産だととらえることもできる。

作品中では、沖縄だけではなく、在日朝鮮人差別や同和問題が語られるし、パン屋の女性店員役のゲスト女優役からは女性差別が語られる。差別する意識がなくても、差別している。最後に、伏線もあるけど、監督の松村も同性愛者であることを井川にカミングアウトする。

特撮に詳しくない人から見ると、ちょっとくどいように思えるかもしれないし、演劇作品としては、そこは弱いと思わないでもない。そうであったとしても、50年以上前の特撮番組に込められたものを掘り起こすには、このくらいのしつこさが必要だったのかもしれないとも思う。それは、現在のテレビからすっかり失

われたかもしれないものだから。

もっとも、子供番組と深夜アニメは、現在でもアナーキーなところがあって、というのもスポンサーは、前者はおもちゃ会社であり、後者はDVDやCDの会社だから、比較的政治的なことに寛容なところがなくもない。

劇中では、当然、テレビ局からも圧力がかかるが、結局は予定通りに作品が制作され、放映される。放映されたらされたで、井川も松村も干されはするものの、番組は賛否両論、わりと好意を持たれたりもすることも語られる。構成も、くどいとは言ったものの、劇中劇がうまくはまっていて、カスト星人もパン屋の店員も、もちろんワンダーマンもそのセリフでメッセージを伝えてくれる。

ワンダーマンの設定は、宇宙を放浪して地球にたどりついた宇宙人。だからこそカスト星人に共感する。人間の姿でいるときも放浪者であり、○○隊の隊員ではない。こうした設定が、効果的に生かされているけれども、かつて打ち切りになった「ウルトラマンネクサス」も最初はそういう設定だったことを思い出す。そして何より、この劇のタイトルは「ウルトラセブン」の欠番となっている第12話「遊星より愛をこめて」からとられている。

この作品、放射能の影響で血液がつくれなくなったスペル星人が、地球人の血液を求めて侵略してくるというストーリーだが、そこには原爆による被害が想起され、広島に対する差別が懸念されることから、幻の作品となっている。（M）

燐光群
ストレイト・ライン・クレイジー

下北沢ザ・スズナリ、23年7月14日〜30日

★冒頭、暗めの舞台のスポットに主役のロバート・モーゼスが登場し、語り始める。そこから、ぐっと舞台に入っていける。次いで、舞台の右側でスポットを浴びるのが、後にモーゼスの敵役になるジェイン・ジェイコブズ。ジェイコブズの「市場の倫理、統治の倫理」は昔、読んだっけ。

ということで第1幕は1928年、モーゼスは都市開発立案者として、ニューヨークのロングアイランドに公園をつくることを計画する。しかし、そこに道路を通すためには、ロングアイランドに住む富豪の土地を買収しなければならない。その富豪との対話から物語はスタートする。富豪は買収にもその結果として海岸に人々がおしよせることも拒否する。

舞台は一転して、モーゼスの事務所。しかしモーゼスは公益性を盾に強引に話を進め、建設許可も取らずに着工する。部下たちは反発するものの、最後はモーゼスの強引さに押し切られる。それはニューヨーク州知事のアル・スミスも同様で、モーゼスに言いくるめられ、道路建設に関する訴訟で、判事と昼食をとることにする。

モーゼスがしていることは、一方で公共性の高い都市計画であり、富豪の独占は許さないということだ。しかし、それを実現するために法規制を無視するやり方には、違和感を覚えるはずだ。にもかかわらず、富豪から土地を取り上げ、海岸までの高速道路をつくることは、公平性の面から肯定されるものでもある。

しかし、知事はモーゼスに対し、鉄道の計画も含めるように指示するが、モーゼスはこれを拒否する。それが第2幕への伏線となる。

第2幕では、1955年、マンハッタンにあるワシントン・スクエア公園を横断する高速道路に対する反対運動に対峙するモーゼスが描かれる。その運動の中心にいるのがジェイン・ジェイコブズだ。モーゼスはニューヨークを発展させてきた。高速道路網は米国各地で模倣され、ニューヨークの公園を増やし、国連本部も誘致した。しかしそのモーゼスはいまや、人々の憩いの場となっている公園の破壊者である。そしてそれ以前に、ブルックリンの再開発で、住民たちを遠くへ追いやったことが非難されている。

そこでは、かつて公共性を求め、民主主義を口にしていた主人公が、いつしか都市計画そのものが優先事項となっていく、そうした転換が見られる。物語の展開としては意外性はないけれども、第1幕で描かれてきたモーゼスの狂気がここではネガティブに展開していく。

第1幕から引き続き、モーゼスの部下として登場するマライア・ヘラーとの事務所における熱いやりとりは、第2幕の見せ所だ。ヘラーはモーゼスに、もうあなたの時代ではないと告げて、去っていく。同じく部下だったエリエル・ポーターは車椅子で登場する。ポーターの温和さは、ヘラーとモーゼスの間に空間をつくりだす。何より、ヘラーが採用した新人のシャーリー・ヘイズはモーゼスが破壊し

たブルックリンの出身。ヘラーが自身の若い頃を思い出させる若い黒人女性が、時代の変化を示す発火点として配置される。

そして、モーゼスの変化の背景には、モーゼスの人種差別意識がある。鉄道を通さなかったのは、公園に訪れる人を、自動車が所有できる中産階級に限定したかったからであり、貧しい黒人が住むブルックリンは排除すべきものだった。だから、学歴がある黒人女性の存在が、彼の心に動揺を与える、はず。

物語としては特段目新しい展開ではないけれども、主役をニューヨーク都市計画として考えたとき、都市そのものが人にとってどうあるべきなのか、立ち止まって考えるくらいのメッセージはある。公演が行われた下北沢はかつて再開発が問題になっていた場所であり、そのことは坂手洋二もパンフに記している。それ以上に、現在は、神宮外苑再開発がどれほど問題になっているのか。その意味では、今回の公演も、常に今日的な政治的課題を愚直なほどストレートに描いてきた燐光群らしいともいえる。同時に、坂手自身の作でなく、ヘアの脚本は、いつも以上に役者の熱を引き出したとも思う。正直、これまでの少し説明的な燐光群の舞台と比較しても、はるかに躍動感があったと思う。もうちょっと演出に余裕があってもいいかな、と思わないでもないけれども、ラストはちょっとくどいかもしれないけれども、見ごたえのある舞台だった。（M）

ムシラセ
つやつやのやつ／ファンファンファンファーレ

下北沢駅前劇場、23年7月13日〜18日

★お笑い芸人を扱った二本立て。といっても、話はつながっているのだけれど。

舞台は、若い女性がスマホのニュースで、推しのお笑い芸人のはなちゃんが死んだというニュースを知り、ショックを受けるところから始まる。

舞台は一変して、死んだ芸人の通夜の会場の裏側にある喫煙所。死んだのはミーブというコンビの片方。同期のコンビ、ぷるぷるタブレットの2人が、ぎくしゃくしている。ミーブは同期の芸人のうちでも最も売れていた。そのためにはなちゃんは寝る間も惜しんでネタを仕込み、活動を広げていったこと、そして売れているがゆえの周囲の妬みを買っていたことが示される。そうした過労とプレッシャーが死につながっているという。

とはいえ、「つやつやのやつ」はぷるぷるタブレットの2人、阿久井と津田を中心に進む。売れないまま結成10年を迎えたコンビは、解散したい阿久井ともう少しがんばりたい津田に、他の芸人がからんでくる。医者に喫煙を止められ、副流煙を吸いに来る大師匠、白塗りで通夜にやってくるベテラン芸人のカブキ姐さんなど、ユニークな芸人が入れ替わり立ち代わり、笑いを誘ってくる。通夜を舞台に、あまり考えずに笑わせてくれる喜劇で、テンポもいいし、役者もみんな若いけど上手だな、と思った。

ぷるぷるタブレットは結局、ボケとツッコミを入れ替えて活動を続けることになる。とまあ、なんだか吉本新喜劇のハッピーエンドという感じではありますが。

「ファンファンファンファーレ」はその10年後、劇場の楽屋口。はなちゃん推しの女性が一周忌に祭壇をつくって死んだ芸人の供養をしようとするところに、お笑い芸人になりたい高校生の女子が何度も楽屋から入り込もうとしては追い出されるという場面が重なる。

推し活の2人の女性、そして芸人になりたい高校生とその同級生の4人を中心に、劇場のスタッフで元芸人の山村がからんでくる。こちらもまた、テンポのいい笑いで話が進行するし、漫才もちょっとだけやってくれる。

お笑い芸人志望の高校生にとって、漫才ははじめて本気でやりたいと思うことだった。推し活する女性にとって、推しの与えてくれる笑いは人生に不可欠なもの、それだけ重いという。ぷるぷるタブレットはボケとツッコミを入れ替えてから急激に人気が出たというが、その津田にとっても、もはや阿久井とのコンビ以外は考えられない人生になっている。それでも売れず、お笑いの世界の片隅で生きる山村もいれば、コンビ解消後も売れないピン芸人のウィスパーもまた、そこで生きている。

こうした中にあって、女性のお笑い芸人にとっては、男性以上に厳しい世界であることにも言及される。そのことが妙にリアルでビターだ。それは女子高生に

待ち構える未来であり、カブキ姐さんにとっての現実でもある。

　ストレートな笑いが舞台をつないでいくし、そこでは一発芸のようなものは極力控えているというのも、とても好感が持てた。良い意味で、普通におもしろい舞台だった。（M）

セッコの豪遊
授業

Ito・M・Studio、23年7月15日～17日

★イヨネスコといえば「授業」というくらい有名な演目、知り合いの役者も演じたことがあると言っていた。ぼくはといえば、遠い昔、渋谷のジャンジャンで毎週金曜日に演じられていたのを、仲谷昇が教授を演じているのを観たことがある。
　でも、イヨネスコの他の戯曲が演じられることって、最近ではほとんどないな。でも、白水社の「イヨネスコ戯曲全集」全4巻を読むと、その理由がわからないでもない。イヨネスコの不条理喜劇は、現在演じられている多くの不条理喜劇の原型になっているものだし、現在は現在の不条理喜劇が演じられている。イヨネスコはその土台を形作ったものだけれど、現在の戯曲ではない。とはいえ、戯曲を書こうという人は、きちんと読んだ方がいい、というものなのだろう。イヨネスコが遺したものは、遺伝子として多くの演劇に残っている。

　同じ不条理劇でも、サミュエル・ベケットの場合、それは進化の袋小路に入ってしまったからこそ、今でも繰り返し読まれるし、新訳の戯曲全集も出版されるというものだ。

　そうした中にあって、極めて分かりやすいと同時に、ずれたセリフの応酬が今でも十分に笑える「授業」は、今なおしばしば上演されているといっていいだろう。

　もっとも、イヨネスコにとっての不条理は言うまでもなく第二次世界大戦そのものだ。それがいかにおかしな論理で成り立っているのか、それはロシアによるウクライナ侵攻でも変わらない。もちろんロシアは非難されるべきだが、劣化ウラン弾やクラスター爆弾を提供する米英もまた非難されるべきだろう。

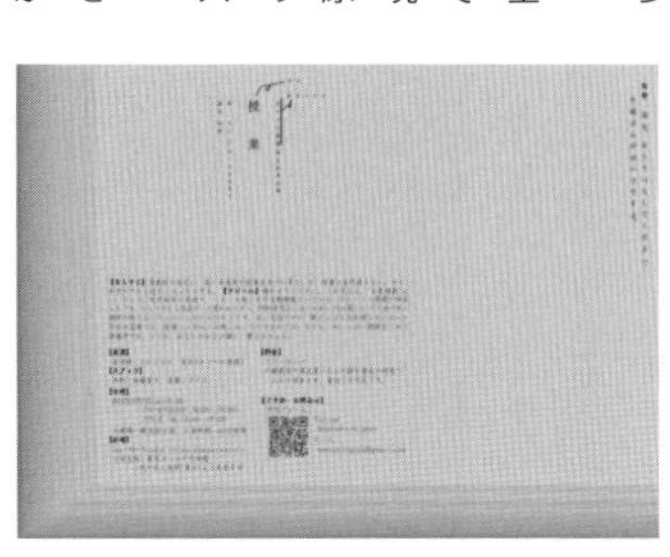

　イヨネスコは戦争を悲劇としてではなく、ずっと喜劇として描いてきた。そうして、それでも希望を持つ悲劇として、最後に「マクシミリアン・コルベ」というオペラを執筆。それは、ユダヤ人収容所で人々を勇気づけ見守りながら、最後に亡くなった神父の物語だった。

　イヨネスコの不条理喜劇の遺伝子には、政治に対する批判が含まれているし、それは日本においてもさまざまな舞台で伝えられているものだ。

　とまあ、そういったわけで、今回の「授業」なのだが、この戯曲を軽く演じるということの可能性を感じさせるものだった。

　30年以上も前に観た仲谷昇バージョンは高い緊張感を持った舞台で、どちらかといえば暗い照明の下で演じられていた。不条理を不条理としてストレートに受け止めるしかないものだった。

　しかし、今回の「授業」は、むしろ壊れたものだったといえばいいだろうか。女学生はセーラー服にランドセルという姿で登場する。小学生は普通はセーラー服は着ないし、中高生はランドセルを背負わない。博士号を目指す小学生というギャップがそのままの姿になっている。女中は割烹着姿。それはもう、フランスじゃないだろう。女性である宮村が教授を演じるが、ほぼ頭のおかしいジジイだ。その演技の軽さが女学生と合わさって、客席に無理のない笑いを誘う。70年くらい前の戯曲を演じても十分に笑いが取れるというのは、演出の力だろう。この軽さは最後まで続き、ラストで教授が女学生をナイフで刺し殺す場面は、狂気というよりはアル中である。

　イヨネスコの劇を、もっと軽いものとして上演するということには、可能性があるのかもしれないと感じた。その意味では、今回の舞台ももっとやりようはあったかもしれない。女中の端正な演技が中途半端で教授とのギャップを十分に示せなかったり、あるいは教授もちょっと高齢すぎる設定で動きがぎくしゃくしていたんじゃないか、とかも思わないでもない。

　そしてどんなに軽く演じたとしても、40人もの女生徒を殺した教授が、それでも女中にカギ十字の紋章のついた赤い腕章をつけてもらい、「これをつけていれば大丈夫ですよ」という暗い笑いは、最後にきちんと残るものだ。

　そろそろ、イヨネスコの劇を、現在において演じるために、作り直してみるとい

うのも、必要なことなのかもしれない。
ところで今回の公演、料金はフリーカンパということで、「後悔のない金額」を払ってくれればいいとのこと。そうした点も攻めてるなあと思う。(M)

劇団民藝
善人たち

劇団民藝稽古場、23年8月3日〜13日

★ずっと昔、10代のころ、狐狸庵先生の本はけっこう読んだ。ぐうたらするのが好きだった。でもまあ、そこから、遠藤周作の本をけっこう読んだっけ。しばしば描かれるのは、人の弱さによりそうイエス・キリストの母的な存在、とでも言えばいいのかな。

最近になって、未発表作品なんかがいろいろ発掘されていて、戯曲「善人たち」もそのひとつ。元々、劇団民藝のために半世紀ほど前に書かれたらしい。

舞台は1940年頃の米国ニューヨーク州の田舎町。教会の牧師補であるトムは、神学校に留学してきたコウキチを自宅にホームステイさせる。敬虔なキリスト教徒のロジャース家に受け入れられたコウキチだが、トムの妹キャサリンの婚約者フレッドは黄色人種に対する偏見を持つ。そこには、銀行員としての出世を目指すフレッドの「良識」がある。トムは、日本人を受け入れることで、誰にでも平等な神の愛を実践しようとしている。その一方で、ロジャース家には黒人の使用人のコトンがいる。黒人が置かれた状況は誰も振り返らない。

協会でコウキチの歓迎会が開催される。そこに同じく黄色人種でベトナム人のホーがやってくる。彼もまた招かれていたが、ホーはインドシナで行われている戦争と占領という現実を語る。キリスト教は一方で平等な愛を語り、他方で黄色人種を支配しようとする。それはどういうことなのか。しかし、ホーの怒りに対し、牧師は答えることができない。

そんな中、トムの姉ジェニーがニューヨークから帰ってくる。ジェニーはプエルトリコ人と駆け落ちし、ニューヨークで暮らしていたものの、差別される立場のプエルトリコ人との暮らしはうまくいかず、引き裂かれるように帰郷した。しかし、そうして出ていった姉をトムは快く思わない。後に、ジェニーがニューヨークで街に立っていたところを補導された過去があることを知らされる。帰ってきても一日中お酒を飲んでいるジェニーに対して、トムは追い出そうとする。それはコウキチへの対応と比較すれば、ダブルスタンダードだといえる。

そうした中、日米開戦が迫る。日本は南京で何万人もの中国人を殺していることがコウキチに知らされる。同じ日本人としてどうなのか、周囲はコウキチに迫る。日系米国人のジェームズがコウキチに対し、政府が日系人を監視していることを告げにやってくる。その後、真珠湾攻撃によって日米開戦となり、日本人のコウキチは町の人々から排除される。トムをはじめロジャース家の人はコウキチをかばおうとするが、その結果、孤立してしまう。

ジェームズがやってきて、日本人を収容するため、コウキチに出頭するように命じる。トムはコウキチを救おうと、上院議員に手をまわし、日本に帰国できるように手配する。しかしコウキチは、帰国したら自分が招集されるため、帰国せずに収容所に行きたいという。しかし、トムは一度上院議員にお願いしてしまったことを取り消すことができずにいる。

これは、弱い善人たちの物語だ。何度も、戦争になったときに、キリスト教徒はキリスト教徒を殺せるのか、と問われる。米国人が日本人を殺せるとしても。そして、キリストの使徒のひとりであるペトロの話が語られる。ペトロはキリストの受難のあと、保身のためにキリストのことを3度否認する。保身のために上院議員に取り消しの電話をすることができなかったトムは、ペトロもまたがんばったしつらかったんだとコウキチに話す。

トムにとって、コウキチは人に許しを与えるキリストのような存在だ。それが、遠藤周作の「おバカさん」におけるガストン・ボナパルト（ナポレオンの子孫で少し愚鈍なフランス人）であり、あるいは「沈黙」における、踏み絵のキリストでもある。トムは弱い善人である。しかし自分を押し殺して町に受け入れてもらおうとしたコウキチもまた弱い善人だったし、それはブランデー牧師も同様だ。神に仕える者がだれよりも弱い善人である。

典型的な人物を登場させた、とてもわかりやすい作品だが、それでもていねいな演出とそれに応える俳優陣によって、十分な重みを持った舞台になったと思う。

残念なのは、音楽の使われ方。最初のシーンから音楽がじゃまで作品に入っていけなかった。もっと存在感のない音楽の方がよかったし、その方が、何度か繰り返し歌われる「虹の彼方へ」が生きると思う。そのあたりのセンスは、演出上の課題かも。（M）

藤井貴志

〈ポストヒューマン〉の文学

埴谷雄高、花田清輝、安部公房、そして澁澤龍彦

国書刊行会

★人間中心主義ヒューマニズムの身体性の隷属から離れた地平に到来するものは。それは突き詰めれば、「未来のイヴ」的な人形であり、廃墟であり、アナーキーであり、ディストピアであり、ダダ的なノンセンス非意味で、即ち死である。しかし、それは美学的には花田清輝的な「鉱物中心主義」や玩具的なオブジェ的な身体に還元される。本書は、マルクスの物象化のフェテシズムからそれらを超越した、ハイデッカー的な脱自的なイメージを拠り所として、身体の廃墟的イメージの現出とその使用法を巡った、いわば身体的イメージの解体と政治学の試みである。埴谷雄高や澁澤龍彦の「反出生主義」の生産性の否定とミシェル・ガルージュの「独身者の機械」の非生産的、オナニズムを映しながら、川端康成の『眠れる美女』や『片腕』に於けるネクロフィリア的な視点の批評性をセンシティブに露悪趣味の陥穽を避けながら、俎上に挙げる。そうして、そのエロスを澁澤の『人形塚』のように、障碍者的な機能不全の身体性であったり、ラカン的な「寸断化された身体」的な解体にまで推し進める。安部公房の『壁』の「異形の身体」の表象をシュルレアリスムのダリの用いた〈偏執狂的批判的方法パラノイアック・クリティック〉のデミウルゴス的なイメージの解体と脱構築などの問題系列に添いながら、さらに、その根底に潜むイデオロギーやポリティカルコレクトネスの問題へと敷衍される。ハンス・ベルメールの球体関節人形のイメージは、ナチス的な生産的ゲルマン民族的な身体性へのアンチテーゼであると同時に、ナチスの暴力性そのものであり、そうした二律背反性のベルメールのイメージの強度とその困難性を訴える。ポストヒューマンとは、イデオロギー的装置である大阪万国博覧会の虚栄や戦争などのイデオロギーの死以降の人間性のイメージの空虚と定位の試みであるのだ。そうして究極には、澁澤龍彦的な玩具考や悪魔学などの美学に回収されるのだ。本書は、ポストヒューマンの廃墟的イメージの政治学と埴谷雄高の『死霊』の虚無をも越えるその生体廃墟論の持つ、不気味なる鮮烈な強度に就いての優れた文学論的労作である。そして、端的に言って、ポストヒューマンの位相を埴谷、花田、安部を結び澁澤へと帰結する、ベンヤミン的な「星座的付置（コンステラツィオーン）」の積極的な試みである。（並）

シオドラ・ゴス

メアリ・ジキルと怪物淑女たちの欧州旅行 ウィーン編／ブダペスト編

原島文世訳、早川書房

★アテナ・クラブシリーズの2冊目。前作「メアリ・ジキルとマッド・サイエンティストの娘たち」で活躍したアテネ・クラブの女性たちが、オーストリア／ハンガリーへ、吸血鬼になった娘を助けにいくという話。そこは、実はゴスが生まれたところでもあるんですけどね。というか、新しいゴシック小説の作者の名前がゴスっていうのもよくできていますね。

主人公のメアリ・ジキルはジキル博士の娘だけど、他のメンバーとしては、ハイド氏の娘のダイアナ・ハイド（って、メアリとは異母姉妹ですね）、モロー博士につくられた猫娘のキャサリン（本書の執筆者、という設定）、フランケンシュタイン博士がつくったジュスティーヌ、ラパチーニ博士の娘のベアトリーチェら。それに家政婦のミセス・プールとメイドのアリスも登場するけど、この二人はお留守番。これにホームズやワトスンもからんでくるわけだけど。

前作は、アテナ・クラブの各メンバーの過去が語られつつ、彼女たちをつくった錬金術師協会との対決をスピーディに描いていて、なかなかの傑作だったと思う。合間合間にはさまれるガールズトークも楽しいし、何より女性の地位が低い時代を意識的に批判しながら描くというのが、登場人物を生き生きとさせていた。モンスターゆえの悲しみを背負いつつも、だからこそ一緒に生きていこうというアテナ・クラブのシスターフッドがよく描かれている。

ということで、期待してしまう2作目なのだけれど、うーん、ボリュームが増え

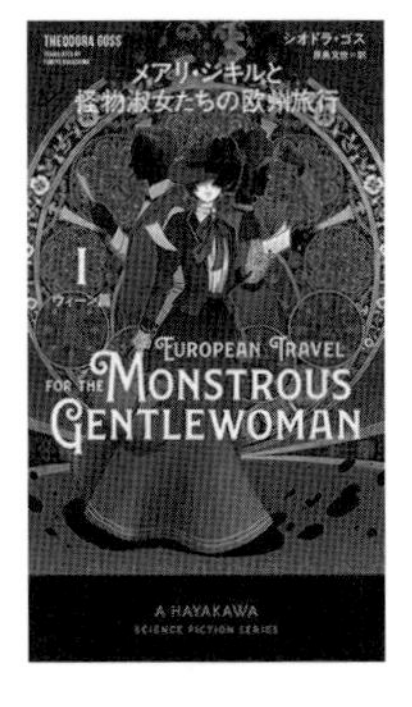

たわりには、ちょっと中身が薄いんでないかな、というか、やたらと説明が多くて眠くなる。登場人物が増えたし、ウィーン／ブダペストまで移動しなきゃいけないので、その道中もたいへんだし、というのはわかるけど。

でも、そうした中にあって、唯一の未成年で落ち着きのないダイアナの活躍は、けっこう楽しい。主役はこっちではないか、と思うくらい、暴れまわってくれる。

そのうち、日本でアニメになってもおかしくないかも。

なんか、文句を言っていますが、3作目も楽しみにしています。というか、ラストは次巻に続くような終わり方だったからな。（M）

東京シティ・バレエ団
トリプル・ビル

ティアラこうとう大ホール、23年7月15日・16日

★東京シティバレエ団が創立55年を迎えた。1968年に創立ということだから日本の洋舞界は70年代向けて飛躍し、舞踏の土方巽らも国内評価を確立しつつあった時代である。評論の側では翌69年に舞踊批評家協会が設立される。21世紀からバレエ団の活動を回顧し未来を見つめるような内容だった。

ウヴェ・ショルツ『ベートーヴェン 交響曲第7番』は震災後の日本で好評を得た思い出の演目である。佐合萌香が1幕から活躍を見せ、春にフォーサイス作品で実力を発揮した大久保沙耶も2幕と4幕を中心に近況をみせた。松本佳織は客席から声援を受けていた。同じシンフォニックバレエのジョージ・バランシン『Allegro Brillante（アレグロ・ブリランテ）』と比較してみれることもこの舞台の大きな見どころだ。

このバレエ団の大きな特色は日本人の創作作品を重視してきたことだ。岡博美らによる石田種生『挽歌』、庄田絢香らが盛り上げる石井清子『四季』（ヴィヴァルディ）より『春』とともに」は想い出深い作品たちである。本当に久しぶりに志賀育恵が踊った中島伸欣の『カルメン』よりパ・ド・ドゥ』も大きなみどころだった。

日韓のバレエ文化交流として、韓国国立バレエ団の『Quartet of Soul』振付：パク・スルギ（韓国国立バレエ団プリンシパル）は異色な作品で興味深くみることができた。（吉）

下北ショーGEKI
男ZERO

小劇場「劇」、23年7月12日〜22日

★設定は男性が滅亡した未来。女性だけの社会。舞台は収容所。表情で意思を伝えることができない女性が収容され、2年間の訓練の後、矯正された者が社会に復帰する。

登場人物は2年目の囚人4名と1年目の囚人3名、看守長、修道院長、看護師長。中心となるのは2年目の囚人で、それぞれ喜び、怒り、悲しみの感情が押さえつけられず、あるいは何事にも無関心。特に学習障害や多動性があるわけではなく、社会復帰可能として、厳しい、あるいは不条理な訓練が毎日続く。

最初になぜか、浴衣姿の2人の女性が、ダンナの話をする。ダンナは仕事人間で、休日は家に閉じこもって模型をつくっていて、一緒に過ごすことはなかった。無駄な時間を過ごしてしまった、と。

気持ちはわかる。社会においては女性は男性に劣後し、感情を抑制してきた。その男性がいなくなった社会で、いかにして感情を発露していけばいいのか。そうは思う。

それに、感情をコントロールできない囚人の奇妙な動きという演技を、役者たちはかなりがんばってやっていた。それも良かったと思う。

けれども、それだけの話なら、30分くらいの短編で良かったと思う。退屈な場面が1時間50分も続くというのは、観ていてつらかった。笑えるシーンだけ集めればいいのにな。作者のセンスのなさが問題。本当に役者はみんながんばっていただけに、残念な舞台だった。（M）

劇団新劇団
おやっとさあ

下北沢駅前劇場、23年8月9日〜13日

★おやっとさあ、というのは、鹿児島弁でおつかれさま、という意味だという。とまあ、そういうわけで、鹿児島県にかかわる喜劇。

舞台は現代の東京（だと思う）と戦時中から終戦直後の鹿児島県垂水市、および満州が舞台。ほぼ70年の時代が交錯する構成。

娘夫婦の家に来ている老夫婦の会話から物語が始まる。二人の孫娘のうち下の娘はブラック企業で働いており、絶望的に疲れている。上の娘はまだ大学生。老

夫婦は休日も仕事をしている孫娘に「おやっとさぁ」と声をかける。

　一転して、舞台は満州。祖父は日本兵として駐留しているが、食糧不足のため、満州人と仲良くして食糧をわけてもらっている。その状況が上官の目にとまり、満州人で刀の試し切りをするように命じられる。しかし、殺すことができず、実際に殺したのは同郷の日本兵。

　その頃、故郷の垂水では女性たちが銃後の守りをしつつ、窮乏の中で暮らしている。祖母は当時、戦地にいった婚約者のことを考えながら、暮らしている。やがて、終戦を迎える。

　しかし、祖父と同郷だった祖母の婚約者は、引き上げ時に亡くなり、祖父はそのことを祖母に伝える。周囲は祖父と祖母が結婚するようすすめるが、祖母は気が乗らない。

　一方、現代では、ブラック企業に苦しむ孫娘が、祖父母から戦時中の話、なぜ最初は嫌いだった祖父と結婚したのか、その話を聞かされ、後に退職を決意する。

　というのが、だいたいのあらすじなのだけれど。確かに、お盆の時期に戦争を扱った作品を上演することには意味はあると思う。それに、出演者は若手の女性俳優を多く起用し、若い人にも受け入れられる舞台にしていた。ブラック企業は今なお日本の問題としてそこにあるし、その不条理さは旧日本軍にも通じている。

　そうは思うのだけれど、話に新鮮味がないし、戦前・戦後の描き方もどこか通り一遍のところがあって、何も伝わってこない。どこか踏み込みが足りないと思う。

　そのことを表しているのが、祖父母だ。幕開けに祖父母が会話していると書いたが、その姿は老人には見えなかった。髪は黒くて豊かだし、着ているものも老人らしさがない。これはこのあと、二人が戦時中も演じるから、なのかもしれないが、そもそも日本兵の髪型は坊主頭でいい。だとしたら、現代では白髪の鬘をかぶればいいこと。そのぐらいの説得力が欲しいということだ。

作・演出の中途半端さを感じる一方で、俳優陣は、かなりがんばっていたとも思う。もっとやればできるのにな、と感じた。

（M）

第49回神楽坂まつり阿波踊り大会

新宿区神楽坂、23年7月28日・29日

★徳島県が世界に誇る阿波踊り。これは全国各地、そして世界でも開催されている。高円寺や三鷹、そしてフランスやタイ、そんな広がりを見せる阿波踊りが、神楽坂でも開催された。神楽坂通りという、主要な商店の立ち並ぶ坂で待っていると、掛け声をあげ、歌い踊りながら連（踊りのグループ）がやってくる。そして一つの連が通り過ぎるころには、後続する次の連の姿が小さく見えてくる。そのように終わりなく、次々に踊りがくり返しくり返し眼前に繰り出され、そして観覧客の熱狂が次第に高まっていく様は、神懸かり的なエクスタシーを想起する。

　阿波踊りが世界をまたにかけて広がったり、カルトゲームとして名高い「LSD」のオープニングムービーなどアート作品に頻繁に使われていたりするのには、阿波踊りにどこか人間の根源にせまるものがあるからだろう。絶えることなく訪れる踊り、そして高まっていく熱狂、そして最後には観客すらも踊りに加わってカオスになっていく、そんな様が人間をトランスに導く。阿波踊りは人間の本質を浮かび上がらせる存在なのだろう。

（清）

カレン・ラッセル
オレンジ色の世界

松田青子訳、河出書房新社

★ラッセルの3冊目の短編集。ちょっとビターでストレンジな作品がたくさん入っている。といっても、ただストレンジなだけじゃない、というのは、アリ・スミスの短編に似ているかも。タイトル作「オレンジ色の世界」は、著者の妊娠・出産という体験がいかされている。

　世界は緑色の世界と赤色の世界があり、その間にオレンジ色の世界があり、ほとんどの人はそこに住んでいる。緑色の

世界は平和で安心な世界、赤色の世界は常に戦争や貧困などの危険に満ちている世界。そこには生まれてくる子供の遺伝・健康リスクも含まれている。母親は子供が緑色の世界で育つことを願わずにいられない。そのためなら、悪魔に魂を売り渡しても構わない。でも、同時にそうした想いを語れる人が欲しい。それは夫ではなく、同じ母親。世界は決して安全ではない。まして子供にとって。

誰かにとって、世界はどのように奇妙に見えているのか、そしてその奇妙さが政治的メッセージとなっていく。青春小説である「沼ガール／ラブストーリー」では、主人公は泥炭地帯で腐敗することなくずっと埋まっていた少女と出会う。二人は恋人同士になるし、周囲もそれを見守る（埋まっていた死体なのに、誰も何も言わない）。でも、少女が自我を見せ始めると二人はぎくしゃくし、少女は泥炭地帯に戻っていく。少年にとっての少女はどのような存在なのか、と。「ゴンドラ乗り」では、気候変動によって荒廃したフロリダが描かれる。アメリカの千葉県とよばれているフロリダ（よばれていないって）は、低地・沼地が広がり、海面上昇やハリケーンの危機にさらされている。なのに共和党が強い。そんなことを皮肉を込めて描いている。そうそう、気候変動といえば、「竜巻オークション」にはちょっと笑った。竜巻ブリーダーがいて、育てた竜巻を出品する。

あえて言えば、これまでの短編以上に、ラッセルは広い視野を持って世界を描いているのかもしれない。そんなことを感じた。（M）

下北沢企画2023
観るお化け屋敷 45分
ザ・スズナリ／23年8月16日～20日

★演劇とお化け屋敷の中間にあるような、イベントというか、やっぱり演劇というか、という企画。45分ってあるけれど、上演時間は1時間くらい。

受付に行くと、すでにお化け屋敷の雰囲気で、幽霊メイクの女性が受付。そこで提灯をわたされると、すぐに劇場に案内されるのではなく、楽屋などがある裏側に通される。本当にお化け屋敷を通ってから、劇場に入るというしくみ。

内容はといえば、元々アパートだったスズナリという設定を生かし、案内役の女性と人形を通じて、それぞれの部屋のエピソードが演じられる。もっとも、エピソードそのものはわりと凡庸な内容。美術や映像、一糸座の人形など、仕掛けそのものに力が入っているし、そこを楽しんだ。プロジェクションマッピングみたいな感じで、場面が効果的に変化していく。本当に、舞台装置が主役だったな。

スズナリの裏側にも入ってみることができたし、こういう企画もいいなあと思うのであった。（M）

玄界灘を上演する会
玄界灘
せんがわ劇場、23年8月30日～9月3日

★舞台は京城、すなわちソウル。1942年、日本が統治していた時代だ。中心になるのは3人の人物。李承元は特高警察の部長で、日本人の下で反乱を企てる朝鮮人の摘発を行っている。西敬泰は在日朝鮮人だが日本の地方新聞記者を退職し、京城日報の校閲係となる。もちろん社会部記者になりたいが、朝鮮人であるがゆえにその職につけない。そして朝鮮の名家の息子である白省五は日本への留学から帰ってきたものの、親日家で京城日報のオーナーである父親に反発して無為の日々を過ごしている。

西と白は日本の池袋で知り合った仲で、京城にやってきた西を自宅に住まわせるものの、仲たがいしてしまう。

李は白をそそのかし、朝鮮独立運動に参加させた上で、その独立運動にかかわる人たちを一網打尽にしようとする。

この物語をつないでいくのが、皇国臣民ノ誓詞だ。朝鮮人に対する皇民化政策として、朝鮮人に日本語を強制することと同様に、天皇の民であることを強制、そのことを唱えさせるものだ。警察はことあるごとに朝鮮人に対して誓詞の暗唱を強要する。

若い白は朝鮮独立運動に身を投じる一方で、李は日本が統治する社会の中で

生き残るために独立運動を摘発する。そして、新聞記者として西はその傍観者となっていく。しかし李もまた、朝鮮人ゆえに特高で昇進することはない。

こうした物語の背景では、朝鮮人の徴兵が進められ、後に日本の敗戦が近づく。その先に朝鮮の独立があったのかどうかといえば、原作が書かれた当時は朝鮮戦争の最中であったと応えるしかないだろう。そしてもう一つは、抵抗運動の拠点となった酒場では、しばしばアリランが歌われる。酒場の歌手である連淑は幕開けから終幕までをつなぐもう一つの背景となる。

1954年に発表された金の「玄界灘」は当時、芥川賞の候補作となっている。当時の選評をネットで検索すると、立派な作品すぎて受賞しなかったとか。それがほんとうかどうかわからないけど。

いずれにせよ、日本においては語られなければいけない歴史ということにもなるが、そうしたことだけではなく、3人の朝鮮人を通して、そこに追いやられてしまう人間というものが本質的に描かれているものなのだろう。特に李は民族を日本に売るという難しい役をやってきた。地味ではあるけれど、印象に残る。

奇しくも上演期間中に9月1日が訪れている。言うまでもなく、100年前に関東大震災が起きた日であり、流言飛語によって多くの朝鮮人らが殺された事件が振り返られている。

そして、ぼくとしては近所のせんがわ劇場で上演される演劇は極力観に行くことにしたのだけれど、調布市民は提携する異文化を愉しむ会を通じてチケット代がかなり割引となっている。それゆえにほぼ満席となっていたけれど、こうした自治体の取り組みそのものも評価されてもいいと思う。（M）

田中いづみ
今を生きる

俳優座、23年9月2日

★田中いづみは環境問題をテーマにすることがある舞踊家である。「トロピカルな冬」や今回上演した「青い魚たち」（2000）は代表作である。テーマとしてはタイムリーな上演である。2000年代のまだ豊かだった時代の空気もある作風であり関口淳子や安達雅らが活躍をみせていた。震災後の10年代はアベノミクスと一体化するような作品がバレエやダンスにも多かった。しかしコロナ禍と不況の中で、舞踊界も作品が内省的になってきたり、感情の深みに訴えかけるような内容が印象に残るようになってきた。「wistful tree」は環境アート的な舞踊劇である。民俗芸能（日・韓・スペイン）の舞踊家たちを交えながら巨木（生命の樹）の前で踊りを捧げていく。精神性の高みと時代に対する祈りを感じとることができる。「トロピカルな冬」からして時代に警鐘を鳴らすような作品だった。より精神の深みに結実してきている近況を感じ取ることができる。（吉）

タテヨコ企画
谷繁2

Sancha teatretto、23年9月16日～24日

★Sancha teatrettoって一般住宅みたいな建物。中に入ると、舞台には仏壇があり、酒瓶がころがっている。そこで緑色の着ぐるみのようなものを着て前掛けをしている役者が、掃除をしたりしている。まだ、始まったわけではない。表情豊かな役者は、観客が入ってくるごとに、「いらっしゃいませ」と言う。

そんな中から、なし崩し的に舞台がはじまる。

話はというと、亡くなった独居老人は、遺産をすべて谷繁に譲るという遺言を残した。お金に困っている息子夫婦は、谷繁が誰なのか、父が住んでいた家を訪れる。そこで知ったのは、谷繁とは緑色の家事ロボット?のようなものであり、それが社長を務めている会社であるということ。

緑色の谷繁は2体いて、いろいろ不条理に笑わせてくれるのだけれど、この感覚って、赤塚不二夫のギャグマンガだよなあって思った。謎の家事ロボットって、ウナギイヌみたいな、そんなノリだよなあって。そして、息子夫婦もそれなりに破綻していて、暗号資産でお金がなかったり、推し活で借金をつくったりしている。このあたりの困ったわき役も赤塚不二夫のギャグマンガ的だ。

だから、意味なんかなくて、笑えればいい芝居だと思った。けれど、どこかでなんだか真面目にやろうとしているところがあって、ちょっと中途半端なんじゃないかな、というのが正直なところ。そうでな

ければ、ナンセンスなギャグを現在に再構築してみるというのもあったかもしれない。例えば、「おそ松くん」が「おそ松さん」として生まれ変わったように。ナンセンスなギャグがどれだけナンセンスだったとしても、赤塚不二夫のギャグマンガはその時代に置かれていた。

　全編を通して、FOCUSのセカンドアルバムのレコードが使われている。1970年発表で、ジャズロックというかプログレの名盤とされているのだけれど。笑いをどこに置くのか、それはもう少し考えても良かったのではないか、と考えてしまうのである。（M）

ジョン・スラディック
チク・タク・チク・タク・チク・タク・チク・タク・チク・タク・チク・タク・チク・タク・チク・タク・チク・タク

鯨井久志訳、竹書房

★邦題は「チク・タク」だけで良かったような気もするので、以下、「チク・タク」で。
　ロボットが一般化した社会、アシモフ回路が埋め込まれていて、いわゆるロボット三原則が守られるようにできている。でも、チク・タクはその回路が壊れている。つまりは、平気で人を殺せる。

　最初は、家事ロボットのチク・タクが、盲目の少女を殺し、壁についた血を絵画

にしてごまかす場面からはじまる。物語は、この家庭に家事ロボットとして雇われるまでの過去と、壁の絵をきっかけに芸術家となり、活動家としてロボットの人権を求め、副大統領候補になるまでの現在が、交互に描かれる。交互すぎて読みにくいけど。
　それにしても、チク・タクはよく人を殺す。じゃまなものは殺すのがあたりまえ、みたいな感じ。ブラックな笑いに満ちた、スラプスティックといえばそうなんだけど、そんなチク・タクを社会は許容する。まあ、いいんじゃないか、くらいで。いや、殺人を許容しているわけではなく、影で何をしているのかわからないけれど、表向きは社会を変革してくれている存在としてのチク・タクを、ということなんだけど。だから、ただ、ロボットの票を得るためだけに副大統領候補にもなる。
　それにしても、スラディックが生きていて、トランプ前大統領を見たら、どう思うのだろうか、そんなことを考えてしまった。「チク・タク」はフィクションだけれども、トランプ前大統領はそうではない。あやしげな不動産王から大統領になり、でも閣僚は最後まで決まることなく、次々とクビになり、最後は4年後の選挙結果を受け入れずに人々を扇動して議会を混乱させ、退任は寂しく空軍基地からプライベートジェットで去っていく。チク・タクもトランプもどこかで倫理が外れてしまった存在であり、そのことがブラックな笑いを、あるいはブラックな現実をつくりだしていく。
　そもそも、人間にはアシモフ回路なんて組み込まれていないのだから、だったらチク・タクみたいな人間がたくさんいてもおかしくない。そうしたリアルなブラックさが、「チク・タク」の笑いを支えているのだろうな。（M）

流山児★事務所
瓦礫のオペラ　戦場のピクニック

Space早稲田、23年9月25日～10月2日

★ベースにあるのは「戦場のピクニック」。ある兵士の両親が慰問のために戦場を訪れるという不条理演劇。そこに加えられるのが、宮沢賢治の「飢餓陣営」、岸田國士の「風俗時評」、それにアラバールの「ゲルニカ」。
　それぞれの戯曲が戦争の不条理を描きつつ、「風俗時評」が戦争に向かう痛みを語る。オペラというように、ときどき歌をまぜてくる。

　肩章がバナナだというバナナン将軍といい、戦場にピクニックにやってくる両親といい、不条理な笑いが全編をつなげている。もちろん、この作品が演じられる背景には、ウクライナでの戦争が意識されているのだろう。でもそれだけではなく、戦争に向かう空気が流れている日本そのものもまた、背景としてある。流山寺の演出もうまく流れるようにできている。戦場から遠く離れた「風俗時評」の夫婦のやりとりが、アクセントとなっている。というか、この時代めいた夫婦の演技そのものが、スパイスとして機能していたと思う。かつて描かれた戯曲が、現在において再構成して置かれたときに、なおリアルであるというのは、なんとも言えないものがあるのだけれども。そうだとしても、アングラとよばれていた演劇が、現在においても意味があるということの確認でもあるとも思う。

　そうなのだけれど、Space早稲田は劇場としてはかなり狭いし、しかも対面式の客席配置。そうした中で、大声で歌われ

ると、ちょっと観ていてつらいものもあったのは事実。ちょっと息苦しかった。（M）

平山夢明
ダイナー
ポプラ文庫

★日本に限らないかもしれないが「厭ミス」という範疇がある。「ジャンル」と記さないのは、個々の作家の創作傾向が多様すぎて、ジャンルとして規定できないからである。厭だ、厭だ、と思いながら、次のページを捲ってしまい、読むのが止まらない類のミステリである。この平山夢明は厳密にはミステリ作家ではなく、あえて言えば「猟奇作家」だが、犯罪がらみのホラーや怪奇実話などを得意とし、人間性のカケラもない、あるいは人間の本能的衝動に忠実すぎる、多くは犯罪者を活写することにかけて、日本で三本の指に入るであろう。作風は違うが、同様の残る二人は岩井志麻子と飴村行である。それぞれが一作家一ジャンルとでも言うべき、特異な作風である。そんな「厭な話」を書かせたら天下無双の平山の、これは冒険小説協会大賞と大藪賞をダブルで受賞した代表作である。

物語は事務用品問屋に勤め、平凡な生活に疲れた、三十歳近くにもかかわらず世間知らずの主人公オオバカナコが、ヤクザの資金を強奪する闇バイトに、内容を知らず三十万円欲しさのため、車の運転手として雇われるところから始まる。カナコと組んだ男女二人は札束の強奪に成功するが、三人は追跡されて捕まり、拷問された後、男は殺され、女二人は裸にされて、使用する用途自由の人肉市場のオークションにかけられる。しかし買い手がつかなかったため、土の中に生き埋めにされそうになるが、「料理が得意」という最後の一言で、かろうじてカナコに買い手が付き、彼女だけが助かる。主犯の相棒の女は、ボロ雑巾のように殴られ、男の心臓を生で食わされただけでなく、そのまま生き埋めにされたに違いない。

カナコを買ったのは、横浜にある殺し屋専用の会員制クラブの定食屋「キャンティーン」のオーナーで、気むずかしい客に、嫌われても、気に入られても、その場で殺されかねない店のメイドとしてだった。壁には過去八人の、犠牲になったメイドの写真が、額に入れて掛けられていた。店名の「キャンティーン」は「水筒」を意味するという。店をあずかるのは頑健な料理人で清潔好きのボンベロという男で、元は殺し屋のボンベロと客の命令には絶対服従することだけが、カナコの命を長らえる方法である。仕事の手始めは店内の隅々まで「舐めても大丈夫なほど」磨き上げることだった。ところがトイレの便器の掃除がボンベロには不満で、それを舐めろと言う。カナコが拒否すると、彼女の写真を撮り、殺される方法を選べと窮地に立たされる。そこに電話が入り、その隙にカナコは冷蔵室の金庫状の冷蔵庫から、ロマネ・コンティの隣にある綺麗な化粧水めいた小ボトルを取り出し、ボンベロの気づかない所に隠す。このボトルを人質にしたことで、逃がしてはくれないが、仕事はそのままにカナコの命は、当分のあいだ保証される。ボトルは一億五千万もの高額の酒で、それが無ければ店が破産するほどの代物だった。

こうしてカナコとボンベロの生活が始まる。店の壁とドアは誰にも破れない鉄壁の防備で、脱出も不可能である。カナコには仮眠とシャワーが許されるだけの毎日が続く。ボンベロが心を許すのは、店で飼っている獰猛なブルドックの菊千代だけだった。客は一癖も二癖もある殺し屋ばかりで、店での飲食は高額だったが、ボンベロの料理の腕前に魅了されて、次々に集まってくる。基本的には、多人数の来客はトラブル防止のため、なるべく避けられていた。客同士のいざこざから死者が出ることもあるが、それは裏社会の力で、次々に片付けられていく。ときには美味な特別料理として提供されることもあった。カナコは客たちに絡まれながら、したたかに生きていく術を学んでいく。いつになったらカナコは、この地獄から脱出できるのか？……

この手の話を嫌厭して読まない読者は、もし読み始めたとしたら、今まで読まなかったことを後悔するだろう。読むという「快楽」を感じさせるという意味で「ダイナー」は最上級の作品である。「不快」だからこそ「快楽」が増進するのである。「ダイナー」とは、世界の果ての、世界で一つだけの場所を意味するという。言わばボルヘスの「アレフ」である。この作品は映画化はされたが、予想通り原作の一パーセントも魅力を伝えていない。もとより表現が数々の放送コードに引っ掛かるためだが、それだけでなく作品の魅力が、味覚、嗅覚、視覚、痛覚などを刺激し読者を魅了する、その描写と文体が形づくる「想像力」だからである。これだけは、いかなる映像化もかなわない平岡の名人芸とも言うべき職人技にほかならない。もし監督のタランティーノに日本語が読めたら、ぞんざいで即物的な残虐描写を含めて、大絶賛することは間違いなしである。あるいは三島や寺山が生きていたら、戯曲だけが持つ「魔法」の力で、見事に舞台化するであろう。映像では不可能でも、セリフでなら、いかなる美味もエログロの残酷描写も、そのことを想像させるセリフで書けるからである。それほど目に見えない物こそを演劇の力で描き出すという、三島や寺山の演劇理念やアルトー流の「残酷」趣味に叶った作品である。不快だからこそ読者や観客を含めた、認識者の自己言及的「存在」が顕現するからである。言わば「不快」なる「快楽」の緊張と弛緩による持続が、この世界を動かす原動力なのである。店内の密室劇であることも、想像力の劇場である頭脳のように、演劇的である。そして、できれば舞台化するならボンベロ役だけは優男でなく、國村隼にお願いしたい。カナコ役は誰でもできそうだが、かろうじてベストではないものの、若い頃の桃井かおりか大竹しのぶなら出来るくらいの難役だろう。昔の小劇場なら美加里か前川麻子だが、今なら、かろうじて黒木華くらいしか思い当たらない。そして結局、諸事情で浜辺美波にされてしまうのだろうと、あきらめ気味に思う。また次々に繰り出される殺し屋の必殺技が、山田風太郎の忍法帖や都筑道夫の「なめくじに聞いてみろ」などを彷彿とさせ、久しぶりに楽しめた。全編を通して語られるのはオオバカナコの経験を通しての成長物語だが、中盤以降はカナコは気づいていないが、彼女のボンベロに対する純愛物語である。また家族を持たないボンベロにとっては、仮想された「娘」に対する、禁欲的で厳格な「父親」の保護欲の物語である。それほど物語が進むごとにボンベロは、ハードボイルドで魅力的に描かれている。ここぞという時に大活躍する菊千代も、最高のバイプレイヤーだった。そして、この肉弾の凶器は、憎々しいほどカワイイ。誰も想像すらしない、世界の果てまで連れて行ってくれる、言葉で書かれた極上の一品料理である。(村)

三津田信三

魔邸

角川ホラー文庫

★十一歳の優真の人生が変わったのは、名字が「瀬戸」から同音の「世渡」に変わった時からだった。実父は寡作な純文学作家で、それだけでは生活できず変名で官

能小説を書いていた。それを優真に隠していたが、押入れで見つけた複数の官能雑誌の小説に加筆があり、父のペンネームのアナグラムによる変名であることから、その事を父の生前から知っていた。母はおそらく、それを知っていた筈だが、殊更それを優真には知らせてはいない。その気むずかし屋だった父が取材旅行先で体調を崩し、帰って入院後しばらくして亡くなった。財産を残さなかったので母が働くようになり、スーパーのパートタイムでは生活できず、高校時代の友人の紹介で、おそらくホステスのような「夜の仕事」に就いた。そこで出逢ったのが後の義父となる世渡知英だった。資産家の義父によって優真の将来の生活の安定を、母が配慮した結婚だと思われるが、真意はわからない。

知英の豪邸に優真が住むようになって感じるのは、以前住んでいた家が二間のアパートだったせいもあるが、ひっそり閑として、外国映画の「幽霊屋敷」のように感じられたことである。この恐怖感を救ったのは、たまにやって来る知英の弟の知敬で、義父と違い性格は明るく、優真の好きそうなラジコンカーを土産に買ってきて一緒に遊んでくれるなど、この叔父に優真は懐いていた。こうしたことで数人の使用人と家族の他、屋敷に「自分たち以外に誰かいる」という恐れから逃れていたのだが、義父の海外への転勤と母の妊娠が重なり、母も同行するようなので、優真だけが屋敷に残されることになってしまう。この窮地を救ってくれたのが知敬で、海外から戻るまで、自分の所で優真も一緒に暮らさないかと誘われる。優真の母は、この何の職業か不明の、特に資産家とも思えない義弟を、何か如何わしく思い信用していないが、優真を一人にするのが心配で最後は許してくれたようである。最後は義父が母を説得したのだと知敬は言う。優真の身のまわりの物は旅行鞄に詰めて知敬が受け取っており、こうして心はずむはずの知敬との生活が始まった。

知敬によれば、一緒に暮らすのは彼のマンションではなく、遠く離れた、彼の所有する別荘だという。こうした事もあり、母たちの見送りもしなかった。その別荘は朱雀地方の奥白庄という人里離れ

た高級別荘地にあるらしい。資産家とも思えない知敬に別荘が買えるとは思えないが、それには、こうした事情があると言う。

朱雀地方の有力者で財閥会長の小室富久弥（とくや）が、十二歳の孫の久志を連れて別荘に滞在していた二十年ほど前の話である。久志が森に入ったまま神隠しに遭ったように居なくなった。捜索隊が懸命に探したが見つからない中、学生だった知敬は先輩の草間と別荘地の管理人のバイトをしていたが、二人も捜索に加わり、小室邸の背後に拡がる森の中で、運よく久志を発見したのが知敬だった。森の中の何も生えていない空き地にある大木の洞（うろ）の中に、胎児のように眠る久志を発見したのである。そのとき知敬は、まわりの捜索隊が消えて自分だけが空き地にいる不思議な体験をしているが、発見された久志にも失踪時の記憶がなく、一時は誘拐が疑われたが、事件は謎のまま「神隠し」で収まった。財閥の小室は縁起の悪い、この別荘を嫌い、孫を発見した謝礼に与えたのが、知敬の所有する別荘だった。

この別荘は二階建てだがドーマー屋根と窓のある屋根裏部屋があり、中央棟の他に西棟と東棟が接続した驚くほどの豪邸だった。ここには先に、知敬の愛人らしき怜美（さとみ）という水商売風の女性が来ており、家事などの世話をするという。最初は互いの関係に戸惑ったが、悪い人ではない印象だった。怜美は知敬の子を妊娠しており、別れた先夫との間に優真と同年齢の誠一という子がいるらしく、この誠一は知敬も手こずる「悪ガキ」で、少し離れた所に住む怜美の父母の所に預けているらしい。知敬は留守にすることが多く、怜美との生活にも慣れた頃、あまり遠くには行かないように、また失踪事件のあった森には、特に近づかないようにと約束させられ、優真が始めたのが屋敷内の探検だった。こうしたことで優真は二人には内緒だが、秘密基地のような隠し部屋をいくつか屋敷の中で発見する。

それにしても優真にとって気になるのは、屋敷内のどこかに「知らない誰かがいる」という予感だった。ミシミシ軋む音や足音らしき音も怜美は、古い家によくある「家鳴り」だと言うが、優真には納得できない日々が続く……

三津田信三が、いちばん得意とする真骨頂のホラーである。闇の中でヒタヒタと迫りくる「得体の知れない物」の恐怖を描いて、三津田以上の作家は日本にいないだろう。序盤は軽く流して、中盤以降、おだやかな日常生活を織り交ぜ、緩急入れながら迫り来る「得体の知れない」恐怖を描き、余すことが無い。この恐怖は「得体の知れない物」だけが発するのではなく、主人公が時々に感じる日常的な「居心地の悪さ」を含めた違和感の累積によって、徐々に高められており見事である。都市伝説とされるユーモラスで怖い、歌詞まで付いた人さらいの「かぼちゃ男」の噂、粗筋では詳しく書けなかったが、「じゃじゃ森」と名付けられた魔の森の何度かの「神隠し」事件、森の中の他を寄せ付けない神秘的な洞のある巨木、知敬が退屈しのぎに優真に買い与えた数冊の、題名まで明記された少年冒険小説の数々と、細部まで作品世界を形成するガジェットに満たされている。特に豪華な別荘の内部が、部屋の配置を含め細かに描かれ、建築にくわしい読者なら平面図が描きたくなる小説だろう。そうした意味で日本には数少ない、西洋館へのフェティシズムを感じさせるゴシック・ロマンの作品と言える。日本には字面（じづら）だけの安普請の「幽霊屋敷」は描けても、本物らしいゴシック・ロマンが描ける作家はわずかである。また、それを「藪漕ぎ」という言うらしい、かさ高い薄（すすき）や茨（いばら）や熊笹を、生傷を作りながら踏み分け踏み分け入ると、突然に空間が広がる、寂寥とした森の中の神秘感や孤独感を、実感をともないリアルに描ける作家も少ない。読者は、この凝りに凝った手に汗握る恐怖とサスペンスに慄（おのの）きながら、最後には驚愕のどんでん返しが待っている。ホラーだけだと油断していると、ミステリ作家らしく見事に伏線が張られ、恐るべき真相に出遭い、仰天することは請け合いである。特に、最後の最後にある巻末の二行は、どんでん返しに加えた、もう、ひとひねりが効いており、潜在的なエディプス・コンプレックスや映画の「オーメン」を想起した。（村）

三津田信三

黒面の狐

文春文庫

★現在の日本のミステリ作家で、オカルト趣味の本格ミステリを書かせたら、ヒタヒタ迫る魔物の恐怖を描くサスペンスを書き尽くす意味で、この三津田信三が最高峰であろう。一方に京極夏彦という巨峰が聳え立つにしても、十代の「少年」のナイーブさが持つような恐怖心を描き切れる意味で、綾辻行人の「囁き」シリーズと同様に貴重であろう。間違いなく、この作家には、感受性の強い「少年」の「怯え」のようなものが棲みついている。一方で三津田には、地方の素封家の土俗的世界を描く刀城言耶のシリーズがあり、これがホラーと本格ミステリを融合させた代表作だが、本作の舞台は夢野久作の

短編「斜坑」が描くような閉鎖的な炭鉱の世界である。しかも短編ではなく原稿用紙で千枚ほどの大長編である。巻頭に「亡き母、三津田勝子に捧ぐ――」と献辞があり、よほどの覚悟がうかがえる。そして作品もまた、この作者の著作の中でも、最も重厚な作品だった。

　主人公の物理波矢多は「五族協和の王道楽土」という理想を信じ満州国に渡り、国都の新京にある建国大学に学んだ。しかし「五族協和」は名ばかりで、日本人による他族への差別と弾圧に夢は破れ、そして敗戦で日本に帰ってきた。そして幾多の職を経たのち、極寒の満州の記憶から、あてもなく九州を目指し、猥雑だが活気のある夕景から新京を思い出し筑豊の町に降り立つ。そこで炭坑夫の監獄部屋に入れようとする手配師に声をかけられ、その窮地を救ったのが合里光範だった。合里も同様に手配師だったが、自分の働く鉱山は監獄部屋ではなく、合法的な職場だという。新しい日本を支える意味で炭坑夫も悪くないと考えた波矢多は、過酷な仕事だからやめた方がいいという合里の助言を断り、筑豊の炭坑夫になった。

　合里の助言により大卒者であることを隠し、合里が保証人となって波矢多が配属されたのは抜井炭鉱の鯰音坑だった。ここで波矢多は粗野で迷信深い坑夫の生活を坑内の過酷な労働と共に実体験する。鉱山では大山祇命が守護神の「山神様」だったが、「野狐山」と呼ばれる地方の炭鉱だけに稲荷神の使いとしての狐が最も信仰され、「白狐様」は豊穣の神であり、「黒狐様」は凶事を司る神で最も恐れられ、この二つが坑道の入口や坑内各所に祀られていた。落盤やガス中毒死を恐れる坑夫にとって「黒狐様」は忌避すべき「黒神様」だったが、それだけに最も畏怖され、難を避けるために信仰されていたのである。

黒面の狐
三津田信三
ホラーミステリーの名手
待望の新シリーズ開幕!
地の底から
罪が殺しにくる

　こうした閉鎖的な炭鉱の村で落盤事故が起き、合里だけが救出されず、ガス爆発を懸念してガスが引くまで捜索がなされない中、炭鉱住宅の一室で足を悪くしたために雑用係の木戸が、密室状態の注連縄による首吊り状態で発見される。そして落盤騒ぎで大人たちはいなかったが、四人の子供が木戸の部屋に「黒狐様」と思われる謎の人物が来ていたと証言する。注連縄は狐を祀る神社の神事のための物であった。警察は自殺と判断したが、次の日も、また次の日も、同様の密室状態で三人の注連縄による自殺が続き、警察も連続殺人と考えざるを得なくなる。坑夫たちの多くは坑道に残された合里の死霊のせいか、「黒狐様」の祟りと考えたが、波矢多を支持する仲間もあり、合理的推理で、この謎に波矢多は立ち向かう。ガス災害の懸念が消えた頃に、坑内が捜索され落盤で圧殺された合里と思われる死体が発見される。それと前後して、この鉱山の村に合里の腹違いの兄と名のる男が現れる……。

　圧倒するばかりの炭鉱世界の描写力である。坑内の闇の恐怖もさることながら、居酒屋を兼ねた食堂を社交場とする坑夫たちの力関係や、看板娘の吉良葉津子と、波矢多の同僚の南月の娘の多香子の波矢多をめぐる恋の鞘当、店の女将の男勝りの侠気、炭鉱の民俗学的ともいえる習俗の描写など、一般的には異世界でありながら読者にとって、まるで自分のことのように感じさせるリアルさがある。登場する坑夫たちも年相応に魅力ある書き分けがなされ、人生経験から粗野なだけでなく教養のある坑夫も多く描かれて、作品に深みと広がりのある世界を作っている。炭塵にまみれた泥の汗と、つかの間の休息とやすらぎ、その中で迫りくる「黒面の狐」の恐怖。それを、ここまで現実的に微細に描ければ小説として申し分ない。その謎を解くのが波矢多と、途中で消えるが脇役の合里であり、その名字から「物理」と「合理」を表すのだろう。

　粗筋では書けなかったが朝鮮人の強制連行の実態も、過不足なく克明に描かれ、登場人物の何人かは日本名を名乗る、南北が一つだった頃の朝鮮人だった。坑夫が過酷な仕事なのは仕方ないが、朝鮮人差別の少ない、やや良心的企業のあったことも匂わせており、単にマルクス主義的な視点による告発とは思えない。この小説の時代から、すぐ後に朝鮮戦争が始まるのである。そして、その最前衛拠点だったのが九州だった。石炭が鉄鋼産業つまり軍需産業を支えていたのである。日本は朝鮮戦争、それに続くベトナム戦争の軍需景気によって、戦前以上の状態に経済が回復する。他人行儀に「社会派」などと評すると、かえって作品を貶めかねない、日本人として痛みをともなった著作であり、こうした日本の戦後社会を支えた朝鮮人や日本人の坑夫を鎮魂する意味でも、本作は立派に機能していると感じる。それでいてホラーのみならず本格ミステリであったのが、ミステリ・ファンとして非常に嬉しい。（村）

◎写真集

珠かな子 写真集「蜜の魔法」
978-4-88375-489-2／B5判・80頁・カバー装・税別2500円
●幸せの魔法が強くなるように――11人のモデルを優しくリスペクトする視線で、エロスとイノセンスをあわせ持つ魅力を写した写真集。

珠かな子 写真集「肌に降る七星」
978-4-88375-446-5／B5判・80頁・カバー装・税別2500円
●「日差しを浴びてその肌は、小さな星屑がスパークするかのようにきらめいていた」――珠かな子が、七菜乃の原初の力と「蜜」を写す！

村田兼一 写真集「宵待姫 十三夜」
978-4-88375-469-4／B5判・96頁・ハードカバー・税別3200円
●村田兼一の原点、禁断の手彩色写真集！ エロスとタナトスが交錯する13の秘密の夜。自身が見た夢などを添えた濃密な魔術的世界。

村田兼一 写真集「女神の棲家」
978-4-88375-416-8／B5判・96頁・ハードカバー・税別3200円
●古の女神を現代の少女に重ね合わる――魔術的なエロスやタナトスと、御伽のような叙情性が混交する村田兼一写真集、第7弾！

村田兼一 写真集「月の魔法」
978-4-88375-354-3／B5判・96頁・ハードカバー・税別3200円
●禁忌を解く魔法――月乃ルナをモデルに生み出された、マジカルで濃密なエロスに満ちたおとぎの世界。

トレヴァー・ブラウン×七菜乃「トレコス」
978-4-88375-298-0／B5判変型・80頁・ハードカバー・税別2750円
●トレヴァー描く、かわいくてシニカルな少女に七菜乃が扮した〝トレコス〟全作品！ トレヴァーの原画はもちろん、メイキング写真も収録！

美島菊名 写真作品集「HOPE」
978-4-88375-308-6／B5判・64頁・ハードカバー・税別2750円
●少女よ あなたは 世界を変える――少女の無垢と欲望を、インパクトあるヴィジュアルで表現してきた美島菊名、初の写真作品集！

谷敦志 写真集「D. P Collage Series」
978-4-88375-283-6／A4判・64頁・ハードカバー・税別3800円
●妖しく溶け合う、肉体とオブジェ。異型の写真家・谷敦志が、女体のコラージュによって生み出した極北の美の世界。A4サイズの豪華版！

谷敦志 写真集「Flowers and Nudes」
978-4-88375-284-3／A4判・64頁・ハードカバー・税別3800円
●透き通るような静けさをまとう、ヌードと花。進化し続ける孤高のアーティストの「今」が詰まった、最新写真集！ A4サイズの豪華版！

谷敦志 写真集「アンビバレンス」
978-4-88375-148-8／A5判・64頁・ハードカバー・税別2800円
●ダークでカオティック、フェティッシュでアヴァンギャルド、そして最高にスタイリッシュ！ 異型の写真家の処女写真集!!

堀江ケニー 写真集「恍惚の果てへ」
978-4-88375-139-6／A5判変型・96頁・カバー装・税別2200円
●澄んだ空気感の中で恍惚の果てへ導かれる―湖や廃墟で撮った、堀江ケニーならではの幻影的作品を集めた待望の写真集！

◎幻想系・少女系

たま 画集「Deep Memories～少女主義的水彩画集VII」
978-4-88375-451-9／B5判・64頁・ハードカバー・税別2700円
●深く落ちた記憶の欠片、透明な絵の具で彩って、5つに束ねて留めました。記憶の底にある、可愛らしくも不気味な楽園にようこそ！

高田美苗 作品集「箱庭のアリス」
978-4-88375-393-2／B5判・64頁・ハードカバー・税別2700円
●混合技法によるタブローから銅版画まで、少女をモチーフとした夢幻世界を描き続ける高田美苗の軌跡を集約した、待望の作品集！

◎小説・コミック・評論・エッセイ

◎ナイトランド・クォータリー（ホラー＆ダーク・ファンタジー）

ナイトランド・クォータリー vol.33 人智を超えたものとの契約
978-4-88375-505-9／A5判・176頁・並製・税別1900円

ナイトランド・クォータリー vol.32 未知なる領域へ～テラ・インコグニタ
978-4-88375-495-3／A5判・176頁・並製・税別1800円

〈増刊〉妖精が現れる！～コティングリー事件から現代の妖精物語へ
978-4-88375-445-8／A5判・200頁・並製・税別1800円

◎TH Series ADVANCED（評論・エッセイ）

樋口ヒロユキ「恐怖の美学～なぜ人はゾクゾクしたいのか」
978-4-88375-482-3／320頁・税別2500円

フロリス・ドラットル「フェアリーたちはいかに生まれ愛されたか～イギリス妖精信仰――その誕生から「夏の夜の夢」へ」
978-4-88375-474-8／320頁・税別2500円

◎TH Literature Series

伊野隆之「ザイオン・イン・ジ・オクトモーフ～イシュタルの虜囚、ネルガルの罠」
978-4-88375-501-1／四六判・224頁・カバー装・税別2300円

健部伸明「メイルドメイデン～A gift from Satan」
978-4-88375-498-4／四六判・256頁・カバー装・税別2250円

壱岐津礼「かくも親しき死よ～天鳥舟奇譚」
978-4-88375-491-5／四六判・192頁・カバー装・税別2100円

篠田真由美「レディ・ヴィクトリア完全版1～セイレーンは翼を連ねて飛ぶ」
978-4-88375-485-4／四六判・352頁・カバー装・税別2500円

橋本純「妖幽夢幻～河鍋暁斎 妖霊日誌」
978-4-88375-477-9／四六判・320頁・カバー装・税別2500円

M・ジョン・ハリスン「ヴィリコニウム～パステル都市の物語」
978-4-88375-460-1／320頁・税別2500円

ケン・リュウ他「再着装（リスリーヴ）の記憶～〈エクリプス・フェイズ〉アンソロジー」
978-4-88375-450-2／384頁・税別2700円

SWERY（末弘秀孝）「ディア・アンビバレンス～口髭と〈魔女〉と呆られた遺体」
978-4-88375-454-0／416頁・税別2500円

図子慧「愛は、こぼれるqの音色」
978-4-88375-345-1／四六判・256頁・カバー装・税別2200円

◎ナイトランド叢書（TH Literature Series）いずれも四六判

アーサー・コナン・ドイル「妖精の到来～コティングリー村の事件」
井村君江訳／978-4-88375-440-3／192頁・税別2000円

キム・ニューマン「《ドラキュラ紀元》われはドラキュラ―ジョニー・アルカード」
鍛治靖子訳／上巻384頁・税別2500円／下巻432頁・税別2700円

キム・ニューマン「《ドラキュラ紀元一九五九》ドラキュラのチャチャチャ」
鍛治靖子訳／978-4-88375-432-8／576頁・税別3600円

キム・ニューマン「《ドラキュラ紀元一九一八》鮮血の撃墜王」
鍛治靖子訳／978-4-88375-327-7／672頁・税別3700円

キム・ニューマン「ドラキュラ紀元一八八八」
鍛治靖子訳／978-4-88375-311-6／576頁・税別3600円

クラーク・アシュトン・スミス「魔術師の帝国《3 アヴェロワーニュ篇》」
安田均他訳／978-4-88375-409-0／320頁・税別2400円

クラーク・アシュトン・スミス「魔術師の帝国《2 ハイパーボリア篇》」
安田均他訳／978-4-88375-256-0／272頁・税別2300円

E&H・ヘロン「フラックスマン・ロウの心霊探究」
三浦玲子訳／978-4-88375-361-1／272頁・税別2300円

E・H・ヴィシャック「メドゥーサ」
安原和見訳／978-4-88375-339-0／272頁・税別2300円

M・P・シール「紫の雲」
南條竹則訳／978-4-88375-336-9／320頁・税別2400円

◎TH Art series

◎PICK UP ★2023年10月以降の新刊は、p.159参照

浅野勝美画集「Psyche（プシュケー）」
978-4-88375-504-2／B5判・64頁・ハードカバー・税別3000円
●妖しいきらめきに満ちた、澄んだ美の結晶――皆川博子、シェイクスピアの装画などで知られる、浅野勝美の耽美かつ幻想的な世界！

宮本香那画集「おままごとのつづき」
978-4-88375-503-5／B5判・96頁・カバー装・税別3091円
●愛らしくて純粋で、だけどちょっぴり病んでいて…少女たちの、甘く歪んだ遊戯はおわらない。宮本香那の代表作をまとめた初画集！

七菜乃 写真集「LONG VACATION」
978-4-88375-500-4／B5判・144頁・カバー装・税別3800円
●青空のもとに解き放たれた、裸身たちの美景。多様な個性の裸体のフォルムで、夢幻の光景を描き出した、集団ヌード写真集！

「王女様とメルヘン泥棒～暗黒メルヘン絵本シリーズZERO」
978-4-88375-497-7／B5判・64頁・並製・税別2000円
●訪問者は、実は「メルヘン泥棒」だった！ 黒木こずゑ、たま、鳥居椿、須川まきこ、深瀬優子の絵と、最合のぼるとの幻想ヴィジュアル物語!!

「秘匿の残酷絵巻［増補新装版］～臼井静洋・四馬孝・観世一則」
978-4-88375-496-0／A5判変型・160頁・カバー装・税別2200円
●ひとりのために描かれた臼井静洋、四馬孝の残酷絵。卓越した観世一則の責め絵。貴重で特異な作品たち！ カラー・モノクロともに増量した新装版。

九鬼匡規画集「あやしの繪姿［新装版］」
978-4-88375-493-9／A5判・64頁・カバー装・税別2000円
●こころ狂わす 美しき妖怪、怪異。妖怪や怪異を現代風な女性像になぞらえ、蠱惑的な美人画として描き出した、あやしき妖怪美人画集！

駕籠真太郎画集「死詩累々［新装版］」
978-4-88375-490-8／A4判・128頁・カバー装・税別3300円
●不謹慎かつ狂気的な漫画で人気を集める奇想漫画家・駕籠真太郎の、漫画以外の多彩なアートワークを凝縮した「超奇想画集」！

真珠子作品集「真珠子メモリアル～〝娘〟を育んだ20年」
978-4-88375-483-0／B5判・128頁・ハードカバー・税別3200円
●天衣無縫なガーリーアート！ 渋谷PARCOなどでの個展等、多彩な活動を続けている真珠子の20年の軌跡を凝縮した記念作品集！

椎木かなえ 画集「虚の構築」
978-4-88375-475-5／A5判・64頁・ハードカバー・税別2700円
●無意識を彷徨い、構築する――形容し難い不可思議さ。シュールだけどユーモラス。椎木かなえが闇の中から構築した〝虚〟の世界！

イヂチアキコ 画集「Dignity」
978-4-88375-462-5／A4判・48頁・並製・税別1500円
●日本画の手法により、現代に生きる少女の心性を寓意によって描き出してきたイヂチアキコ。画集『イルシオン』以降の作品を集約！

北見隆 装幀画集「書物の幻影」
978-4-88375-398-7／B5判・96頁・ハードカバー・税別3200円
●赤川次郎、恩田陸、中島らも、津原泰水…あのワクワクは、この絵とともにあった！ 40年の装幀画業から、約400点を収録した決定版画集！

北見隆 作品集「本の国のアリス～存在しない書物を求めて」
978-4-88375-223-5／A5判・64頁・ハードカバー・税別2750円
●本そのものが、「アリス」の物語の、愉快な舞台〈ワンダーランド〉に！ 本の形をした“ブックアート”を中心に、不思議な物語に満ちた作品集!!

eat「DARK ALICE-Heart Disease-（ハート・ディジーズ）」
978-4-88375-438-0／A5判・224頁・カバー装・税別1295円
●摩訶不思議な世界で、奇妙な境遇を生きる者たちのトラウマティック・メルヘン!! 描き下ろし・ホワイト誕生の秘話も収録!!

小川貴一郎 作品集「監禁芸術 confinement art」
978-4-88375-419-9／A5判・128頁・カバー装・税別2500円
●1日目、イヴ・サンローランに蟻を描いた。COVID-19の流行で渡仏が延期になり、緊急事態宣言発令中、家にこもって制作し続けた芸術の記録。

「甲秀樹 人体デッサン 男性ポーズ集 ディープシーン」
978-4-88375-455-7／B5判・160頁・ハードカバー・税別2700円
●ソロ、回転アングル、フェティッシュ、絡みなど裸体ポーズ写真を約500点収録。こんなディープシーンを描きたかった！ 絵描きのバイブル！

◎人形・オブジェ作品集

田中流 球体関節人形写真集「DollsⅡ～瞳に映る永遠の記憶」
978-4-88375-480-9／A5判・96頁・カバー装・税別2500円
●「Dolls～瞳の奥の静かな微笑み」に続く人形写真集。可愛いものから個性的なものまで、23人の作家の多彩な人形作品を掲載！

田中流 写真集「Dolls～瞳の奥の静かな微笑み」
978-4-88375-373-4／A5判・96頁・カバー装・税別2300円
●数多くの人形に接してきた写真家・田中流が、28人の人形作家の作品を撮影し、現代の創作人形の潮流をも浮き彫りにした写真集！

「Dolls in labyrinth～田中流・人形写真館」
978-4-88375-449-6／A5判・112頁・並製・税別1636円
●球体関節人形たちの夢の迷宮。可愛らしかったり妖しげだったり…田中流が、12人の人形作家の作品の魅力を写し出した写真集。

清水真理 人形作品集「VITA NOVA～革命の天使」
978-4-88375-464-9／B5判・64頁・ハードカバー・税別2700円
●ハルピンの束の間の栄華と、刹那的な享楽。球体関節人形と人形オブジェで、歴史の陰翳の中に生きた者たちを描き出した幻影の劇場！

神宮字光 人形作品集「Cocon」
978-4-88375-378-9／A5判・64頁・ハードカバー・税別2700円
●ビスクなどで作られた愛おしい人形達がさまざまなシチュエーションの中で遊ぶ、かわいくも、ときにシュールでミラクルな世界！

ホシノリコ 作品集「蒼燈のばら」
978-4-88375-326-0／B5判・64頁・ハードカバー・税別2750円
●艶かしく息づく球体関節人形、幻想的な物語奏でるオブジェ。ホシノの10年の歩みをまとめた待望の作品集！ 写真＝吉田良、田中流

森馨 人形作品集「Ghost marriage～冥婚～」
978-4-88375-236-2／B5判・64頁・ハードカバー・税別2750円
●妖しい美しさと、哀しいエロスを湛えた、森馨の球体関節人形。その蠱惑的な肢体を写真家・吉成行夫が撮影した、闇の色香ただよう写真集！

林美登利 人形作品集「Night Comers～夜の子供たち」
978-4-88375-288-1／A5判・96頁・ハードカバー・税別2750円
●異形の子供たちは、夜をさまよう――「Dream Child」に続く、人形・林美登利、写真・田中流、小説・石神茉莉のコラボ、第2弾！

与偶 人形作品集「フルケロイド FULLKELOID DOLLS」
978-4-88375-265-2／A5判・68頁・ハードカバー・税別2750円
●園子温推薦！ 多くの人の心に突き刺さっている、凄みのある作品たち。20年の作家生活をここに総括。横4倍になる綴じ込み2枚付！

木村龍 作品集「光速ノスタルジア」
978-4-88375-245-4／B5判・96頁・ハードカバー・税別3500円
●ボックスアートから彫像的作品、球体関節人形、絵画などまで、妖美で奇矯、かつ純真な世界を濃密に凝縮した、待望の初作品集！！

芳賀一洋 作品集「錠前屋のルネはレジスタンスの仲間」
978-4-88375-331-4／A5判・224頁・並製・税別2222円
●パリの街並みや日本の昭和的風景などを精巧なミニチュアで再現した驚異の作品群。その40作以上を郷愁あふれる写真に収めた作品集。

No.88 少女少年主義～永遠の幼な心

A5判・224頁・並装・1389円（税別）・ISBN978-4-88375-456-4

●永遠を夢見る少女、少年の魂は、時代や性差、生死をも超える―［図版構成］たま、須川まきこ、戸田和子、パメラ・ビアンコ、村田兼一、甲秀樹他／「恐るべき子供たち」などに見る少年少女たちの死と再生、少女主義者たちの文学、「不思議の国のアリス」の姉をめぐって、庵野秀明と宮崎駿、『紅楼夢』、鷗外と芥川のヴィタ・セクスアリス他

No.87 はだかモード～はだける、素になる文化論

A5判・208頁・並装・1389円（税別）・ISBN978-4-88375-444-1

●タブー視されてきた「はだか」、そして「はだけること」をめぐる文化の諸相。珠かな子、七菜乃、彫師・SHIGEインタビュー、人はなぜ裸という無垢を捨てたか、黒田清輝と裸体画論争、偏愛のヌーディズム、絵本『すっぽんぽんのすけ』、映画におけるヌード表現史、バタイユとクロソウスキー、銭湯・温泉主義者たちの裸のユートピア他

No.86 不死者たちの憂鬱

A5判・224頁・並装・1389円（税別）・ISBN978-4-88375-439-7

●不死は幸福か？苦しみか？――『ポーの一族』、ヴァンパイアと浦島太郎、『ガリヴァー旅行記』、『火の鳥』からヒーラ細胞へ、クレア・ノースの孤独、ドリアン・グレイ、韓国SF、不老不死になれる（かもしれない）秘薬・霊薬・仙薬、荒川修作、不老不死を生きる童話世界の住民たち、サザエさんシステム、不死の怪物プルガサリ ほか

No.85 目と眼差しのオブセッション

A5判・208頁・並装・1389円（税別）・ISBN978-4-88375-433-5

●窃視、邪視から千里眼、眼球まで、オブセッションの数々！ 図版構成/泥方陽菜・神宮字光・下田ひかり、邪視にまつわる民俗史、眼球考～ルドンの絵から、映画から考えた覗き見の功罪、「屋根裏の散歩者」の愉悦、法医学オプトグラフィー、千里眼事件、『ジャガーの眼』を通して唐十郎が寺山修司に捧げたもの、panpanyaが「見る」世界 ほか

No.84 悪の方程式～善を疑え!!

A5判・224頁・並装・1389円（税別）・ISBN978-4-88375-421-2

●「悪」を意識することは、この世の「善」に対して疑いを差し挟むことだ――ダークナイト・トリロジーにみる悪の本質、〈アート〉と〈革命〉は常に悪である～テロ的アートの系譜、「黒い幽霊団（ブラック・ゴースト）」には悪意がない、警官を蹴るチャップリン、悪いヤツはだいたいイケメン～少女漫画におけるモラルとエロス、娼婦と聖性ほか満載！

No.83 音楽、なんてストレンジな！～音楽を通して垣間見る文化の前衛、または裏側

A5判・224頁・並装・1389円（税別）・ISBN978-4-88375-412-0

●パンクからクラシックまで、音楽をめぐる少々ストレンジなイマジネーション！ 恍惚のアヴァンギャルド音楽偏愛史、パンクとポストパンクの思想的地下水脈、イスラムにおける音楽、近代日本の音楽の闇、ワーグナーの共苦と革命、バッハのもとに本当にニシンは降ったのか他

No.82 もの病みのヴィジョン

A5判・224頁・並装・1389円（税別）・ISBN978-4-88375-402-1

●「病み」＝「闇」のヴィジョン。人形作家・与偶トークイベントレポ、梅毒をめぐる幾つかの逸話と謎、舞踏病と死の舞踏、「吸血鬼ノスフェラトゥ」とペストのパンデミック、草間彌生の小説『すみれ強迫』、美人薄命の文化史、病と日本人、舞踊家・土方巽の〈病み〉、澁澤龍彦と病ほか

No.81 野生のミラクル

A5判・208頁・並装・1389円（税別）・ISBN978-4-88375-389-5

●我々は野の何を表現の糧にしてきたか。ケロッピー前田インタビュー～野生を取り戻してテクノロジーを乗りこなせ、管理された野生、粘菌、牧神、人豚、八化けタヌキ、シュルレアリスムのアフリカ、変身人間、キム・ギヨンが描く〝オス〟と〝メス〟、異類婚姻譚、動物フォークロアほか

No.80 ウォーク・オン・ザ・ダークサイド～闇を想い、闇を進め

A5判・224頁・並装・1389円（税別）・ISBN978-4-88375-376-5

●新たな想像力は闇から生まれる。［図版構成］濵口真央、C7、新宅和音、紺野真弓、宮本香那、萌木ひろみ、谷原菜摘子。タスマニアの美術館MONA、書肆ゲンシシャの驚異のコレクション、カタコンブほか。

No.79 人形たちの哀歌

A5判・240頁・並装・1389円（税別）・ISBN978-4-88375-363-5

●［図版構成］田中流写真作品（人形＝日隈愛香・SAKURA・ホシノリコ・舘野桂子）・清水真理・野原 tamago・神宮字光、現代の〝生き人形〟～中嶋清八・井桁裕子・衣・森馨・佐藤久雄、菅実花、ロボット・アンドロイド演劇、映画『オテサーネク』ほか。追悼・遠藤ミチロウなども。

No.78 ディレッタントの平成史～令和を生きる前に振り返りたい私の「平成」

A5判・256頁・並装・1389円（税別）・ISBN978-4-88375-350-5

●私たちが感じ取ってきた「平成」を振り返る。TH的・平成年表、極私的平成の三十年間（友成純一）、平成ゾンビ考～「終わりなき日常」から「サバイバル」へ、舞踏の平成、アニメ『どろろ』に見る内実の変容、死体ビデオと90年代悪趣味ブーム、SNSという「ネオ世間」の出現、IT盛衰、「今日の反核反戦展」、酒見賢一論ほか。

No.77 夢魔～闇の世界からの呼び声

A5判・224頁・並装・1389円（税別）・ISBN978-4-88375-340-6

●不穏さに満ちた夢の世界へようこそ。mizunOE、飴屋晶貴、亜由美、林良文、タイナカジュンペイ、「メアリーの総て」と『フランケンシュタイン』の悪夢、《夢》は現実を超えるか～古代記紀神話から『君の名は。』まで、ラース・フォン・トリアー「ヨーロッパ」、『エルム街の悪夢』、『鏡の国の孫悟空』、『ルクンドオ』ほか。

No.76 天使／堕天使～閉塞したこの世界の救済者

A5判・224頁・並装・1389円（税別）・ISBN978-4-88375-330-7

●天使や堕天使から発した想像力。村田兼一、ホシノリコ、『ベルリン・天使の詩』、ボカノウスキー『天使』がいたころ、天使と日本人、イスラムの堕天使たち、「天使の玉ちゃん」と〈失われた子供時代〉、『デビルマン』飛鳥了、熊楠の天使／天子と男色ほか。ジャ・ジャンクー論（藤井省三）、アジアフォーカス2018レポなども。

No.75 秘めごとから覗く世界

A5判・256頁・並装・1389円（税別）・ISBN978-4-88375-316-1

●秘めごとが生む物語。ステュ・ミード、中井結、宮本香那、『檸檬』『四畳半襖の裏張り』などに見る秘めごとの諸相、文学における「告白」、J・T・リロイの事情、自販機本の原稿書きが「映画芸術」の編集長に教えられたこと ほか。小特集としてマッケローニと映画「スティルライフオブメモリーズ」、追悼・ケイト・ウィルヘルム。

No.74 罪深きイノセンス

A5判・224頁・並装・1389円（税別）・ISBN978-4-88375-309-3

●無垢への信奉とそれが持つ残酷さ。美島菊名、村田兼一、蟲川ギニョール、Hajime Kinoko、ドストエフスキーと無垢なるもの、わたなべまさこ『聖ロザリンド』と萩尾望都『トーマの心臓』、『悪童日記』と『フランケンシュタイン』、『小さな悪の華』と『乙女の祈り』、少女ポリアンナほか。

No.73 変身夢譚～異分子になることの願望と恐怖

A5判・224頁・並装・1389円（税別）・ISBN978-4-88375-299-7

●miyako（異色肌ギャル）インタビュー 、トレヴァー・ブラウン×七菜乃、別人化マニュアル、変身譚としてのギリシア神話、バルテュスと鏡～少女の変身を映すもの、変装から変身へ～怪盗から見る映画史、女性への抑圧が生み出す変身～『キャット・ピープル』とその系譜ほか。

No.72 グロテスク～奇怪なる、愛しきもの

A5判・224頁・並装・1389円（税別）・ISBN978-4-88375-289-8

●林美登利～異形の子供に惜しみのなく注がれる愛情、立島夕子～瀬戸際から発せられた生命の賛歌、たま～可愛らしい少女の中に秘められた不気味な何かを暴く、黒沢美香～既成の価値観に収まらない名前のない景色の豊満さ、畔亭数久とその時代、謎のバンド ザ・レジデンツ ほか。

No.71 私の、内なる戦い～“生きにくさ”からの表現

A5判・224頁・並装・1389円（税別）・ISBN978-4-88375-273-7

●生きにくさから生まれてきた表現―。渡辺篤（現代美術家）～ひきこもり体験からアートへ／若林美保（ストリッパー） インタビュー／与偶（人形作家）～人形によって人に何かを与え、それが自身の〝生〟も支えている／石塚桜子（画家）～一筆一筆に感じられる、祈りのような叫び ほか。

◎ExtrART(エクストラート)〜異端派ヴィジュアルアート誌

file.38◎FEATURE:時や文化、生死を超えて
A4判・112頁・並装・1318円(税別)・ISBN978-4-88375-506-6
●大島利佳、傘嶋メグ、門坂流、Sotaro Oka、土谷寛枇、中井結、中島華映、平野真美、吉田有花、瑠雪、にんぎょう うらら展、三代目彫よし×空山基、他

file.37◎FEATURE:幻視者たちが見たリアル
A4判・112頁・並装・1318円(税別)・ISBN978-4-88375-499-1
●サワダモコ、椎木かなえ、真珠子、神野歌音、スミシャ、冨岡想、夏目羽七海、丹羽起史、ひらのにこ、美濃瓢吾、山上真智子、横尾龍彦、他

file.36◎FEATURE:白昼夢の劇場/少女の遊戯
A4判・112頁・並装・1250円(税別)・ISBN978-4-88375-492-2
●朱華、SAKURA、大野泰雄、森本ありや、石松チ明、Zihling、濵口真央、中井結、緋衣汝香優理、喜藤敦子、佐藤文音、山田ミンカ、都築琴乃(遊)、他

file.35◎FEATURE:幻想の王国へ、ようこそ。
A4判・112頁・並装・1250円(税別)・ISBN978-4-88375-486-1
●エセム万、網代幸介、塚本紗知子、松本ナオキ、ミルヨウコ、雛菜雛子、塚本穴骨、田中流、下山直紀、村上仁美、沖綾乃、ジュリエットの数学、すうひゃん。

file.34◎FEATURE:美のゆらぎ、闇の鼓動
A4判・112頁・並装・1250円(税別)・ISBN978-4-88375-479-3
●三谷拓也、高久梓、安藤朱里、日野まき、藤浪理恵子、西村藍、六原龍、戸田和子、SRBGENk、shichigoro-shingo、雪駄、異形のヴンダーカンマー展

file.33◎FEATURE:聞こえぬ声を聞く
A4判・112頁・並装・1250円(税別)・ISBN978-4-88375-471-7
●土谷寛枇、小野隆生、Sui Yumeshima、鶴見厚子、大西茅布、芳賀一洋、駒形克哉、清水真理、松平一民、太郎賞展、i.m.a.展立体部門

file.32◎FEATURE:たましいの棲むところ
A4判・112頁・並装・1200円(税別)・ISBN978-4-88375-466-3
●衣[hatori]、安藤榮作、村上仁美、西條冴子、FREAKS CIRCUS、岡本瑛里、宮崎まゆ子、前田彩華、アンタカンタ、たま、mumei、真木環

file.31◎FEATURE:動物と花のワンダー!
A4判・112頁・並装・1200円(税別)・ISBN978-4-88375-459-5
●石塚隆則、吉田泰一郎、森勉、水野里奈、萩原和奈可、永見由子、珠かな子、椎木かなえ、金澤弘太、雫石知之、Sitry、呪みちる×古川沙織

file.30◎FEATURE:揺らぐ心象の迷宮
A4判・112頁・並装・1200円(税別)・ISBN978-4-88375-452-6
●宮本香那、ÔБ、川上勉、高松潤一郎、田中流、大山菜々子、塩野ひとみ、かつまたひでゆき、Ma marumaru、シン・ニッポン風土記 ほか

file.29◎FEATURE:見る/見えることの異相
A4判・112頁・並装・1200円(税別)・ISBN978-4-88375-442-7
●金巻芳俊、倉崎稜希、泥方陽菜、山村まゆ子、根橋洋一、平良志季、畫正、吉田有花、高齊りゅう、奥村あか、須川まきこ ほか

◎トーキングヘッズ叢書(TH Seires)

No.95 SWEET POISON〜甘美な毒
A5判・208頁・並装・1444円(税別)・ISBN978-4-88375-502-8
●毒を知ることは、人間中心の価値観から脱皮すること。その甘美な魅惑とは? 松永天馬(アーバンギャルド)インタビュー、ろくでなし子×森下泰輔展、童話の中の少女はなぜ毒を受け取ってしまうのか、子どもにひそむ悪と毒、十九世紀英文学とアヘン、毒薬とミステリー、美貌の毒殺魔・ブランヴィリエ侯爵夫人ほか

No.94 ネイキッド〜身も心も、むきだし。
A5判・208頁・並装・1444円(税別)・ISBN978-4-88375-494-6
●心の枷を解き放とう——そう訴えかけてくるものたち。七菜乃、真珠子、村田兼一、ストロベリーソングオーケストラ、加藤かほる、ゲルハルト・リヒターの肖像、羞恥心考、『まぼろしの市街戦』、エゴン・シーレの歪なエロス、公衆浴場、異物としての裸体、翼と裸体、ありのままの「脱ぎ恥」論、結城唯善インタビューほか

No.93 美と恋の位相/偏愛のカタチ
A5判・224頁・並装・1444円(税別)・ISBN978-4-88375-488-5
●「美」に幻惑され、偏愛的、狂的、病的な愛に憑かれた者たちの物語——美しき吸血鬼像、クレオパトラ、ベニスに死す、桜の森の満開の下、乱歩式人形愛の美学、ヴェルレーヌと美少年ランボー、少女人形フランシーヌが見せた夢、コスプレで上流階級を魅了した美女エマ・ハミルトン、八田拳(みこいす)インタビュー他

No.92 アヴァンギャルド狂詩曲〜そこに未来は見えたか?
A5判・224頁・並装・1444円(税別)・ISBN978-4-88375-481-6
●新たな価値観を創出することを志したアヴァンギャルド的表現を見直し、新たな多様な表現を眺望してみよう! マン・レイ、合田佐和子、田部光子、ヴェネチア・ビエンナーレ、舞踏はいまも前衛か、きゅんくんインタビュー、アヴァンギャルド映画、未来派とバウハウス、寺山修司による『市街劇ノック』、月刊漫画ガロの足跡他

No.91 夜、来たるもの〜マジカルな時間のはじまり
A5判・224頁・並装・1444円(税別)・ISBN978-4-88375-473-1
●「魔」的なものが支配する時間、それが夜だ! 神は闇を渡る、『稲生物怪録』、児童文学と少年少女の夜、裸のラリーズという《夜の夢》、ドイツ表現主義映画、『ナイトホークス』、稲垣足穂、埴谷雄高、『百億の昼と千億の夜』、妖精たちの長くて短い夜、『夜のガスパール』、金縛り・過眠症・夢遊病、高千穂の夜神楽他

No.90 ファム・ファタル/オム・ファタル〜狂おしく甘美な破滅
A5判・224頁・並装・1389円(税別)・ISBN978-4-88375-467-0
●危険な魔性の女、魔性の男たち——エヴァ、イザナミからラムまで、かぐや姫の正体、女奇術師・松旭斎天勝、カサノヴァの艶なる恋、高級娼婦コーラ・パール、クラーナハ、ジャンヌ・モロー、松本俊夫『薔薇の葬列』、キューブリック、横溝正史の美少年像、オペラ『カルメン』、妲己のお百、トレヴァー・ブラウン、アーバンギャルド他

No.89 魔都市狂騒〜都市の闇には、物語がある。
A5判・224頁・並装・1389円(税別)・ISBN978-4-88375-461-8
●都市の狂騒的な享楽と、頽廃的な闇——上海、ベルリン、ニューヨーク、円都と歌姫、東洋の魔窟・九龍城砦、酔いどれと怪物〜大都市ロンドン近代化の影、コペンハーゲンにあるヒッピーたちの独立自治村、美魔都市・京都、観音、遊郭から一大歓楽街へ〜浅草の歴史、ゴッサム・シティの光と影、都市から生まれる都市伝説他

トーキングヘッズ叢書（TH series） No.96

GOTHIC-R

ゴシック再興〜闇に染まれ

編　者　アトリエサード
　編集長　鈴木孝（沙月樹 京）
　編　集　岩田恵／望月学英・徳岡正肇・田中鷹虎
協　力　岡和田晃

発行日　2023 年 11 月 10 日

発行人　鈴木孝
発　行　有限会社アトリエサード
　東京都豊島区南大塚 1-33-1 〒170-0005
　TEL.03-6304-1638 FAX.03-3946-3778
　http://www.a-third.com/
　th@a-third.com
　振替口座／00160-8-728019
発　売　株式会社書苑新社
印　刷　株式会社平河工業社
定　価　本体 1500 円＋税
ISBN978-4-88375-509-7 C0370 ¥1500E

出版物一覧

http://www.a-third.com/

ご意見・ご感想をお寄せ下さい。
Web で受け付けています。
新刊案内などのメール配信申込も
Web で受付中!!

●アトリエサード twitter　@athird_official

●編集長 twitter　@st_th

アトリエサード HP

AMAZON（書苑新社発売の本）

A F T E R W O R D

■いまだ異世界転生モノが流行っていて、そういう小説やアニメ等にはあまり食指が動かず…でも批判するつもりもないのだが、よほどみなこの現実世界に絶望してるんだなと思ってしまう。というか、絶望してるのは私も一緒で、むしろ異世界に夢を持てる方がまだマシなのか？ 一方、厭世観に彩られたゴシックの世界に未来への希望などなく、つまり夢もない。だが進歩を幻想しないゴシックは、人口減・経済衰退の現代にふさわしい精神なのでは、とも思ったり。で、次はExtrARTが12月下旬、THが来年1月末です！（S）

★弦巻稲荷日記ーマレーシアに行ってきた。ゲーム関係の取材が主だったが、懐かしい舞踏家を訪ねた。小池博史プロジェクトの稽古場を取材した。やっぱり現場に行かなくちゃね。あいかわらずやりたいことと、やらなくちゃならないことのバランスが取れてないけど全力投球を続けます。以下次号（め）

■展覧会・個展や上映・上演等の情報は、編集部あてにお送りください（なるべく発売の1カ月半前までに。本誌は1・4・7・10の各月末発売です）。

■絵画等の持ち込みは、郵送（コピーをお送りください）またはメール（HPがある場合）で受け付けています。興味を持たせて頂いた方は、特集や個展など、合うタイミングでご紹介させて頂きます。

■巻末の「TH特選品レビュー」では、ここ数ヶ月の文学・アート・映画・舞台等のレビューを募集中。1本400字以内で、数本お送り下さい。採用の方には掲載誌を進呈します（原稿料はありません）。THの色にあったものかどうかも採否の基準になります。投稿はメール（th@a-third.com）でOK。

■詳しくはホームページもご覧ください。

※応募の際には、本名・筆名・住所・TEL・E-mail・年齢・職業・趣味の傾向等簡単な自己紹介・本書のご感想を必ずお書き添え下さい。

※恐れ入りますが、原則的に採用の方にのみご連絡を差し上げています。ご了承ください。

アトリエサードの出版物の購入のしかた・通信販売のご案内

● TH series（トーキングヘッズ叢書）の取扱書店は、http://www.a-third.com/ へ。定期購読は富士山マガジンサービス及び小社直販にて受付中！（www.a-third.com のトップページにリンクあり）●書店店頭にない場合は、書店へご注文下さい（発売＝書苑新社と指定して下さい。全国の書店からOK）。●ネット書店もご活用下さい。

●アトリエサードのネット通販でもご購入できます。

■各書籍の詳細画面でショッピングカートがご利用になれます。■郵便振替 / 代金引換 / PayPal で決済可能。

■インターネットをご利用になれない方は、郵便局より郵便振替にて直接ご送金いただいても結構です（送料の加算は不要！ 連絡欄に希望書名・冊数を明記のこと）。入金の通知が届き次第お送りいたします（お手元に届くまで、だいたい 1 週間〜10 日ほどお待ち下さい）。振込口座／00160－8－728019　加入者名／有限会社アトリエサード

■また TEL.03-6304-1638 にお電話いただければ、代金引換での発送も可能です（取扱手数料 350円が別途かかります）